£2

STRAEON HARRI BACH

Argraffiad cyntaf: 2011

ⓗ Henry Jones/Gwasg Carreg Gwalch

Rhif rhyngwladol: 978-1-84527-346-0

Mae'r cyhoeddwr yn cydnabod cefnogaeth ariannol
Cyngor Llyfrau Cymru

Cynllun clawr: Tanwen Haf

Cyhoeddwyd gan Wasg Carreg Gwalch,
12 Iard yr Orsaf, Llanrwst, Conwy, LL26 0EH.
Ffôn: 01492 642031 Ffacs: 01492 641502
e-bost: llyfrau@carreg-gwalch.com
lle ar y we: www.carreg-gwalch.com

Straeon Harri Bach

Henry Jones, Cricieth

Golygydd:
Arthur Thomas

Cynnwys

Cyflwyniad

Yn ystod y blynyddoedd diwethaf, gwelwyd hunan-gofiannau lu yn llifo o'n gweisg. Yn amlach na pheidio, hunangofiannau enwogion o fyd teledu neu o fyd y campau ydynt, er bod nifer o bobl nad ydynt yn perthyn i'r ddau 'fyd' yma wedi cyhoeddi hunangofiant. Un o'r criw diwethaf yma yw testun y gyfrol hon.

I drigolion ardal Eifionydd, mae'r enw Henry Jones neu 'Harri Bach' yn cyfleu Cwmni Adeiladu Henry Jones, Cricieth. Ond mae sôn am Harri Bach, hefyd, yn dod â gwên i'w hwynebau gan fod y gŵr rhyfeddol hwn yn andros o gymeriad, sy'n adnabyddus fel storïwr ffraeth ymhell y tu hwnt i ffiniau ei fro enedigol. Bellach, daeth yn bur adnabyddus fel siaradwr mewn cymdeithas neu ginio, ac mae selogion cyrsiau 'Llafar Gwlad' sydd wedi cael eu cynnal ers chwarter canrif ym Mhlas Tan y Bwlch yn gyfarwydd iawn â'i ffraethineb a'i ddawn dweud.

Deuthum i'w adnabod gyntaf drwy ei gyfaill mynwesol, sef y diweddar Glyn Povey. Yr oedd bod yng nghwmni'r ddau fel gwrando ar ddeuawd gomig ond fod mwy o ddyfnder na hynny i'r 'ddeuawd'. Pan ofynnodd Myrddin ap Dafydd a fyddwn yn hoffi ymgymryd â'r gwaith o gasglu atgofion Harri ar gyfer cyfrol hunangofiant, yr oeddwn yn falch o gael gwneud ac ni chefais fy siomi. Eithr nid rhyw 'seleb teledu' o gymeriad yw hwn, ond gŵr sydd wedi byw bywyd i'r eithaf ac yn llenwi ei atgofion â hiwmor.

Y broblem fwyaf oedd cael gafael arno. Er ei fod bellach dros ei bedwar ugain, deil i fyw bywyd llawn. Ond yn fuan deuthum i ddeall nad oedd yn gwybod lle i ddechrau ar ddweud ei stori a bu'n osgoi gwneud hynny am ryw dri mis. Yna, wedi i mi awgrymu'r ffordd orau o fynd o'i chwmpas hi, bwriodd iddi gydag arddeliad. Y drefn oedd ymweld â'i gartref ar brynhawn Mawrth, fel arfer, ac wedi paned a sgwrs, byddai'n dechrau adrodd yr hanes a chyda Linor ei wraig wrth law i'w rwystro rhag mynd dros ben llestri, rhaid oedd sgwennu'r cwbl yn fras wrth iddo siarad. Yna, mynd adra a theipio'r cyfan yn llawn ar y cyfrifiadur a mynd â chopi iddo'r wythnos ganlynol er mwyn iddo weld a oeddwn wedi cynnwys y cwbl, ynteu a oedd angen ychwanegu rhywbeth arall.

Yr hyn sy'n rhyfeddol yw maint ei gof – roedd yr hanes yn llifo heb baid, a doedd ond angen cymorth i gadarnhau ambell ddigwyddiad neu ddyddiad. Yr hyn sy'n rhyfeddach fyth, yn ôl ei wraig, oedd gweld dyn sy'n enwog am fod yn hwyr i gyfarfod a chinio yn cyrraedd y tŷ gryn amser cyn y cofnodwr! Dyna beth oedd tro ar fyd.

O'm rhan i, yr oedd hi'n bleser cael treulio cymaint o amser yn mynd drwy brofiadau oes y cymeriad rhyfeddol hwn a hyderaf y cewch gymaint o bleser wrth ddarllen ag a gefais i wrth wrando a chofnodi. Diolch o galon i Harri am gael y fraint o gasglu'r hanes a diolch i Linor am y croeso a'r te ac am 'blismona'r dweud'. Diolch, hefyd, i Myrddin ap Dafydd am roi'r cyfle i mi ymgymryd â'r gwaith, ac iddo ef a gweithwyr Gwasg Carreg Gwalch am ddod â'r gwaith i olau dydd.

Arthur Thomas

Mam yn ferch ifanc

Mam a fi

*Gyda chwaer fy nhad
yn Loj Ymwlch*

Nhad yw'r un ar y chwith

Dyddiau Cynnar

Nid oes gen i syniad pa bethau pwysig a ddigwyddodd ar 23 Awst, 1928, ond gwn i mi ddod i'r byd yma yn Ysbyty Eryri, Caernarfon, ar y diwrnod hwnnw. Un o Gaernarfon oedd Mam, a'r drefn yr adeg honno oedd i ferch gael mynd i eni'r plentyn ac wedyn dod at ei mam hithau er mwyn cael help llaw am yr wythnos gyntaf wedi'r enedigaeth. Bûm yng Nghaernarfon drwy'r wythnos honno cyn dod i Gricieth i fyw – mewn tŷ rhent yn 6 Stryd Ffynnon. Wedi hynny cafodd Nhad a Mam denantiaeth Loj Isaf Ymwlch, ac yn y fan honno y bûm yn byw nes yr oeddwn yn bump neu chwech oed.

Yr oedd Mam yn ddynes dawel iawn ac yn grefyddol. Ond yn wahanol iawn iddi hi, roedd Nhad yn hoff o'i gwrw ac yn llawn hwyl. Roedd o'n was ym Mach y Saint (neu Braich Saint fel y gelwir ef ar lafar heddiw). Un o Gricieth oedd o, ac yn un o ddeuddeg o blant (roedd Mam yn un o

Diwrnod dyrnu ym Mraich y Saint, Cricieth yn 1933.
Nhad yw'r pedwerydd o'r dde

*Elsie (a fu'n byw yn Lerpwl) a
minnau'n dair oed.
Ei chyfnither yw'r llall*

saith). Byddai Nain yn arfer brolio bod y teulu wedi byw yng Nghricieth am dros bedwar can mlynedd, sydd yn llawer mwy erbyn heddiw, wrth gwrs. Er mai yn Loj Ymwlch yr oeddwn yn byw, i ysgol Cricieth yr awn. Byddai tri ohonom yn mynd o'r ardal, sef Stewart (Stewart Jones, yr actor) o Roslan, Lena o'r Gell (chwaer cymeriad lleol o'r enw Wil Gell) a fi. A minnau'n bedair oed, y drefn fyddai cerdded i'r ysgol bob diwrnod ar bob tywydd – taith o ryw ddwy filltir ar hyd ffordd oedd, bryd hynny, yn lôn drol.

Yr unig dro y byddai Mam yn rhoi ceg i mi oedd pan fyddwn yn hwyr yn cyrraedd yr ysgol, ac mi fyddai hynny'n digwydd bron bob bore am fy mod yn stopio i wylio ceffylau neu wartheg yn y caeau ar ochr y ffordd. Gan nad oedd cegin yn yr ysgol, byddwn yn cario bwyd mewn bag bach a gefais i gan Nain.

Oherwydd ein bod yn byw allan yn y wlad, byddai Mam yn cerdded i Gricieth ddwywaith yr wythnos – ar ddydd Mercher a dydd Sadwrn. Y cwbl a gariai oedd bag bach er mwyn prynu blawd, te a siwgr. Roeddem yn hunangynhaliol i raddau helaeth gan fod fy nhad yn magu moch ac ieir ar ryw ddwy acer o dir yn y Loj a thyfu llysiau yn yr ardd: tatws, moron, swej a rhai pethau eraill. Ar ddechrau'r gaeaf, byddai Nhad yn lladd mochyn ac yn ei halltu i'n cadw mewn cig yn ôl y galw drwy'r gaeaf.

Yr unig bethau eraill yr oedd angen eu prynu oedd llefrith, llaeth enwyn a menyn, a hynny gan Jên Ynys Ddu –

y ffarm oedd ar y terfyn â ni. Fi fyddai'n cerdded i Ynys Ddu efo piser i'w nôl – a byddai Mam yn filain ac yn fy rhybuddio i gau fy ngheg wrth ddweud straeon wrth Jên, achos mi fyddwn yn dweud pob dim oedd wedi digwydd yn tŷ ni: dweud fod Dad a Mam wedi ffraeo a phethau felly. Er hynny, roedd digon o hapusrwydd yn y cartref ac ni fyddwn byth yn segur gan y byddai pobl Cricieth yn dod i fyny i'n gweld, a'r tŷ yn llawn bob amser – yn enwedig gyda chwiorydd fy nhad.

Yn bump oed gyda 'Quick' y ci

Yn ystod y cyfnod y bûm yn byw yn Loj Ymwlch, byddai Mr Povey, Ymwlch Ganol (taid i'm cyfaill Glyn Povey), yn mynd gyda'i gar crwn a cheffyl i lawr i Gricieth i werthu tatws, wyau a menyn, gan alw yn nhŷ Nain ar ei daith. Sais oedd o, wedi dysgu Cymraeg ac roedd ganddo locsyn du a bachyn yn lle llaw. Byddwn yn cael reid ar y car bob bore Sadwrn ac mi fyddai Nhad yn dweud mai fi oedd yr unig un a gafodd reid ar y car crwn erioed. Daeth i'r ardal yn wreiddiol fel coetsmon i Blas Ymwlch ac fe gafodd denantiaeth Coed Gwyn ar y Stad, gan ei phrynu yn ddiweddarach. Erbyn heddiw, mae gen i wyres o'r enw Haf Povey Jones ac ŵyr o'r enw Iolo Povey Jones sy'n ddisgynyddion i'r Povey gwreiddiol a fu'n fy nghario pan oeddwn yn blentyn.

Pan oeddwn yn rhyw bump neu chwech oed, symudodd y teulu i lawr i Gricieth i fyw, i dŷ rhif 2, Bryn Hyfryd (lle mae Capel Pab rŵan). Bwthyn Cymreig oedd hwn ac roedd o'n lle braf ofnadwy – rhyw bum llath o'r lôn gydag afon

Rhif 2 Bryn Hafod

Cwrt yn rhedeg drwy ganol yr ardd (yn yr afon honno y byddai merched Cricieth yn golchi'u dillad). Drws nesaf i ni roedd hen greadur o'r enw Robert Jones a'i wraig Annie yn byw; ef yn wreiddiol o'r Bala a hithau'n ferch Beudy Glas. Garddwr proffesiynol oedd Robert Jones ac mi gofiaf fod ei sgrifen yn arbennig, yr hyn a ddisgrifir fel copper plate.

Yn rhif 2, Bryn Hyfryd, y cafodd fy mrawd a'm chwaer eu geni. Roedd saith mlynedd o wahaniaeth rhwng John a fi a deng mlynedd rhyngof ac Ann. Dim ond grât a lamp baraffîn oedd yn goleuo'r tŷ, ac ar y grât y byddai Mam yn coginio. Yr oedd Nain yn byw yn y tŷ yr wyf i'n byw ynddo heddiw ac, yn wahanol i ni, yr oedd ganddi stof baraffîn, a byddai'r mwg a godai ohoni'n troi'r lle yn ddu bitsh. Yn ystod y cyfnod hwn pan oeddwn yn byw ym Mryn Hyfryd y cefais y crwb (neu'r pâs) ac er i hwnnw glirio ymhen amser, gadawodd y salwch *asthma* arnaf, anhwylder y bûm yn dioddef ohono ar hyd fy oes nes i mi gyrraedd 75 oed, pan gefais bwmp newydd i roi cymorth i mi anadlu a chefais ddim trafferth wedyn. Yr oeddwn yn wael iawn ar un adeg ac yn colli llawer iawn o ysgol – fel arfer, byddwn yn yr ysgol am wythnos ac adra am bythefnos, dro ar ôl tro oherwydd yr *asthma*. Yr unig le y cefais iechyd oedd ar y môr a ches i ddim tamaid o *asthma* – mae'n siŵr mai'r awyr iach, gwres yr haul ac absenoldeb llwch oedd yn gyfrifol am hynny.

'Dw i'n cofio un bore Sul pan oedd John a minnau o dan draed Mam, a hithau eisiau gwneud cinio, dyma hi'n dweud:

Mam gyda John fy mrawd

'Da chi, cerwch allan i chwarae. Cerwch at giât y lôn ac mi fydd Lloyd George yn mynd i lawr i'r capel yn munud. Pan fydd o'n pasio, tynnwch eich capia a dwedwch "Bore da, Lloyd George," ac efallai cewch chi chwe cheiniog yr un ganddo.'

Mi ddaeth ymhen rhyw chwarter awr yng nghwmni rhyw ddyn arall, a Lloyd George yn gwisgo clogyn dros ei ysgwyddau yn ôl ei arfer.

'Bore da, Lloyd George,' meddem, a thynnu'n capiau, ond chawson ni ddim byd. Mi oedd Mam yn dweud ymhen blynyddoedd mai Churchill oedd y dyn efo Lloyd George, ac mi 'dw i'n ei chredu gan mai gweini yn y Lion Hotel oedd hi cyn priodi, ac ar ambell achlysur byddai'n tendio ar Lloyd George a'i griw, felly yr oedd hi'n adnabod y bobl yma.

Lle difyr iawn oedd Bryn Hyfryd – pum tŷ gyda llawer o blant yn byw yno. Yn rhif 4, roedd Ben a Corrie Williams yn byw gyda'u deuddeg o blant. Dros y ffordd, yr oedd Regent Garej wedi ei chychwyn gan *chauffeur* Lloyd George, ac mae hi yno hyd heddiw. Ar ôl hwnnw, daeth dyn o'r enw Dafydd

Hen lun o Gricieth

Jo (David Davies) o Drawsfynydd i gadw'r lle; gan ei fod wedi bod yn 'Merica, fel Dafydd Michigan y câi ei adnabod gan rai. Mae'n rhyfedd gen i feddwl mai fi gafodd y fraint o'i gladdu flynyddoedd yn ddiweddarach.

Yn ystod fy mhlentyndod yng Nghricieth, byddai'n ddiwrnod mawr pan ddeuai defaid cadw ar y trên o Sir Feirionnydd i'w dadlwytho yn y seiding y tu ôl i Gaffi Cwrt. Byddent yn cael eu cerdded wedyn i wahanol ffermydd yn yr ardal. Wrth gwrs, byddai'n rhaid colli'r ysgol y diwrnod hwnnw a byddai'r un peth yn digwydd pan fyddai'n amser i'r defaid fynd yn ôl.

Gan fod hen dai Bryn Hyfryd wedi eu condemnio am nad oeddynt yn addas i deuluoedd fyw ynddynt, codwyd deuddeg o dai yn Nhy'n Rhos gan Gyngor Cricieth ac yn 1938 fe symudwyd y teuluoedd o Fryn Hyfryd i'r tai newydd. Mi fu Mam a Dad yn lwcus i gael rhif 8 ac mi ges i blentyndod hapus yn y fan honno hefyd gan fod llu o blant yn y tai, a byddem i gyd yn chwarae'n hapus gyda'n gilydd.

'Dw i'n dal i gredu hyd heddiw ei bod hi'n bwysig i blant gyd-chwarae.

Dros y ffordd i'r stad roedd hen lyn, neu hen gronfa ddŵr Cricieth; twll concrit yn y ddaear oedd erbyn hynny, yn wag. Yn y fan honno y byddem yn cicio pêl a gwneud pob math o bethau, gan gynnwys casglu coelcerth Gei Ffôcs (Guto Ffowc). Ond daeth cysgod dros ein plentyndod, ac ymgasglai cymylau duon ar y gorwel.

Cysgod Rhyfel

Byddai John a minnau'n cysgu yn yr un llofft ac mi fedraf gofio un noson braf ddiwedd haf 1939, gyda'r ffenest yn llydan agored, glywed Mrs Povey, un o'r cymdogion, yn gweiddi dros y lle fod yna ryfel a bod y wlad yn ymladd yn erbyn Hitler. Yr oedd wedi clywed hyn ar y radio gan ei bod yn un o'r ychydig oedd yn berchen ar radio bryd hynny. Un ar ddeg oed oeddwn ar y pryd ac yn y fan honno y stopiodd y chwarae i gyd, a'r plant, fel pawb arall, yn gynyddol bryderus wrth feddwl beth oedd o'u blaenau.

Yn fuan dechreuwyd ar bob math o weithgareddau i hel pres at gynnal y rhyfel, a dechreuais i newid o fod yn blentyn i fod yn ddyn. Un diwrnod, aeth plant Cricieth i gyd i'r stesion i ddisgwyl llwyth o faciwîs a oedd i fod i gyrraedd yno. Doedden ni ddim yn gwybod llawer am faciwîs, wrth gwrs, a wyddem ni ddim beth i'w ddisgwyl, ond yr hyn a welson ni oedd cant a mwy o blant yn dod o'r trên – plant o bob maint ac oedran efo labeli mawr ar eu cotiau a'u henwau arnynt, bocs *gas mask* a ches bach gan bob un. Wedyn, arweiniwyd hwy fel sowldiwrs drwy Gricieth a ninnau'r plant lleol ar eu holau. Tynnwyd un neu ddau o'r rhes wrth bob tŷ, yn ôl nifer yr ystafelloedd – roedd hi'n rheidrwydd ar bob tŷ i gymryd un neu ddau yn ôl maint y tŷ. Gan fod pedair ystafell wely yn ein tŷ ni a lle dros ben, rhaid oedd i ni gymryd dau. Does gen i ddim cof o ble y daethant, chwaith, ond cofiaf fod merched Cricieth yn crio wrth weld y plant bach yma gyda golwg druenus arnynt.

Ychydig yn ddiweddarach, yn 1940, daeth sowldiwrs i Gricieth. Aelodau o'r BEF oedd wedi dianc drwy Dunkirk oeddynt, ac roedd pobl Cricieth yn gorfod cymryd y rheiny i'w tai hefyd, felly daeth dau sowldiwr i aros i'n tŷ ni, yn ychwanegol at y ddau faciwî.

Ysgol Cricieth – fi yw'r trydydd o'r chwith yn y rhes ganol

Y ffordd heibio'r 'Marine' yng Nghricieth

Chafodd neb lawer o addysg yn ystod y cyfnod hwnnw, gan fod angen rhannu'r amser efo'r faciwîs – y plant lleol yn yr ysgol yn y bore un wythnos ac yn y prynhawn yr wythnos wedyn, gan newid drosodd gyda'r faciwîs ar ddechrau pob wythnos. Felly, dim ond hanner ein haddysg roeddan ni'n ei gael (gan fy mod yn mynd i ysgol Sul yr Eglwys, a honno'n Saesneg hefyd, ychydig iawn o addysg Gymraeg a gefais).

17

Sally Mathews gyda'i thad

Yn yr ysgol, byddem ni'r hogiau hynaf yn gorfod agor *trenches* efo caib a rhaw ar glogwyn Morannedd, ac wedyn ger gwesty'r Marine ac ar iard yr ysgol ar gyfer yr *Home Guard* mae'n debyg, er mae'n anodd dychmygu faint o werth a fyddent petai ymosodiad wedi dod. Yr oedd fy nhad yn yr *Home Guard* yn ystod y cyfnod hwnnw. Yn ogystal â hynny, roeddem yn gorfod hel tatws fel *war work* o'r ysgol, a hel dail poethion a'u gosod ar *neting* ieir i'w sychu er mwyn eu gyrru i ffwrdd – yn ôl pob sôn i gael ïodin allan ohonynt. Roedd yr ymgyrch codi arian yn mynd rhagddi, gyda thermomedr mawr pren ar flaen y Neuadd Goffa a fyddai'n cael ei baentio'n uwch wrth i'r arian ddod i mewn.

Yn ystod y rhyfel, ac ar ôl i'r faciwîs ac wedyn y sowldiwrs adael ein tŷ ni, mi ddaeth yna ddyn o Fryste o'r enw Mr Mathews a'i wraig i aros nes iddynt gael tŷ eu hunain. Roeddynt acw am ryw chwe wythnos – *petty officer* yng nghamp HMS Glendower oedd o (Bytlins wedyn a Hafan y Môr heddiw). Ar ôl chwe wythnos, roeddynt wedi cael tŷ ar rent ar draws y ffordd i'r Camp, ond ymhen pythefnos mi ddaethant yn ôl am fod arni hi hiraeth ar ôl ein tŷ ni. Yno y daethant i fyw ac ymhen sbel fe anwyd hogan fach yn y llofft ffrynt acw – mi glywais y comosiwns i gyd – a'i henw oedd Sally Mathews. Mi fu'r teulu acw hyd nes roedd hi'n dair a hanner oed. Wedyn, cyn diwedd y Rhyfel, aethant yn ôl i Fryste.

Byddwn yn gwarchod yr hogan fach a'r tâl am wneud

OXFAM

VAT: 348 4542 38

VICTORIA	SALES	F4805/POS1

TUESDAY 1 JUNE 2021   12:03 085850

1	OTHER ACCESSORIES	£4.00
1	OTHER BOOKS	£4.00
	GIFT AID 20127490104805	
1	OTHER BOOKS	£0.50
1	OTHER BOOKS	£0.50
	GIFT AID 20705084434805	
1	OTHER BOOKS	£0.50
1	OTHER BOOKS	£1.00
1	OTHER BOOKS	£1.00
	GIFT AID 20705820034805	
1	OTHER BOOKS	£2.50
1	NON FICTION	£5.00
	GIFT AID 20705819954805	
1	NON FICTION	£2.00
1	OTHER BOOKS	£2.00

11 Items

TOTAL	**£23.00**
CREDIT CARD	£23.00

OXFAM SHOP: F4805
10 LOMBARD STREET
PORTHMADOG LL49 9AP
01766 513448
oxfam.org.uk/shop

hynny oedd owns o faco, pwys o siwgr brown a thun o driog. O'r herwydd, mi ddois yn arbenigwr ar wneud taffi triog (ac yn dal i fod hyd heddiw). Roedd hyn yn handi gan mai ychydig o bethau da oedd ar gael yn ystod y cyfnod hwnnw. Mi ddaeth yr hogan fach yma'n ffrindiau efo fi ac roedd hi'n bwyta efo fi pan fyddai ei mam yn methu'n glir â'i chael i fwyta. Felly, yr oedd wedi ei magu fel un ohonom ni. Fydden ni byth yn fyr o gig, gan fod Mr Mathews yn delio gyda chigydd o Chwilog – y gŵr a ddaeth yn dad-yng-nghyfraith i mi'n ddiweddarach!

Gan ein bod, blant Cricieth, yn ddigon tlodaidd rhaid oedd meddwl am ddulliau o godi pres poced. Byddem yn gwneud pob peth yn ei dymor. Cychwyn adeg y Dolig gan hel a gwerthu celyn a mynd i ganu carolau; yna, pan fyddai'n amser y lili wen fach ac, yn ddiweddarach, y cennin Pedr, byddem yn eu casglu ac yn mynd o gwmpas i'w gwerthu. Yn ystod y gwanwyn a'r haf, byddem yn gweithio fel cadis yn y Clwb Golff, gan gario clybiau i'r byddigions am ryw swllltyn, a hynny am tua dwy awr.

Roedd hen draddodiad o 'hel cardod' yn bodoli yng Nghricieth, pan fyddai pobl yn mynd o gwmpas tai a ffermydd cyn y Nadolig i ofyn am gardod er mwyn cynnal eu teuluoedd. Roedd yn hen draddodiad Cymreig yr un fath â hel calennig. Yng nghyfnod Nain, blawd a chig fyddai'n cael eu rhoi ond yn fy nghyfnod i, tatws, moron a swej y byddwn i'n eu cael. Fi ac un arall oedd y rhai diwethaf i gynnal yr arferiad o hel cardod, a hynny pan oeddwn yn rhyw naw neu ddeg oed.

Mi fues i'n chwythu'r organ yn yr eglwys dair gwaith y Sul am gyfnod yn ystod fy mhlentyndod. Dynes o'r enw Mai Jones oedd yn chwarae'r organ – un flin ar adegau ac fe waeddai, 'gwynt!' pan fyddai angen chwarae. Roedd yna ryw

Stryd Fawr Cricieth ers talwm

ddarn o blwm ar linyn i ddangos faint o wynt oedd yn yr organ ac mi fedrech gael sbelan ambell dro pan fyddai digon ynddi. Pum swllt y mis roeddwn i'n ei gael am chwythu. Weithiau, byddai'r gyfeilyddes yn gweiddi 'gwynt! gwynt!' a minnau'n peidio chwythu tan y pen diwethaf.

Yn y Rheithordy, tyfai cennin Pedr fesul cannoedd yn eu tymor. Un nos Sul, dyma Ronnie Povey a minnau'n mynd i'r Rheithordy i ddwyn y cennin Pedr yn lle mynd i'r eglwys, a'u cadw mewn dŵr er mwyn eu gwerthu drannoeth. Brynhawn Llun, daeth Ellis y plismon i'r ysgol i chwilio am y lladron oedd wedi eu dwyn, ac meddai'r sgwlyn:

'Mae Mistar Ellis eisiau sgwrs efo chi. Mae yna ddau leidar yn y stafell yma a 'dw i isio i chi ddod allan i'r blaen.'

Roedd Ronnie a minnau'n dal yn ôl.

'Wel, 'dw i'n gwybod pwy 'da chi.'

Dyma'r ddau ohonom yn codi.

'Dyna fo, 'dw i am fynd â nhw i'r jêl rŵan,' meddai'r plismon.

Ninnau'n mynd am y jêl efo Ellis a'r genod yn crio wrth

i ni adael yr ysgol. Aeth â ni i mewn i'r hen jêl oedd ar y Maes yma yng Nghricieth a dangos y celloedd i ni. Roeddan ni wedi dychryn yn ddiawledig wrth iddo ddangos hen doiled o dan y bync. Pwy ddaeth i mewn ond ei wraig.

'Be ti'n neud efo'r ddau fach yma?' holodd.

'Rhoi nhw'n jêl am ddwyn *daffodils* o'r *rectory*.'

'O, paid â'u rhoi nhw yn y jêl,' meddai.

'O dyna fo, ta, peidiwch â gwneud eto,' medda fo cyn ein gollwng allan, ac i ffwrdd â ni nerth ein traed. Wyddem ni ddim bod y cwbl wedi ei drefnu rhwng y plismon, ei wraig a'r rheithor ond mi weithiodd, achos aethon ni ddim yno i ddwyn wedyn.

Am gyfnod, fe fûm i a hogyn arall yn cario allan o siop y cigydd. Wrth i'r tymhorau fynd heibio mi ddaeth yn dymor myshrwms a byddem yn eu hel a'u gwerthu. Un bore, dyma godi am chwech a mynd i hel llond basged o fyshrwms ar gaeau Penystumllyn. Roedd Saeson, Mr a Mrs Merryfield, yn byw mewn tŷ mawr o'r enw Nant y Felin, ac roeddynt wrth eu boddau gyda chynnyrch ffres. Felly, dyma gnocio'r drws tua wyth o'r gloch a chael hanner coron am fasgedaid gyfan o fyshrwms. Es yn ôl adra i gael brecwast a dechrau am naw yn y siop gig.

Yn ôl ei drefn arferol, byddai Mr Merryfield yn mynd i lawr i nôl ei bapur tua hanner awr wedi naw ac yn pasio siop y cigydd. Pan gyrhaeddais y siop a gwisgo fy ffedog, dyma Morris y cigydd yn dweud:

'Ma' hi 'di bod yn ddrwg iawn tua Nant y Felin 'na heddiw.'

'Be sy'n bod?'

'Wedi cael yr hen Merryfield yn gorff yn y gegin tua hanner awr yn ôl.'

'Be sy 'di digwydd?' holais.

'Yn ôl y sôn, roeddan nhw 'di cael myshrwms i frecwast ac un o'r rheiny'n wenwynig ac wedi ei ladd.'

Dyma'r ddau ohonon ni'n edrych ar ein gilydd cyn mynd yn syth allan i'r cefn i gael smôc. Aethom i ddechrau dadlau ac mi aeth hi'n ddrwg rhyngom ynglŷn â phwy oedd wedi hel yr un wenwynig.

Pan oeddem wrthi'n golchi a sgubo'r lloriau tua deg o'r gloch, beth glywson ni oedd llais Merryfield.

'Good morning, Morris.'

'Good morning, Mr Merryfield.'

Oedd, roedd o'n fyw, a ninnau wedi bod yn poeni. Sut oedd Morris yn gwybod ein bod wedi gwerthu myshrwms iddo? Wel, roedd ei frawd, Dic, ar y dôl ac yn hel a gwerthu myshrwms, a phan gyrhaeddodd hwnnw Nant y Felin dyma'r hen wraig yn dweud:

'Very sorry, Richard, the boys from the butcher's shop have been before you.'

Pan oeddwn ychydig yn hŷn, byddwn yn rhwyfo pobl ddiarth allan mewn cwch i 'sgota mecryll, ac yn rhwyfo partis – dau ohonom yn rhwyfo – eu gollwng yn y Greigddu (*Black Rock*) a'u nôl nhw wedyn am swllt y tro. Mi fyddem hefyd yn sgota mecryll a'u gwerthu o gwmpas Cricieth.

Roedd gan deulu Cadwaladr gychod ar lan y môr lle mae'r bad achub yn cael ei gadw heddiw. Gan fod Robin Cadwaladr wedi mynd i'r llynges byddai hen greadur o'r enw Harri Thomas yn edrych ar ôl y cychod a'u gosod allan i bobl ddiarth yn yr haf. Hen longwr oedd Harri Thomas (neu Harri Winc fel yr oedd pawb yn ei adnabod) a fu i ffwrdd ar longau hwyliau am flynyddoedd. Hen foi ffeind oedd o, ac roedd ganddo gwch hwylio o'r enw *Mermaid*. Mi fues i'n *first mate* efo fo ar honno am flynyddoedd. Cofiaf fynd allan efo fo un prynhawn a phedair gwraig mewn oed yn y cwch. Cododd awel go lew wrth adael y lan, ond allan yn y bae dyma'r gwynt yn gostegu'n sydyn nes roedd y môr fel llyn llefrith. Roeddem yno am ddwyawr heb symud dim. Mwya sydyn, dyma Harri Thomas yn sefyll yn y cwch ac yn dweud:

'*Ladies, do you mind turning your heads, I want to make water.*'

Rheiny'n troi'u pennau a'r hen Harri'n piso dros ochr y cwch – dyna'r unig symudiad oedd yn y dŵr, heb sôn am y sŵn! Mi ddaeth y gwynt o'r diwedd a'n chwythu yn ôl i'r lan.

Byddai gan Harri Winc *sets*, neu rwydi penwaig, wedi eu gosod allan yn y bae. Arferem fynd allan ben bore i weld a oedd penwaig yno, ac os nad oedd llawer o benwaig, byddem yn mynd am ochrau Harlech i sgota *whiting*. Gollwng lein efo rhyw dri neu bedwar bach arni fydden ni, a thamaid o bennog fel abwyd ar bob un. Y bore hwnnw, a ninnau allan ar y môr, roedd gynnau mawr y fyddin yn ymarfer o wersyll Tonfannau drwy danio allan i'r môr. Cyn cychwyn y tanio, byddai baner goch yn cael ei chodi ar ben castell Cricieth fel rhybudd ond roeddem ni wedi mynd allan cyn i'r faner gael ei chodi. Y canlyniad oedd ein bod yng nghanol y tanio a'r sieliau'n mynd heibio'r cwch! Doedd dim amdani ond troi am adra rhwng y sieliau.

Byddem yn cael tâl gan Harri Thomas am gario'r cychod o'r dŵr – dau ohonom yn defnyddio dau bolyn â bachyn i'w cario i fyny pan fyddai hi'n drai. Byddai canŵs yn cael eu gosod hefyd ac roedd angen eu cario hwythau i'r cwt.

Ar ddechrau'r Rhyfel, caewyd cwt y Bad Achub a'i werthu. Prynwyd y lle gan ddyn o'r enw Deio Price y Pines ac fe'i trowyd yn *milk bar*. Yno, yr oedd stwff o'r enw *milk shake* yn cael ei werthu am dair ceiniog, a minnau wedi gwirioni arno. Ar y Sul, byddwn yn newid i 'nillad gorau i fynd i'r eglwys, ac, ar ôl bod yno, newid yn ôl i ddillad bob dydd. Newid eto cyn yr ysgol Sul, wedyn newid yn ôl; newid i fynd i oedfa'r hwyr, cyn newid yn ôl unwaith eto. Un tro, yr oeddwn wedi newid yn barod ar gyfer yr ysgol Sul ac yn meddwl am y *milk shake*. Roedd gan Mam ddresel yn y parlwr ac arni byddai'n cadw pres llefrith, pres bara ac yn y blaen mewn gwahanol botiau. Mi ddwynais hanner coron allan o un o'r potiau a ffwrdd â mi am y *milk bar* i gael *milk shake* yn y gwydr mawr. Roedd gwelltyn i'w yfed ond ar ôl i mi yfed ei chwarter, roeddwn yn teimlo'n euog, a fedrwn i ddim yfed mwy na'i hanner. Gadewais yr hanner arall ar ôl gan fod cydwybod yn fy mwyta. Es adra ar ôl yr ysgol Sul i newid, ac i lawr â mi. Wrth fynd i newid wedyn ar gyfer gwasanaeth yr hwyr, dyma Mam yn dweud:

'Harri, mae yna hanner coron wedi mynd oddi ar y dresel.'

Fy ateb oedd: 'Dim fi. Mae 'na fwy yn byw yn y tŷ 'ma na fi.'

'Gwranda, ngwas i. Dydw i ddim yn dy gyhuddo di, dim ond gofyn a wyt ti 'di gweld yr hanner coron. Os wyt ti'n deud dy fod ti heb fynd â fo, mi goelia i di.'

Es i 'ngwely'r noson honno a methu cysgu. Ganol nos, mi godais a mynd i lawr y grisiau a rhoi dau swllt a thair ceiniog yn ôl yn y pot ar y dresel. Ddwedodd Mam yr un gair, a hyd heddiw dyna'r wers orau a gefais erioed. A chyn belled ag y gwn, es i ddim â cheiniog annheilwng oddi ar neb wedyn.

Yn bedair ar ddeg oed, dyma adael yr ysgol a chwiliodd Mam am le i mi gael fy mhrentisio. Roedd Nhad wedi cael cynnig i mi fynd yn brentis gof efo Robin Ellis yn yr efail (wrth Caffi Cwrt). Y rheswm am hynny oedd y byddwn yn mynd at Robin Ellis i chwarae drafffts. Eisteddem un bob pen i'r fainc a'r drafffts yn y canol a hwythau'n ddu bitsh. Ond roedd Mam yn gwrthod gadael i mi fynd yn brentis gof am fod yr hen salwch *asthma* arna i ac y byddai mwg yr efail yn ddrwg i'm hysgyfaint. Wedyn, aeth Mam i weld y Prifathro,

Cricieth dros gan mlynedd yn ôl

Ifan Davies (yr Hen Sgŵl) a rhwng Ifan Davies a'r Rheithor, Mr Cooke, mi ges le i fynd yn brentis saer coed gyda William Jones (W.G. Jones, Cricieth), neu William Jones *Square*, tad Emrys Jones (a ddaeth wedyn yn dwrnai yng Nghricieth).

Dechreuais fy mhrentisiaeth fel yr oedd yr ysgol yn cau am yr haf, a hynny cyn fy mod wedi cael fy mhen-blwydd yn bedair ar ddeg oed, a dweud y gwir.

Nain – Margiad Elin Jones

Gadewch i mi fynd â chi yn ôl ymhellch am funud, i mi gael deud wrthach chi am y teulu. Ganwyd Nain yng Nghefn y Castell, ffarm ar lan y môr rhwng Cricieth a cheg afon Dwyfor, a merch Cefn y Castell oedd ei mam, sef Elin Williams. Cofiaf Nain yn adrodd hanes ei nain ei hun, Dora Roberts (gwraig Cefn y Castell), a gafodd ei geni a'i magu ym Mryn Ffynnon, yr Ynys (Rhoslan). Daeth gwas ifanc o Ben Llŷn o'r enw John Roberts yno, ac yn ôl y stori bu'n rhaid iddynt briodi'n reit handi a chwilio am le i fyw. Roedd ei thad yn ffrindiau gyda Pugh Jones, Ynysgain, oedd yn Uchel Siryf Sir Gaernarfon ac fe gawson nhw denantiaeth Cefn y Castell.

Cafodd John a Dora amryw o blant, gydag Elin Williams, mam Nain, yn un o'r nythaid. Roeddan nhw'n byw yno'n ddigon hapus, ac fel yr âi'r amser heibio, mi ffeindiodd yr hen sgweiar fod John Roberts yn fwy galluog na'r rhelyw ac fe gafodd ei wneud yn hwsmon yn ogystal â thenant. Un bore, bu farw tad Dora Roberts ym Mryn Ffynnon ac fe wyddai Dora y byddai'n cael siâr o'r ewyllys ac mae'n siŵr ei bod wedi 'capel ganu' (ymadrodd lleol am frolio) hynny ac y gwyddai llawer o bobl yr ardal ei bod am gael arian ar ôl ei thad.

Ar ddiwrnod y cynhebrwng, byddai'r ewyllys yn cael ei ddarllen a'r eiddo'n cael ei rannu yn ôl trefn yr oes, ac mi aeth Dora i'r cynhebrwng a dod yn ôl y noson honno gyda'r arian yn ei meddiant. Wrth gerdded ar hyd y clogwyn (ger gwesty'r Marine heddiw), neidiodd rhywun o'r gwrych ac anelu amdani. Hitiodd Dora Roberts y dyn nes iddo syrthio i lawr y clogwyn a chyn iddo allu dringo'n ôl, rhedodd hithau am Gefn y Castell. Ymhen ychydig, sylweddolodd, yn ôl y sŵn, fod y dyn wedi dringo'r dibyn ac yn rhedeg ar ei hôl. Cyrhaeddodd Gefn y Castell ac agorodd y drws. Drws dau hanner oedd hwn, fel drws beudy, gyda thwll i roi bys er mwyn codi'r glicied bren. Agorodd y ddau ddrws ac i mewn â hi. Rhag i'r dyn agor y drws ar ei hôl, gwthiodd y bwrdd derw oedd yn y gegin yn erbyn y drws. Ar y bwrdd yr oedd bara, menyn a chyllell fara fawr. Yn anffodus, er ei fod yn rhwystro gwaelod y drws rhag agor, nid oedd y bwrdd yn rhwystro'r rhan uchaf ac mi welodd Dora Roberts fys yn dod drwy'r twll i agor y glicied. Cododd y gyllell a rhoi clec i'r bys nes yr oedd ar y llawr. Dechreuodd y dyn weiddi a rhedodd oddi yno.

Ymhen sbel, daeth John Roberts adra ar ôl bod o gwmpas y stoc. Roedd Dora yn eistedd yn welw ei gwedd, a dyma'i gŵr yn gofyn beth oedd wedi digwydd.

'Mae 'na rywun wedi trio dwyn y pres ond mae 'na nod arno.'

'Be di hwnnw?'

Dyma hi'n dangos y bys ar y llawr.

Aeth John Roberts yn ôl at y sgweiar a dweud beth oedd wedi digwydd. Heliodd hwnnw griw o ddynion o blith ei weision a'i denantiaid i chwilio am y dyn. Pwy oedd y dyn? Doedd neb yn gwybod ond credir mai mab un o'r ffermydd cyfagos oedd o.

Dyna'r cwbl oedd Nain yn ei wybod. Dywedodd iddi weld y stori wedi ei hysgrifennu ar gefn Beibl y teulu ond mae'r Beibl hwnnw wedi mynd ar goll ers talwm iawn a welais i erioed mohono fo, dim ond clywed Nain yn dweud y stori.

Roedd John Roberts yn flaenor yn y Capel Mawr yng Nghricieth, a phan ddaru fo ymddeol o'r ffarm, daeth i lawr i'r Sgwâr i fyw.

Un o Sir Fôn oedd gŵr Elin Williams, llongwr ar longau Port (neu Pôrt fel y dywed trigolion hŷn Eifionydd). Pan

*Elin Williams, fy hen nain, o flaen
Maestyngelaist*

adeiladwyd y rheilffordd,
roedd gwell cyflog i'w gael
yno, felly aeth i weithio ar y
rheilffordd yn lle'r llongau.
Dyna sut y bu iddo gyfarfod
â Nain. Hi oedd yr unig
ferch, gyda dau frawd,
Robert a Rolant. Roedd ei
nain hi wedi bod yn gweini
mewn rheithordy yn Sir Fôn
a byddai'n sôn am y llongau
oedd wedi mynd ar y
creigiau a sut y bu i'r
trigolion gael gafael ar
gasgenni o rým. Yn ôl yr hyn
a glywodd, byddai'r hen
reithor, a llawer un arall, yn
feddw am wythnosau! Bu i

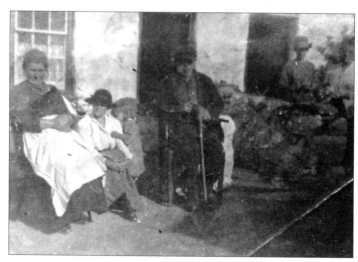

Teulu Nain ym Mhen Cei

Hen lun o Gricieth – Pen Cei yw'r tai ar lan y môr

ŵr Elin Williams ei gadael at y diwedd a mynd am Fangor neu Sir Fôn.

Cafodd Nain, Marged Elin Jones, ei magu ym Maestyngelaist, Cricieth, un o ddau dŷ a oedd yno'r adeg honno. Mae'r tir yn gomin ac mae perchnogion y tai sydd yno heddiw yn dal i dalu rhent tir i'r Cyngor. Yn 1887, daeth hogyn ifanc o ochrau Abersoch i weini ym Mynydd Ednyfed ac yntau ond yn un ar ddeg oed. John Jones oedd ei enw, ac fe briododd Nain ymhen blynyddoedd. Fe gawsant denantiaeth un o dai Pen Cei, Cricieth, ac fe anwyd deuddeg o blant iddynt, y rhan fwyaf wedi eu geni ym Mhen Cei, heblaw am y tri ieuengaf.

Cafwyd storm enbyd rywdro yn 1927, storm ofnadwy gyda chymaint o nerth nes peri i dai Pen Cei ddechrau disgyn oddi wrth ei gilydd. Bu'n rhaid i'r teuluoedd ffoi am y Neuadd (gerllaw'r castell – lle y bu Theatr y Gegin yn ddiweddarach gan Wil Sam) i gysgodi rhag y storm. Yn dilyn

*Pen Cei – cartref Taid a Nain
ar ôl cael ei chwalu gan storm fawr yn 1927*

Llun arall o ddifrod storm 1927 yng Nghricieth

y llanast a grëwyd, cafodd Nain dŷ'n weddol sydyn yn Cambrian Terrace ac yno y ganwyd dau o'r plant eraill. Daeth y diwethaf, Wil, wedi iddynt symud i 2, Stryd y Capel, lle rydw i'n byw heddiw.

Bu Nain yn byw yma am weddill ei hoes. Pwtan fach

oedd hi, dipyn yn wyllt, gyda phawb yn ei hofni. Dengys cofnodion ysgol Cricieth fod Marged Elin Jones wedi dod i'r ysgol a gwneud andros o stŵr yno. Roedd Wil yn chwarae pêl-droed i Gricieth a byddai Nain yn dilyn y tîm i bob man gan warchod ei mab os oedd yn cael cam drwy fynd ar y cae a waldio'r dyfarnwr efo ambarél!

Arferai Nain gymryd cytundebau gydag adeiladwyr Cricieth i lanhau a sgwrio tai'n lân ar ôl iddynt gael eu gorffen. Un tro, roedd adeiladwr wedi bod wrthi'n codi Capel Seion (Capel y Traeth heddiw), ac ar ôl ei orffen, rhaid oedd ei lanhau'n drylwyr cyn y medrid ei agor. Newydd eni Sam (un o'r ieuengaf) oedd Nain, a phan oedd yn dair wythnos oed, aeth â fo mewn basged efo hi i sgwrio'r capel newydd. Byddai'n sgwrio a glanhau'r banciau hefyd ac, o'r herwydd, ni fyddai fyth yn fyr o bres. Yn aml iawn, byddai'n mynd i arwerthiant i brynu dodrefn neu wely i un o'r plant oedd yn priodi a byddai'r arwerthwr yn ei hadnabod yn dda.

Yn bur aml, âi John, fy nhaid, am beint, ac ar ôl tipyn o gwrw byddai'n colli rheolaeth ar ei draed ac fe gâi gryn drafferth i gerdded. Roedd tafarn Ty'n Maes (y Lion heddiw) y drws nesaf i'r tŷ a chenid hen gân amdani:

> Yn Ty'n Maes mae cwrw llwyd,
> Mae o'n ddiod ac yn fwyd,
> Yfais innau lond fy mol
> Nes o'n i'n troi fel olwyn trol.

Daeth y rhigwm yn wir iawn un noson a Nhaid wedi cael gormod i'w yfed. Pwy oedd yn dod allan ar y pryd ond Harri Beudy Mawr, Pentrefelin,

"Da chi 'pim bach yn simsan, John Jones. A' i â chi adra.'

Pan gyrhaeddodd y ddau y giât ffrynt, dyma Taid yn dweud:

''Na i'n iawn o fan hyn.'

'Well i mi fynd â chi at y drws.'

'Na, faswn i'n deud y bydda hi'n well i chi fynd adra rŵan.'

'Na, mi a' i â chi at y drws.'

Cnociodd Harri'r drws a dyma Nain yn ei agor.

'Dod â John Jones adra 'dw i, Musus Jones.'

'A pwy wyt ti, ta?'

Yntau'n ateb.

'O le ti'n dŵad, ta?'

'O Bentrefelin,' atebodd.

'Wel cer am y Pentrefelin 'na, ta,' meddai, gan roi sgwd i Taid ar hyd y pasej, 'a cer ditha i dy wely.'

Yn 1914 aeth Nhaid i'r fyddin. Wrth gwrs, doedd dim incwm wedyn, a Nain, gyda help y plant, fyddai'n palu a phlannu acer o ardd ger y tŷ a rhyw ddwy acer arall oedd ar rent gan Taid. Byddai'n tyfu bob math o lysiau a chadw moch ac ieir er mwyn cael bwyd i'r teulu.

Bu Nain yn golchi a sgwrio banc y Nat West hyd nes yr oedd yn ei saithdegau. Roedd hi'n dipyn o gymeriad a dweud y lleiaf. Pan oedd Ifan, y trydydd o blant Nain, tua deunaw oed, aeth i Ganada i fyw. Aeth yn bartner efo rhyw Sais ar ransh wrth ymyl Calgary, a hynny'n dilyn cyfnodau'n torri coed, yn gowboi ac yn feinar. Y drefn oedd gweithio drwy'r haf a mynd am y dref i dreulio'r gaeaf, gan adael y gweision (Indiaid Cochion, fel arfer) i borthi ac i ofalu am y stoc.

Yn 1940, gwelsant bosteri recriwtio ym mhob man yn y dref a gwerthwyd y ransh cyn i'r ddau ymuno â'r fyddin a dod drosodd i ymladd yn y Rhyfel. Yn yr ysgol roeddwn i ar y pryd pan ddaeth Davies y sgŵl i mewn i'r dosbarth a dweud fel hyn:

'Mae gen i chwech o sowldiwrs o Ganada wedi dod i weld yr ysgol ac mae un wedi ei fagu yma ac wedi mynychu'r ysgol yma.'

Roeddwn i'n edrych ar y chwech ond fedrwn i ddim mo'i adnabod. Daeth y sgŵl â fo ata i a dweud pwy oeddwn i, a dyma'r tro cyntaf i mi weld Ifan, brawd fy nhad.

Cofiaf fod yn nhŷ Nain yn ystod y cyfnod hwnnw a gweld llond top y dresel o sigaréts. Roedd y milwyr o Ganada wedi dod â hwy am eu bod yn cael digon ohonynt. Ymunodd Wil, mab ieuengaf Nain, â'r fyddin pan oedd yn ddeunaw oed, a phan ddaeth Ifan yma, roedd Wil wedi cael ei ddal wrth ymladd yn erbyn Rommel ac, o'r herwydd, yn garcharor rhyfel. Bu'n bryder i Wil ar hyd ei oes na chyfarfu ag Ifan, gan fod Ifan wedi ymfudo i Ganada cyn ei eni ac wedi mynd yn ôl yno cyn i Wil ddod adra o'r Rhyfel.

Yn ystod y Rhyfel, roedd Ifan a'r Sais wedi byw fel byddigions ar bres y ransh. Pan aeth Ifan yn ôl i Ganada, doedd ganddo ddim llawer o bres ond roedd pob dyn oedd yn dod o'r fyddin yn cael tir – *quarter* neu ryw 250 acer – am ddim ger Calgary. Rhaid oedd i Ifan glirio'r tir a chodi rhyw swm penodol o haidd oddi arno cyn ei gael o'n swyddogol yn ei enw. Byddai'n sgwennu adra i adrodd yr hanes, ac yn dweud fel y bu iddo brynu *truck* (lorri, mae'n debyg). Bu farw yng Nghanada, ac erbyn i'r teulu yng Nghymru gael yr wybodaeth, roedd y ffarm wedi mynd rhwng y twrneiod ac eraill, ond cafodd Taid a Nain rywfaint o bres a rhannwyd hwnnw rhwng y teulu. Mi gefais gan punt am fy mod wedi prynu'r tŷ iddynt.

Dyma sut y daeth hynny i fod. Gan fod angen arian i dalu dyledion stad Ynysgain, daeth y teras i gyd ar werth. Ofnai Nhaid a Nain y byddent yn cael eu troi allan gan mai tenantiaid oeddynt, a bu i'r ddau fynd i boeni am y busnes. Roeddwn innau'n eu cysuro gan geisio rhoi sicrwydd na chaent eu troi allan. Mi es at Emrys Jones y twrnai, a minnau'n ifanc ar y pryd, a gofyn iddo faint oedd pris y tŷ. Pedwar can punt oedd ei bris ac mi gafodd Emrys Jones drefn i mi gael benthyg pres. Yr adeg honno, byddai pobl gyfoethog yn menthyg pres i gael llog, ond fues i ddim yn hir nes yr oeddwn wedi talu'r pres yn ôl a thalu am y tŷ.

Wedi ei brynu, euthum yno a dweud wrth y ddau beth roeddwn wedi ei wneud, ac mai nhw fyddai yn y tŷ tra byddent byw, heb angen iddynt dalu ceiniog o rent. Dyma Nain yn ateb fel hyn,

'Na wna, rhaid i mi dalu rhent. 'Dw i 'di talu ar hyd fy oes a 'dw i ddim am stopio rŵan. Gei di'r un peth â stâd Ynysgain, sef pum punt a hanner coron bob hanner blwyddyn, i'w dalu cyn 'Dolig a chyn diwrnod ail Ffair Cricieth. Pythefnos cyn y 'Dolig, byddwn yn gorfod mynd â'r pres i Ynysgain. Mi fyddi di'n dod yma ac mi fydda i'n talu rhent i ti.'

Ac felly y bu. Pum punt a hanner coron ar y bwrdd, paned o de a chacen. Ymhen sbel, byddwn yn dweud,

'Musus Jones, dyma i chi bum punt o bres 'Dolig.'

Roedd hi'n fodlon wedyn, ro'n i wedi cadw hanner coron a gwneud y mater yn gyfreithlon yn ei meddwl. Byddai'r un drefn yn union cyn Ffair Cricieth:

'Musus Jones, dyma i chi bum punt yn bres y ffair.'

Dioddefodd Taid yn enbyd yn y Rhyfel, ac o ganlyniad i'w afiechydon, bu'n wael yn ei wely a Nain yn tendio arno. Câi helynt efo'i galon a byddai pawb yn mynd i edrych amdano. Yn ystod y cyfnod hwnnw, byddwn yn cael y gorchymyn canlynol ganddo:

'Tyrd â photel Ginis i mi, a phaid â deud wrth dy nain.'

Roedd yn ei wely am wythnosau a minnau'n cario poteli Ginis iddo fo ac yn cario'r rhai gweigion oddi yno, a Taid yn rêl boi yn ei wely wrth eu cael.

'Harri Bach, 'dw i isio siarad efo chdi,' meddai Nain un noson. 'Wyt ti'n cario cwrw i dy daid?'

'Nac'dw,' atebais.

''Dw i'n gwbod dy fod ti'n gneud. Gwranda, mae Doctor Prydderch wedi deud nad ydi o ddim i gael dropyn, ac ar dy ben di mae hynny os oes rhywbeth yn digwydd iddo fo.'

Ro'n i'n teimlo'n euog, ond doeddwn i ddim yn gwybod mai hi oedd yn erbyn iddo fo gael cwrw.

Es yno y noson ganlynol a dweud nad oeddwn i'n cael cario cwrw iddo fo.

'Damia hi,' oedd yr ymateb.

Dywedais wrth fy nhad dros y bwrdd cinio fy mod i wedi cael ffrae am gario Ginis i Taid.

'Diawl, 'dw inna'n cario nhw hefyd a 'mrawd yn cario iddo fo.'

Roeddan ni i gyd yn cario cwrw yno – a Duw a ŵyr pwy arall oedd wrthi! Aeth yr hen ŵr i lawr y rhiw yn ofnadwy ar ôl cael stop ar y Ginis – roedd hwnnw'n ei gynnal, siŵr iawn. Yna, disgynnodd Nain i lawr y grisiau a thorri ei chlun, ac o ganlyniad i hynny, bu'n rhaid iddi fynd i fyw at ei merch Evelyn yn Nhy'n Rhos. Yn y fan honno, yn ei gwely, y treuliodd weddill ei hoes, ac mi fu farw cyn ei gŵr. Erbyn y cyfnod yma roeddwn ar y môr, a bob tro yr oeddwn yn dod adra roedd dau ddyn o Gricieth yn gwybod pryd o'n i'n cyrraedd, sef Dic Pritchard, Tacsi, a Wil Ellis, Cwrt, ac mi fyddent yn dod i'm cyfarfod a mynd â fi i'r Prins i gael peint. Es i mewn un prynhawn ac mi glywais rywun yn dweud 'helô'. Nhaid oedd o – wedi cerdded i nôl ei Ginis! Er ei holl ymdrechion, methodd Nain â rhoi terfyn ar y Ginis!

John Jones – Taid

John Jones, Erw, Rhos Botwnnog, oedd fy nhaid o'i gychwyniad. Pan oeddwn yn hogyn ifanc, yr oeddwn i'n ffrindia mawr efo fo ac yn dipyn o fêts. Un diwrnod, dyma fi'n gofyn iddo o ba le y daeth.

'O, isio gwybod fy hanes i wyt ti?'

'Ia.'

'Wel,' medda fo, 'merch yr Erw, Rhos Botwnnog, oedd Mam ac mi aeth yn forwyn fach i Bodwrdda, Aberdaron.' Dyma fo'n stopio wedyn, pwffian ar ei getyn, a dweud: 'Ac mi ddoth yn ôl adra efo fi!' Maen nhw'n dweud mai mab Bodwrdda oedd tad John Jones ond does dim sicrwydd o hynny.

John Jones, yr Erw, oedd taid fy nhaid; a gyrrwr (porthmon) oedd o, yn cerdded gwartheg o Ben Llŷn i Essex. Yn ôl yr hanes a gefais gan Taid, roedd ganddo ffon â lwmp fel draenen ar ei phen. Dyn bach oedd o, ond roedd o'n gryf, a byddai'n cerdded o flaen y gwartheg. Os byddai rhywun yn ei stopio i ofyn lle'r oedd o'n mynd, byddai'n cael clec ar ei ben efo'r ffon lwmp a'i adael ar y llawr. Mi fu rhyw sôn ei fod wedi lladd llawer un (wn i ddim faint o wir sydd yn hynny), ond does dim amheuaeth y byddai'n gallu amddiffyn ei hun, a thrwy hynny'n gallu mynd â'r gwartheg i ben eu taith a chael llonydd i ddod â'r arian yn ôl.

Ffarm fach oedd yr Erw ond gan fod taid fy nhaid yn gyfrifol am gerdded gwartheg roedd felly'n cyflogi nifer o ddynion. Pan oedd tua chwech neu saith oed, mi briododd ei fam rhyw ddyn o Abersoch – mae gen i farddoniaeth yn rhywle yn ei enwi a sôn amdano. Aeth Taid i fyw efo nhw i Morfa'r Gors, Abersoch, yn blentyn ifanc, bwthyn lle mae'r cwrs golff heddiw. Cawsant dri o blant ar ôl hynny – Jên, hanner chwaer Taid (ac roedd Taid yn ffrindiau mawr efo hi), Wmffra, a aeth i fyw yn Yr Ewig, Bwlch Tocyn, ac Ifan, oedd yn byw yn Llangian gyda Saesnes yn wraig iddo. Mi fu hwn yn gwerthu llaeth yn Lerpwl am flynyddoedd.

Pan oedd Taid tua saith oed, cafodd waith yn helpu'r meddyg oedd yn byw yng Nghastellmarch. Ei waith oedd agor giatiau i'r car a cheffyl a dal pen y ceffyl pan fyddai'r meddyg yn mynd i mewn i dai ar alwadau i ymweld â chleifion. Pan oedd ychydig yn hŷn, aeth i weithio yn chwareli copor a phlwm Bwlchtocyn, yn tynnu troliau ar hyd y lefelydd. Gwelodd ei fam fod y gwaith yn afiach gan ei fod yn gweithio mewn llwch, ac ofnai y byddai'n colli ei iechyd, felly chwiliodd am waith

Taid

iddo yn gweini ar ffarm, a chafodd le iddo ym Mynydd Ednyfed, Cricieth, pan oedd yn un ar ddeg oed.

Perchnogion Mynydd Ednyfed oedd mam a thad Margaret, gwraig Lloyd George, ac roedd hi tua'r un oed â Taid. Mi fu gan fy nhaid gysylltiad â Mynydd Ednyfed ar hyd ei oes hyd nes yr oedd yn hen ddyn a chan ei fod tua'r un oed â Margaret, bu cysylltiad rhyngddynt hwythau hefyd. Pan briododd Margaret â Lloyd George, aethant i fyw i Fryn Awelon, Cricieth. Pob Nadolig, byddai Margaret yn rhoi chwarter o de i ferched Cricieth, ond pan fyddai Nain yn mynd yno, byddai hi'n cael dau chwarter o de am ei bod hi'n wraig i John Jones.

Fel gwas bach ym Mynydd Ednyfed, byddai'r oriau hir a'r gwaith caled yn ei flino'n ofnadwy – byddai'n gorfod nôl y gwartheg i'w godro a'u gyrru'n ôl yn ogystal â gwneud y gwaith arall. Pan fyddai wedi blino, codai fuwch oddi ar y llawr a gorwedd ar y gwair cynnes oddi tani i gysgu am ychydig. Mi fu'n gweithio yno am flynyddoedd cyn priodi Nain ac wedyn, hefyd, ar ôl priodi.

Wedi iddo ddod i fyw i'r Erw, Cricieth, daeth yn gapelwr selog. Chafodd o'r un diwrnod o ysgol ac, o ganlyniad, ni chafodd addysg ffurfiol. Tybed beth fyddai wedi dod ohono petai wedi cael addysg – fe berthynai doethineb mawr iddo er na fedrai ddarllen na 'sgwennu.

Un nos Sul ar ddechrau'r Rhyfel Mawr, aeth i'r capel i wrando ar John Williams, Brynsiencyn. Ar ddiwedd y bregeth, galwodd y pregethwr ar y bechgyn ifanc yn y gynulleidfa i ymuno â'r fyddin i rwystro'r Kaiser rhag dod i'r wlad yma – 'bwystfil o ddyn' yn ôl Taid. Cafodd John Williams, Brynsiencyn, gymaint o ddylanwad arno ac ar eraill yn y gynulleidfa nes eu hysgogi i ymuno â'r fyddin y bore wedyn.

Tan ddiwedd ei oes, gallai Taid adrodd pregeth Brynsiencyn o'r dechrau i'r diwedd – dyna oedd maint y dylanwad a gafodd arno. Bu Taid yn byw ar ddiwedd ei oes yn nhŷ ei ferch, Evelyn, rai blynyddoedd ar ôl marwolaeth Nain. Byddai Linor a minnau'n mynd i edrych amdano'n rheolaidd ac eistedd efo fo. Un noson, roedd yn rhaid i mi bicio ar neges i rywle, ag yntau ar ei wely angau. Tra bûm oddi yno, mi adroddodd bytiau o'r bregeth wrth Linor ac yn ddiweddarach yr un noson y bu farw.

Aeth i'r fyddin a throsodd i Ffrainc heb yr un gair o Saesneg, dim ond '*yes*' a '*no*'. Mi gafodd ei saethu pan oedd yno, ac wedi iddo ddod ato'i hun cafodd ei yrru i godi pontydd yn Ffrainc. Cymraeg oedd iaith y Major oedd uwchben y criw, un o Benmachno yn ôl pob sôn, a phan ffeindiodd hwnnw fod Taid yn dipyn clyfrach na'r mwyafrif, rhoddodd ddwy streipan iddo a'i wneud yn Gorporal – ond dim ond am gyfnod byr y gwisgodd hwy. Roedd Nhaid yn rhedeg y gwaith, fwy neu lai, ond mi gafodd y Major ei symud i rywle arall a daeth un newydd yn ei le. Disgrifiai Taid y Major newydd mwstashiog yn eistedd ar gefn ei geffyl, gyda strap a gwn a chwip neu ffon ganddo. Daeth at y dynion oedd wrthi'n codi pont:

'*Who's in charge of this lot?*' holodd.

Dyma nhw i gyd yn pwyntio at John Jones. Gofynnodd y Major newydd gwestiynau iddo ond fedrai Taid ddim ei ateb achos doedd ganddo fo ddim Saesneg. Mi gollodd ei streips yn y fan a'r lle!

Fe'i gyrrwyd yn ôl i'r ffosydd tan ddiwedd y rhyfel a daliodd yr hyn a elwid yn *trench fever*, neu *rheumatic fever* fel y câi ei alw'n ddiweddarach. Bu'n wael iawn; aed â fo i Glasgow ar ddiwedd y rhyfel ac yno y bu'n gorwedd ar ei gefn mewn ysbyty am fisoedd lawer. Roedd yn dod yn ei flaen yn reit dda, medda fo, nes i'r doctor ei holi un diwrnod am gyflwr ei iechyd. Fedrai Taid ddim ei ateb a chlywodd y doctor yn dweud, '*These Welsh pigs*'.

Gwylltiodd Taid gymaint wrth glywed hyn nes i'w iechyd ddirywio, a bu'n rhaid iddo orfod aros dau fis arall yn yr ysbyty. Daeth adra i Ben Cei, Cricieth, at Margiad a'r plant a chafodd groeso mawr ganddynt i gyd. Bu adra am rai wythnosau. Yna, aeth i ffair pen tymor ym Mhwllheli ac mi gyflogwyd o ym Mynachdy Bach fel gwas gan ei fod yn cael ei gyfrif yn un o'r gweithwyr gorau yn yr ardal. Bu ym Mynachdy Bach am rai misoedd cyn cael ei daro i lawr gan y *rheumatic fever* unwaith eto. Gan ei fod yn wael iawn ac yn methu codi bys na bawd, cafodd ei gario adra i Ben Cei mewn trol a cheffyl. Bu'n gorwedd yn ei wely am flwyddyn gyfan heb bres i'w gynnal, dim ond yr hyn yr oedd y plant yn ei gael, gan fod nifer ohonynt yn ddigon hen i ennill cyflog.

Pan ddaeth hi'n amser ffair pen tymor Pwllheli unwaith eto, roedd 'golwg y diawl' arno ac yn 'denau fel asyn' yn ôl Nain. Ym Mhwllheli, daeth dyn ato:

'John Jones o Gricieth wyt ti?'

'Ia,' atebodd Nhaid.

'Ddoi di ataf fi yn bladurwr yng Nghwm Pennant acw?

Hen lun o Gricieth yn dangos ochr y 'Marine'

Mae golwg denau arnat ond mi gei di iechyd.'

Cytunodd Taid, a cherddodd i Gwm Pennant. Bob diwrnod o'r wythnos roedd ei iechyd yn gwella – wyddai o ddim pam; bwyd da ac awyr iach y Cwm efallai.

Cafodd waith wedyn, ar ôl iddo ddod ato'i hun, ym Mynydd Ednyfed yn gweithio i glwb golff Cricieth. Roedd pobl fawr Cricieth a hoffai chwarae golff eisiau adeiladu cwrs, a Nhaid gafodd ei gyflogi ganddynt i wneud y gwaith. Fo oedd yn ben ar y gwaith, gyda dynion yn ei helpu i gario tywod efo trol a cheffyl i wneud y cwrs. Câi ddynion am ddim gan y wlad i weithio iddo fo fel rhan o'r cynllun i leddfu diweithdra mawr y cyfnod. Y fo fu'n gyfrifol am gynnal a chadw'r cwrs am flynyddoedd wedyn, gan gadw'r cysylltiad â Mynydd Ednyfed.

Byddai'n arferiad gan Richard Williams (Mynydd Ednyfed) a'i frawd Owen Williams (Penystumllyn) fynd i dŷ'r naill a'r llall bob yn ail ddydd Sadwrn i gael te. Un prynhawn Sadwrn, roedd Taid yn agor ffos efo rhaw a dyma Owen Williams a'i wraig yn dod heibio.

'Helô, John Jones,' medda fo, 'be 'da chi'n neud?'

Llun o'r un cyfnod eto, yn dangos yr hen westy a safai yno.
Nid wyf yn cofio hwnnw.

'Owen Williams,' medda Nhaid, 'tasa chi'n ddall, mi fyddwn yn dweud wrthych chi!'

Mae'n rhaid bod ganddo rywbeth ar ei feddwl ar y pryd ac mi allai fod yn ddigon pigog ar adegau felly.

Pan fu farw Elin Williams, mam fy nain, cafodd ei mab Robin (postman) denantiaeth y tŷ. Yr oedd Robin wedi derbyn addysg dda ond roedd yn ddiawl am gwrw. Erbyn hyn, roedd ganddo wraig a dwy ferch fach. Un noson, a Nhaid wedi mynd i'w wely clywodd lais merch fach yn gweiddi:

'Yncl John, Yncl John, dowch ar unwaith, mae Tada'n lladd Mam efo bwyell.'

Cododd Taid, rhoi slipars am ei draed ac i ffwrdd â fo am y tŷ. Pan aeth drwy'r drws, gwelai'r ail ferch fach yn y gornel yn crio a Robin yn ceisio malu drws y siambar gyda'r fwyell. Cydiodd Taid ynddo a'i lusgo o'r tŷ gerfydd ei war. Erbyn hyn, roedd nifer o gymdogion wedi ymgasglu y tu allan i'r tŷ a gwelsant Taid yn rhoi andros o gweir i Robin. Rhoddodd

Hen lun o Gricieth cyn adeiladu'r clawdd môr

y ffasiwn gweir iddo nes yr oedd Robin yn llonydd ac yn methu symud. Plygodd i lawr a dweud wrtho:

'Robin, twtsia di yn y wraig neu'r plant 'ma eto ac mi ladda i di tro nesa.'

Mi fu Robin yn ei wely am fis, a phan ddaeth ato'i hun, wnaeth o ddim cyffwrdd mewn tropyn o gwrw am chwe mis. Un nos Sadwrn, cafodd funud wan a dod adra yn chwil gan ddechrau codi'i lais ar ei wraig. Ond roedd y ferch hynaf wedi deall yn syth a dyma hi'n gofyn i'w mam:

'Mami, ydach chi isio i mi nôl Yncl John?'

Mi sobrodd Robin yn y fan a'r lle a wnaeth o ddim codi bys at neb wedyn.

Clywais y stori hon gyntaf gan ddyn o'r enw Dei Maggie (Yncl Dei i bawb yng Nghricieth). Cadarnhaodd fy nhaid y stori pan ofynnais iddo a oedd hi'n wir.

Stori arall a glywais ganddo oedd hon. Ar ôl y Rhyfel Mawr, lluniwyd cynllun gan y llywodraeth i roi cymorth i ffermwyr drwy roi dynion di-waith iddynt yn rhad ac am ddim i weithio ar y tir. Cafodd Yncl Defi, i deulu Braich

Saint, chwech o ddynion i ddraenio'r gors oedd ar ei dir. Fel arfer, byddai efo nhw drwy'r dydd ond daeth y forwyn i'w nôl un prynhawn a dweud fod rhywun eisiau ei weld yn y tŷ. Bu oddi yno am ryw ddwyawr a phan ddaeth yn ôl, nid oedd enaid byw yn y golwg. Gwaeddodd dros y lle:

'Lle ddiawl ydach chi?'

Cododd chwe phen o'r ochr bellaf i'r clawdd.

'Be ddiawl ydach chi'n dda yn fanna?'

'Troi clos, syr,' medda un.

'Ydach chi ddim yn troi clos efo'ch gilydd?'

''Da ni wedi bwyta efo'n gilydd syr,' oedd yr ateb!

Aeth Taid i weithio at yr adeiladwr John Humphreys, Trefaes, Cricieth, a fu wrthi'n codi llawer o dai yn yr ardal. Roedd yn 'tyllu cerrig' – codi cerrig o'r tir, eu hollti a'u trin ar gyfer y seiri meini. Bob nos byddai'r criw yn cael mynd adra yn y drol, ac un noson, daethant at bont o'r enw Rhyd y Croesau ar y ffordd adra. Stopiodd y ceffyl yn stond a wnâi o ddim symud yn ei flaen er trio bob ffordd i'w gael i wneud hynny. O ganlyniad, bu'n rhaid troi'n ôl a mynd y ffordd arall. Roedd un dyn yn crio yn y drol wrth feddwl mai ysbryd yr hen 'Ledi Wen' oedd yn rhwystro'r ceffyl rhag mynd dros y bont. Wrth gyrraedd Cricieth, dyma Taid yn dweud wrthynt am beidio aros amdano'r bore canlynol.

Cododd yn yr oriau mân a cherdded at bont Rhyd y Croesau. Yno, o dan y bont, gwelodd olion nifer o ddyfrgwn yn y tywod ar lan yr afon a daeth i'r casgliad mai dyna pam y gwrthododd y ceffyl groesi'r bont. Dywedodd wrth ei gyd-weithiwr y bore hwnnw:

'Paid â chrio eto'r diawl, doedd 'na ddim ysbryd yno, dim ond dyfrgwn.'

Dro arall, roedd yn gweithio ar dŷ yng Nghwm Pennant ac yn aros yn Nhyddyn Llan oedd gerllaw'r eglwys. Un noson stormus wedi i bawb fynd i'w gw'lâu, clywyd cloch yr eglwys yn canu. Cododd pawb a chredai gwraig y tŷ mai ysbryd yn y fynwent oedd yn canu'r gloch. Gwisgodd Taid ei esgidiau ac allan â fo i'r ddrycin. Gwelodd beth oedd yn gwneud i'r gloch ganu – roedd y tsiaen wedi syrthio a mynd yn sownd mewn corn maharen. Wrth i hwnnw symud, canai'r gloch a dal i ganu a wnaethai petai Taid heb fynd yno.

Aeth y criw adeiladu i weithio i'r Betws Fawr i godi cytiau moch, gan gario llond trol o dywod a cherrig. Dyma'r ffarmwr yn gollwng lloeau allan o'r cwt a chan eu bod yn ddall wrth ddod i olau dydd o'r tywyllwch, aethant i ben y tywod a'i faeddu.

'Fedrwch chi ddim rhoi'r rhain mewn cae rhag baeddu'r tywod?' holodd un.

'Tasach chi'n gofyn i John Jones redeg rownd y cae ddwy waith ar eu holau nhw mi gewch chi lonydd wedyn.'

Dyma Taid yn ateb:

''Da chi'n meddwl mod i'n fwy o filgi na neb arall?'

Mae'n siŵr ei fod yn meddwl eu bod yn ei weld o'n denau ac yn heini.

Aethant oddi yno i'r Lion ar ôl galwad i ddweud bod y Cyngor wedi tyllu draen a pherchennog y gwesty wedi gweld tamprwydd yn y selar. Dyma nhw i lawr i'r selar. Dywedodd John Humphreys wrthynt am wneud twll yn y llawr i weld faint o damprwydd oedd yno. Yn fuan iawn gwelwyd nad tamprwydd oedd yr achos; yn hytrach, roedd rhywun wedi gollwng cwrw ar hyd y llawr. Roedd y llawr yn sych, ond roedd y demtasiwn yn ormod i'r hogia, gyda chasgenni o gwrw a thapiau arnynt o'u hamgylch. Wedi yfed tipyn o'r cwrw, roeddynt eisiau piso ac fe wnaed hynny yn y twll. Daeth John Humphreys i lawr i holi sut oedd y gwaith yn dod ymlaen ac eglurwyd fod y twll yn dal yn wlyb. 'Cario 'mlaen' oedd ei orchymyn!

Erbyn diwedd y prynhawn, yr oeddynt wedi dod i

sychder eto ac fe gafwyd gorchymyn i gau'r twll gan nad oedd tyllu'r draen wedi creu tamprwydd. Roedd pob un ohonynt wedi cael llond bol o gwrw!

Yn ystod yr un cyfnod, roedd dau o'r hogia yn gosod drws ffrynt newydd i'r bar yn y Lion. Tra roeddynt yno, galwodd gŵr bonheddig o ddyn yn y bar. Mr Bovil oedd ei enw, asiant stad y Gwynfryn. Roedd Taid wedi bod yn helpu i godi nifer o dai ar y stad. Siaradai'r asiant Gymraeg gyda thipyn o lediaith:

'Wel, hogia, 'da chi'n gweithio'n dda heddiw.'

Dywedodd Taid y byddai'n well ganddo fod yn y Gwynfryn efo fo. Mae'n rhaid bod hynny wedi plesio achos gofynnodd faint oedd yn gweithio ar y drws newydd.

'Pedwar,' meddai Taid yn syth.

'*Barmaid*, rhowch bedwar peint i'r hogiau,' meddai'r asiant, a thalu amdanynt. Doedd ond dau yn gweithio ar y drws ac mi gawsant ddau beint bob un!

John Humphreys oedd y contractor a gododd Bryn Awelon i Lloyd George. Roedd Nhaid a Robert Williams (yr hen galchydd, fel y câi ei alw) yn mynd i Lwyn Bugeilydd i dynnu cerrig tir i'w tyllu a'u trin i wneud linteli i'r ffenestri. Arbedai hynny gannoedd ar bris y linteli o chwarel ym Mlaenau Ffestiniog, ond dim ond pum punt yr un o fonws a gawsant.

Byddai Taid yn gweithio tan chwech yn y clwb golff, a chan ei fod yn dal rhyw dair acer o dir, âi yno ar ôl bwyd i drin yr ardd. Wedyn, byddai'n galw yn y Prins am beint. Anti Meri fyddai pawb yn galw'r ddynes oedd yn rhedeg y dafarn yr adeg honno, a'r un rhai fyddai yno bob nos – eithriad oedd gweld rhywun dieithr, yn enwedig yn ystod y gaeaf. Un noson, dyma ddyn yn cerdded i mewn, dyn tal yn gwisgo cot ddu. Dyma'r dyn yn gofyn yn Gymraeg am beint o gwrw a neb yn dweud gair am mai Cymro oedd o. Dyma Anti Meri yn mynd i'r seler efo jwg i nôl cwrw, wedyn yn tywallt peint a'i roi i'r dyn. Hwnnw'n ei godi a dechrau siarad efo'r peint.

'Sawl gwraig weddw sydd yn wraig weddw o dy gylch di? Sawl plentyn sydd yn droednoeth yng Nghricieth o dy gylch di?'

Pawb yn meddwl ei fod yn mynd o'i go.

'Un drwg wyt ti,' medda fo am y peint. Dyma fo'n edrych ar y peint. 'Cer o 'ngolwg i'r diawl,' a'i lyncu.

Chwerthodd pawb. Jac Tŷ Popty, cymeriad o Ddyffryn Ardudwy oedd y dyn.

Yn ystod yr Ail Ryfel Byd, gorfu i Taid fynd i weithio i'r *Camp HMS Glendower* (Bytlins a Hafan y Môr wedyn). *'Work of national importance'* oedd disgrifiad y gwaith, sef tipyn bach o bopeth, a dweud y gwir, ac yno y bu tan ddiwedd y rhyfel. Wedyn daeth yn amser ymddeol a byw ar ei bensiwn.

Er na chafodd addysg ffurfiol, byddai'n cofio darnau o farddoniaeth. Yn yr efail ym Mhlas Hen yr oedd hen of o'r enw Robat. Lle blêr iawn oedd yr efail – llawr pridd a thyllau mawr yn y to. Daeth trafaeliwr o ochrau Fflint yno unwaith ac wrth weld y lle dyma fo'n dweud:

> Gan Robat y go' mae anferth o siop,
> Y ddaear yw'r llawr a'r nefoedd yw'r top.

Bu farw Taid yn 1964 yn 86 oed.

Nhad a Helynt y Ceiliog

Robert Henry Jones oedd enw fy nhad, ond Harri Bach oedd o i bawb hyd nes y cefais i'r enw hwnnw. Harri Bach oeddwn i wedyn a John Harri Bach oedd fy mrawd. Aeth llawer i alw Nhad yn Harri Lorri am ei fod yn gyrru lorri i William Jones yr adeiladwr. Yn sgetsys enwog y cymeriad 'Ifas y Tryc', Harri Bach sy'n gyrru 'Tryc wan' neu 'Tryc tw' a Nhad oedd yr 'Harri Bach' hwnnw gan fod Wil Sam yn ffrindiau efo fo.

Harri Jones (Harri Bach)
– fy Nhad

Mi fu'n gweithio fel certmon ac

Nhad a Ken Whitehead efo'r lorri pan yn gweithio
i W. G. Jones, Adeiladydd

*Nhad (ar y dde) efo mochyn yr oedd yn ei fagu pan yn gweithio
yn y 'Lion'. Sam Becar, ei frawd yw'r llall*

*Nhad a Ronnie Povey yn gweithio
mewn ysgol
(genod yr ysgol yw'r lleill)*

*Harri Bach – fy Nhad
(neu Twm Tatws i rai)*

wedyn fel hwsmon ym Mraich Saint cyn mynd i yrru lorri. Er mai dyn bach oedd o, yr oedd yn eithriadol o gryf a gallai weithio drwy'r dydd heb stop. Ambell dro, byddai ef ac un arall yn gorfod cario tywod bob dydd o'r wythnos a chyn dyfodiad y Jac Codi Baw, rhaid oedd rhawio'r tywod i'r lorri, rhyw chwe llwyth bob dydd. Gwaith sychedig i'r dyn ac i'r lorri, a byddai'n rhaid stopio am betrol i'r lorri ac wedyn am 'betrol' i'r gyrrwr yn y Bryn Hir! Ac fel y gwyddai pawb, yr oedd fy nhad yn gythral am gwrw.

Gwerthwyd y lorri gan William Jones a phan oedd y perchennog newydd yn dod drwy Gricieth, mi dorrodd yr echel ôl.

Yr oeddwn yn cadw ieir a Nhad oedd yn gyfrifol am edrych ar eu holau. Cefais geiliog yn anrheg – un *Rhode Island Red* hardd. Ond byddai Nhad yn ei biwsio a'i wylltio drwy'r amser. O ganlyniad i'r piwsio aeth y ceiliog yn wyllt hyd nes y byddai'n ymosod ar bawb – yn enwedig y rhai a

Y ceiliog

yrrai fy nhad yno i hel wyau. Yn y diwedd, bu'n rhaid saethu'r ceiliog, ond nid cyn iddo anfarwoli ei hun ar dudalennau'r papurau newydd ac ar y teledu.

Mae pob ceiliog gwerth ei halen yn canu, ond yr hyn a ddaeth ag enwogrwydd i'r ceiliog hwn oedd ei fod yn meiddio canu am bedwar o'r gloch y bore – a hynny'r drws nesaf i westy'r Lion lle cysgai ymwelwyr a oedd wedi dod i dreulio eu gwyliau mewn heddwch a thawelwch llwyr. Aeth un ymwelydd o Fanceinion mor bell â chwyno i Gyngor Tref Cricieth am ganu boreol y ceiliog, gan hawlio 70 ceiniog am iddo orfod prynu plygiau i'w rhoi yn ei glustiau. Ateb ei berchennog oedd na feiddiai ef gwyno am gael ei ddeffro gan sŵn y ddinas tra'n aros mewn gwesty yng nghanol Manceinion. Penderfyniad y Cyngor oedd cael y ceiliog yn ddieuog o greu niwsans. Duw a ŵyr beth fyddai wedi digwydd petai'r gŵr wedi mentro i libart y ceiliog i wneud ei bwynt!

Feathers ruffled, but Dawn free . . .

AN EARLY morning call from a Buzby with a difference went beyond a yolk for a Criccieth hotel guest.

For this was no timely alarm from the hotel switchboard, but a crack of dawn crow from an early bird rooster.

Mr. W. Mander from Manchester was so annoyed by the regular 4 a.m. flap that he beat a path to the post box and laid a complaint with the town council.

But yesterday the perky pecker—a two-year-old Rhode Island Red—was cleared by the council of causing a nuisance.

Mr. Mander also claimed 70p—the price of a pair of earplugs—from the cockerel's owner. "They turned out to be completely ineffective," he said.

He had told the Town Clerk: "It is not conducive to a restful holiday to be awakened so early in the morning, particularly when the crowing never seems to stop."

He suggested the town council use the Noise Abatement Act to remedy the "nuisance" as the cockerel's crowing in a nearby field caused annoyance and loss of sleep to a number of people apart from himself.

Yesterday the father of the cockerel's proud owner, Henry Jones, was somewhat tussled at the complaint. "Surely I would not dare complain at the noise of traffic in Manchester if I was woken up early in the morning at one of their hotels."

Hanes y Ceiliog

Ceiliog Cricieth

Mae pawb sy'n codi papur newydd ac yn gwylio-set deledu yn gybyddus â'r ceiliog sy'n canu am bedwar o'r gloch y bore ac yn drysu cwsg twristiaid tref Cricieth.

Dywed y prif gwynwr, Mr WJC Mander o 'Fanceinion y dylai perchennog yr aderyn ildio y 70 ceiniog a dalodd ef am blygiau i'w rhoi yn ei glustiau - pawb a'i farn. Efallai mai gwell yw troi clust fyddar at gŵyn mor ddibwys, a chanolbwyntio ar stori'r ceiliog ei hun a'i gefndir.

Ceiliog coch hardd o deulu y Rhode Island yw efe, coch ei gorff, cochach ei grib a du ei gynffon. Ie, cynffon. Anodd credu fod yn unman grandiach cynffon. Mae'r to hŷn yn cofio cynffon o'r fath gan geiliog plas a phicoc, un ar ffurf cryman fawr neu enfys fechan. A'i grib ? Y mae coch fflamgoch ei grib yn awgrymu ei fod ar fin dodwy, ond er nad yw ef ei hun yn arw am ddodwy, y mae'n ddiguro am wneud i'r ieir ddodwy. Ydyw, y mae hwn yn geiliog clên ac awyddus. Tra bu'r Ffynnon yn ymweld fe sdrejiodd yr aderyn ei wddf a chodi ei facsia a

chanu - sgrech a barodd i iâr goch oedd yn pigo yn ei ymyl ddodwy wy dau felynwy yn y fan a'r lle, wy at faint ciwcymber heb fod yn fawr, ond ei fod yn frown.

Henry Jones, yr adeiladydd yw perchennog y ceiliog, ond Henry Jones ei dad yw'r gêm cipar, ef sydd yng ngofal y dofednod, yn bwydo ac yn hel wyau.

'Galwch fi yn Twm' ebe'r tad, fena mae pawb yn fy nabod i'.

Mae Twm yn hen law ar gael y ceiliog coch i berfformio, hynny yw i ganu a dawnsio, a'r pethau fydd ceiliog yn eu gwneud. Rhaid dweud ei fod ef y ceiliog wedi ddisgyblu'n llym ond eto'n dda. Nid pob ceiliog dwyflwydd oed sy'n barod i berfformio i gomand ei feistr. O'r Fron Olau, Rhoslan, y daeth Coch yn geiliog ifanc diniwed fawr fwy na wigsen.

Beth yw barn Twm am gampau diweddar y Coch ? Dyma ei ochr ef i'r stori, ochr y gêm cipar nynaws sy'n meddwl y byd o'i geiliog - "Dydw i ddim yn deud nad ydi'r Sais sy yn y George wedi cael ei ddeffro, fo wyr ei betha. Deud ydw i nad ydw i wedi ca'l 'neffro gin geiliog neb am bedwar yn bora. Hannar awr wedi chwech, do, ond ma hi'n imsar i bawb godi hannar awr wedi chwech. Peth arall, be mae o'n ddisgwl i mi neud ? Fiw imi ddifa fo. Mi allswn symud yr iard i'r topia 'na, ond tasa fo'n digwydd canu yn fan honno, bobol leol fasa'n diodda. A dyna sy'n od, ches i ddim un gŵyn gin locals.'

Aeth Twm yn ei flaen i ddadlau na feiddiai ef ofyn i draffic nos Manc_einion dawelu betai ef yno ar ei wyliau. Ia, ia, ia, Ceiliog Bach y Dandi, Ceiliog Pen y Pass, a rwan dyma Ceiliog Cricieth.

HENRY JONES (Criccieth) CYF.
Adeiladwyr Tai
ADEILADAU CYHOEDDUS

Hanes y Ceiliog ym mhapur bro Y Ffynnon

Bwrw Prentisiaeth

Cyn fy mod yn bedair ar ddeg oed, cefais fy mhrentisio, a hynny yn 1942. Dechreuais ar 1 Awst, ond doeddwn i ddim yn bedair ar ddeg oed tan 27 Awst. Yr oedd cwmni W. G. Jones, Cricieth, yn cael ei redeg gan ddau bartner, sef William Jones (saer coed) a Robert Thomas (saer maen). Cyflogent dri saer coed, y tri yn digwydd bod mewn tipyn o oed, sef William Jones (y meistr), Gruffydd Parri a Thomas Rees, dau saer maen, sef Robert Thomas a John Christmas Jones, un plastrwr ac un labrwr. Efo'r seiri coed yn y gweithdy yr oeddwn i ar y dechrau.

Clywodd Nain fy mod am fynd yn brentis saer coed a dywedodd wrthyf am fynd i siop yr *ironmonger* yng Nghricieth i nôl lli newydd sbon a hithau'n talu amdani.

Criw adeiladu yn Hendre Gadno, Pentrefelin ar ôl y Rhyfel Mawr. Tomi Rees yw'r ail o'r dde yn y blaen – efo fo ges fy mhrentisio. Nhad sydd yn y canol efo'r chwip.

Finnau'n dod â hi i'r gwaith y diwrnod wedyn a'i dangos i William Jones.

'Lle gest ti hon?' holodd. Yna taflodd hi i'r llawr. 'Cer â hi'n ôl, dydi hi ddim digon da i saer coed, a'i newid hi am un well.'

Dyna'r profiad cyntaf ges i fel prentis. Doedd dim peiriannau yn y gweithdy, dim ond hen li gron oedd yn cael ei throi efo handlen a pheiriant morteisio oedd yn gweithio efo llaw. Doedd dim o'r fath beth â dril trydan – rhaid oedd gwneud y cwbl efo llaw. Byddai'r broses o wneud arch yn cymryd drwy'r dydd i ddau ddyn. Er mwyn gwneud arch dderw neu arch lwyfen, roedd angen gwneud y cwbl, ac er ein bod yn cael y planciau wedi eu llifio'n barod, rhaid oedd eu plaenio nhw, eu sgrapio, eu sandio ac, yn olaf, eu polishio efo llaw. Byddai hyn i gyd yn waith caled iawn. Gwneid arch dderw i'r bobl gyfoethog ac un lwyfen i'r gweddill. Erbyn heddiw mae'n waith hawdd iawn gan fod yr eirch wedi cael eu gwneud yn barod cyn i ni eu derbyn.

Un diwrnod, fe fu farw dynes o'r enw Mrs Rowlands yng Nghricieth, a hithau'n 95 oed. Wedi gorffen yr arch, roedd Gruffydd Parri a Thomas Rees yn ei chario efo polyn hir – clymu'r arch yn sownd yn y polyn, rhoi planced ddu drosti ac yna'r polyn ar ysgwydd y ddau oedd i'w chario. Fel yr oeddynt yn cychwyn, dyma Thomas Rees yn gweiddi mewn poen, gyda phoenau mawr ym modiau ei draed. Methai symud yn ei flaen am ei fod yn dioddef o'r gowt. Dyma Gruffydd Parri'n dweud:

'Harri, cer i'r pen yna a chario'r arch efo fi.'

Wrth fynd ar hyd y ffordd, roeddwn yn poeni'n ofnadwy am yr hyn oedd yn fy nisgwyl gan nad oeddwn wedi gweld corff yn fy mywyd. Roeddwn yn reit grynedig. Dyma gyrraedd y tŷ a gollwng yr arch y tu allan, tynnu'r blanced a Gruffydd Parri'n dweud:

'Agor y drws, Harri,' a chario'r arch i'r cefn.

Yno gwelais yr hen wraig yn gorwedd yn y gwely gyda phlanced wen drosti. Caeodd Gruffydd Parri ddrws yr ystafell, eistedd yn y gadair, llenwi ei getyn a'i danio i gael smôc. Roeddwn innau'n crynu fel deilen a ddim yn siŵr sut yr oeddwn yn mynd i ddianc – drwy'r ffenest ynteu'r drws! 'Dw i'n gweld y funud yma'r hen Gruffydd Parri yn gwthio'r baco i lawr efo'i fys a minnau'n llawn ofn.

'Harri,' medda fo, 'wyt ti ofn, yn dwyt?'

'Yndw, syr,' meddwn innau (fel 'syr' y cyfarchwn ef bob tro).

'Wel, rŵan ta,' medda fo, 'o dan y llian gwyn 'na mae Miss Rowlands. Mae hi'n 95 oed, a ti'n gwybod, weli di byth ddim byd gwaeth na chdi dy hun. Croen ac esgyrn ac enaid wyt ti ond croen ac esgyrn ydi Miss Rowlands erbyn hyn, mae'r enaid wedi mynd. Weli di ddim byd gwaeth na chdi dy hun. Dyna chdi, agor gaead yr arch a gafael yn nhraed Miss Rowlands ac mi rown ni hi yn yr arch.'

Ar ôl y funud honno fues i erioed ofn corff, a 'dw i wedi claddu cannoedd os nad miloedd ers y diwrnod hwnnw. Mi fyddwn yn mynd yn rheolaidd i roi cyrff mewn eirch heb fymryn o ofn wedi hynny – ond mi gaf sôn mwy am y busnes claddu yn nes ymlaen.

Gan ei bod hi'n amser rhyfel, roedd prinder coed, ac felly roedd yn rhaid defnyddio hen goed yn ogystal â'r ychydig o goed newydd y byddai'n bosib cael gafael arnynt. Byddwn yn gwneud pob math o waith coed, gan gynnwys trwsio cychod ac ambell drol, ond y gwaith mwyaf a wnawn bryd hynny oedd i stad y Gwynfryn. 'Dw i'n cofio mynd i weithio i'r stad ym Mhlas Hen – gwneud stoliau newydd yn y stabal oeddwn i. Roedd concrid wedi dechrau dod yn fwy cyffredin yr adeg honno a buom yn concritio'r beudy a gosod stoliau concrid, gan fod y Bwrdd Marchnata Llaeth wedi dod â rheolau newydd i rym ynglŷn â safon glanweithdra. Stoliau pren fyddai yno cyn hynny ond o dan y canllawiau newydd, rhaid oedd gosod rhai concrid er mwyn gallu eu golchi i lawr efo dŵr. Yn ogystal â hyn, byddem yn adeiladu tai gwair a gosod fframiau drysau yn y beudai ar y stad. Er mwyn gosod ffrâm drws yn sownd yn y beudy, byddem yn rhoi twll gydag ebill ym mhob coes ac wedyn gofyn i'r gof wneud hoelen dew (tua hanner modfedd) i'w churo i'r twll. Fyddech chi byth yn symud honno wedyn.

'Dw i'n cofio mynd i weithio i ffarm o'r enw Llecheiddior Ganol i ail-wneud y beudai. Y drefn oedd cerdded yr holl ffordd o Gricieth bob bore – pellter o ryw dair milltir. Fel y deuai hi'n amser cinio, byddai Mrs Roberts yn ein galw i nôl bwyd, a'r un peth amser te. Byddwn yn mwynhau bwyd Mrs Roberts a chofiaf ddweud wrth Mam ar ôl rhyw ddau neu dri diwrnod o weithio yno:

'Pam na fasach chi a Nain yn gallu coginio fel Mrs Roberts Llecheiddior Ganol?'

O'n i'n meddwl fod bwyd Mrs Roberts yn arbennig o dda ond y rheswm am hynny oedd fy mod i wedi arfer bwyta bwyd Mam a Nain. Nid oedd bwyd Mrs Roberts yn well – dim ond yn wahanol.

Gan fod prinder deunyddiau, doedd dim adeiladau newydd yn cael eu codi, dim ond trwsio'r rhai oedd yno'n barod. Byddai llawer o waith mewn gwestai a thai cadw ymwelwyr, yn ogystal â gwaith gan y cyngor.

Amser rhyfel oedd hi, ac roedd llawer o filwyr yma yng Nghricieth – rhai o Ffrainc a gwledydd eraill, BEF, RAF ym Mhenrhos, y Llynges yng nghamp Penychain a'r *Home Guard* yma yng Nghricieth wrth gwrs, a Nhad yn un ohonynt. Cofiaf adeiladu platfform mawr pren ar y Maes yng Nghricieth, ar fin y ffordd fawr. Roedd yna barêd mawr yn dod i lawr y stryd a'r rhain i gyd yn martshio heibio i'r byddigions a phobl bwysig eraill ar y platfform oedd yn cymryd y saliwt. Yr *Home Guard* oedd yr olaf i basio, gyda Robert Thomas y bwtsiar efo'r afr yn y cefn. Pan ddaethant at y llwyfan, dyma'r afr yn gwrthod yn lân â mynd ymlaen gan wylltio a llusgo Robert Thomas dros y ffordd i gyd.

Hefyd, ni wnaeth y thermomedr mawr pren hwnnw oedd ar ochr y Neuadd Goffa i ddangos faint o bres a gasglwyd at yr achos yn ystod blynyddoedd y rhyfel.

Yr unig le i gynnal adloniant yn ystod y cyfnod hwn oedd y Neuadd Goffa. Hon oedd canolbwynt bywyd y dref. Yn un o'r ystafelloedd roedd dau fwrdd biliards, a byddai'r gofalwr, Robin Parry, yn rhoi hanner awr i ni i chwarae gêm a phan fyddai'r amser ar ben, byddai'n taro ei law ar y bwrdd a gweiddi '*Time!*'

Roedd Robin Parry yn byw yn y Stryd Fawr a'r clochydd, Tomos John, yn byw rhyw ddau neu dri drws i ffwrdd oddi wrtho. Un diwrnod, dyma Tomos John yn gofyn i'r gofalwr:

'Be 'sgin ti yn y Neuadd 'ma heno?'

'Pantomeim,' medda Robin Parry.

'Faint o'r gloch y mae o i ddechra?'

'Saith o'r gloch.'

Roedd y cloc mawr ar du blaen y Neuadd Goffa yn help garw i Robin Parry gan nad oedd ganddo wats. Byddai'n mynd allan i edrych i fyny ar y cloc yn aml a dyna sut roedd o'n gallu dweud pan fyddai'r hanner awr ar ben. Y noson honno, aeth allan o'r Neuadd tua saith i weld faint o'r gloch oedd hi, a beth welodd ond rhes hir o bobl, hyd at ddeugain ohonynt, a'r clochydd gyda'i wyres ar y tu blaen. Dyma Robin Parry'n gofyn iddo:

'Be ti'n neud fan hyn?'

'Wedi dod i weld y pantomeim,' medda'r clochydd.

Ond beth oedd yn y Neuadd? 'Badminton', a Robin Parry wedi cymysgu'i eiriau!

Byddai'r llwch yn dew ar ymyl y bwrdd biliards ac un noson, mi sgwennodd un o'r hogia efo'i fys yn y llwch:

'*This is dirt.*'

Pan welodd y gofalwr hyn, mi wylltiodd a chega ar yr hogia gan hel pawb allan.

Siop ffrwythau oedd gan Robin Parry, a throl fflat a merlen i gario allan. Wrth ei weld yn mynd o gwmpas i gario negeseuon i'w gwsmeriaid byddai hogiau Cricieth yn ei alw fo'n *Ben Hur* ar ôl y ffilm enwog (y fersiwn a wnaed cyn y rhyfel).

'Dw i'n dal i deimlo fy mod wedi cael y brentisiaeth orau bosib efo'r tri hen saer. Dysgais bob dim ganddynt. Yr oedd William Jones yn un o'r seiri coed gorau yn y wlad a'i waith i'w weld hyd heddiw yn y Neuadd Goffa. Bob ochr i'r galeri mae dwy res o risiau mawr derw. William Jones wnaeth rheiny, a'u gwneud ar y safle, nid mewn gweithdy. O dan bob cap ar y pyst mae enw William Jones ac mae'r grisiau'n werth eu gweld hyd heddiw. Pan oeddwn yn gweithio gydag o, byddwn yn gorfod gwneud gwahanol dasgau, a thrwy wneud, dysgu mwy.

Roedd Gruffydd Parri'n hollol wahanol i William Jones, ond roedd yntau hefyd yn saer da iawn ac yn ddyn pwyllog. Hen saer llongau hwyliau oedd o, gyda digon o amser i egluro pob dim. Dau wahanol iawn, ond yr addysg yn dod o bob ochr. Os byddwn eisiau gwybod rhywbeth am y môr, am gychod neu am hwylio, byddai Gruffydd Parri'n gwybod pob dim.

Thomas Rees oedd y trydydd, un o Lanbedr, Meirionnydd, a ddaeth i Gricieth pan symudodd ei dad yno i weithio. Adeiladwr oedd ei dad, a fo gododd Neuadd Llanystumdwy yng nghyfnod Lloyd George. Ychydig dros bum troedfedd oedd Thomas Rees ac yn saer coed traddodiadol gyda'r gorau, ond yn anobeithiol gydag unrhyw beth newydd. Clywais wedyn i ddau frawd ei dad ymfudo i'r Amerig ac i fab un ohonynt fod yn *Senator* a safodd am arlywyddiaeth y wlad honno. Dwn i ddim am hynny, ond mae'n wir dweud fod dau o'r brodyr wedi

ymfudo i'r Amerig a'r llall i
Gricieth!

Wrth i mi ddod ymlaen yn
y gwaith, byddwn yn gwneud
pethau fy hun. Un tro, roedd
angen codi to crwn ar dŷ.
Dyma William Jones yn
gofyn:

'Sut wyt ti'n mynd i neud
hwn?'

'Wel,' atebais, 'fel hyn
oeddwn i'n meddwl 'i neud o,'
ac egluro'r cynllun.

'Diawl, fel arall faswn i'n 'i
neud o,' medda William
Jones.

'Mi 'na i o'r ffordd 'da
chi'n deud, ta.'

'Na, na, gwna fo dy ffordd
dy hun. Ti'n gweld,' medda
fo, 'mae 'na un dyn yn sychu'i
din efo'i law dde a dyn arall yn
sychu'i din efo'i law chwith
ond sychu tin 'di'r ddau!'

Ar ddiwedd cyfnod fy
mhrentisiaeth,   mi
benderfynais adeiladu cwch i
mi fy hun, un pedair
troedfedd ar ddeg o hyd.

Yn dal cimychiaid yng Nghricieth

Prynais goeden dderw a
choeden lwyfen oddi ar stad Glynllifon a'u llifio'n blanciau
yn y fan honno. Wedyn, adeiladu'r cwch (y math a elwir yn
clinker) mewn cwt wrth ymyl gweithdy William Jones. Cwch
pysgota oedd o, ac mi gefais lawer o bleser wrth ei gynllunio

a'i adeiladu. Byddai nifer yn galw heibio i weld sut oedd y cwch yn dod yn ei flaen a chymerodd William Jones ddiddordeb mawr yn y gwaith.

Gyda'r nos ac ar benwythnos, wedi gorffen y cwch, byddwn yn gosod potiau cimychiaid yn y bae a chael llawer o bleser balch gyda'r hobi newydd.

Pan oeddwn yn saer coed yr adeg honno, rhaid oedd cario'r celfi mewn basged ar eich cefn. Os oedd angen cario rhywbeth arall, yna rhaid oedd defnyddio tryc. Cofiaf wneud bar newydd i'r Railway Hotel (y Castle heddiw); gwneud y bar a'r 'ffitings' yn y gweithdy a dau ohonom yn mynd â nhw yno efo tryc. Wedi cyrraedd y stryd, dyma gymryd pum munud bach a daeth dyn o'r enw Jôs Bach (neu Iesu Grist Bach am ei fod mor dduwiol) heibio a gofyn i mi;

'Be 'di hwnna sgynoch chi?'

'Bar newydd i'r Railway Hotel,' atebais.

'Dacia chi, dodrefn y diafol, dodrefn y diafol!' Roedd o yn erbyn cwrw'n ofnadwy.

Tua'r un cyfnod, mi ddaeth Littlewoods a Vernons â'u pyllau pêl-droed yn boblogaidd. Ar waelod y papurau, roedd lle i roi enw a chyfeiriad cyfaill i dderbyn rhai. Beth wnaethom ni yn griw ond rhoi enw a chyfeiriad Jôs Bach arnynt, a phawb yn gwneud yr un peth. Yr wythnos wedyn, mi gafodd domen o lythyrau o Littlewoods a Vernons!

Yn ystod y cyfnod hwnnw, roedd bywyd yn ddigon tlodaidd – doedd gen i ddim llawer o gelfi a doedd dim llawer i'w cael yn y siopau. Un bore Sadwrn, mi ofynnodd Mrs Owen, Parciau Bach, a fuaswn i'n rhoi cortyn yn ei ffenest a chytunais i wneud hynny. Es yno'r Sadwrn wedyn a gosod y cortyn yn y ffenest. Gwraig weddw oedd hi a dyma hi'n gofyn faint roeddwn i eisiau am wneud y gwaith. Gan feddwl ei bod hi'n ddigon tlawd, dyma fi'n dweud chwe cheiniog a dyma hi'n talu'n syth, gan ddweud:

'Harri, tyrd i'r cefn efo fi. Mae gin i rwbath yn fan hyn –

bocs o dŵls Iorwerth y mab.'

O'n i'n cofio Iorwerth yn iawn. Mi fyddwn i'n hel cardiau sigaréts ac yn eu cael i gyd gan Iorwerth. Saer coed oedd o, ond mi aeth i'r fyddin a chael ei ladd yn y Rhyfel.

'Dw i ddim am werthu rhein i neb ond ti,' meddai.

'Faint 'da chi isio amdanyn nhw?' holais.

'Wel 'dw i ddim yn gwybod,' medda hi.

O'n i'n dallt y petha er mod i'n ifanc a dyma ddweud:

'Mi ga' i rywun i'w prisio nhw i mi ac ewch chi i gael rhywun i'w prisio nhw i chi ac mi gawn weld wedyn.

Dyma ofyn i Thomas Ellis eu prisio nhw a hithau'n gofyn i'w brawd-yng-nghyfraith oedd yn saer coed, ac mi ddaeth y ddau i benderfyniad efo'i gilydd mai £15 oedd eu gwerth. Roedd hynny'n dipyn o bres yr adeg honno. Doedd gen i ddim £15 ond mi ges fenthyg yr arian gan frawd fy nhad, Sam (becar, Cricieth), a hwnnw'n dweud y cawn eu talu'n ôl rywdro fel y gallwn i ac nad oedd brys. Gan mai cyfnod yr haf oedd hi, roeddwn wedi eu talu'n ôl ymhen pedwar mis drwy werthu mecryll a gweithio efo cychod ar lan y môr.

Yn ystod y cyfnod hwnnw byddai pob un o blant Cricieth yn cael rhyw fath o brentisiaeth – fel siopwr, cigydd, gwas ffarm, saer ac yn y blaen. Yr oedd bachgen o'r enw Dic Astley yn barod i adael yr ysgol a'i dad yn ei holi beth roedd am ei wneud. Doedd o ddim yn gwybod yn iawn.

'Beth fasa ti'n lecio'i wneud?' holodd ei dad.

'Faswn i'n lecio mynd yn *ironmonger*,' oedd ateb Dic. Aeth ei dad i weld Williams yr *ironmonger* a gofyn am brentisiaeth i'w fab ac mi gafodd y gwaith. Dechreuodd ar y gwaith, ac am fis cyfan bu'n llenwi silffoedd y tu cefn i'r siop. Pwrpas hynny oedd dysgu iddo lle yr oedd pob dim. Ar ddechrau'r ail fis, dyma Williams yn dweud:

'Richard, 'dw i am i chdi ddechrau y tu ôl i'r cownter heddiw a chofia fod yn rhaid i chdi fod yn fonheddig ac yn wasaidd a chofio mai'r cwsmer sy'n iawn bob amser.'

Mi ddaeth rhyw ddynes i mewn a gofyn am dun o baent pinc. Aeth Dic i'r cefn i chwilio am baent pinc ond doedd yr un ar gael.

'Mae'n ddrwg gen i, does ganddon ni ddim paent pinc heddiw.'

Aeth y ddynes allan o'r siop a phwy oedd yn gwrando ar hyn ond Williams, a dyma fo'n dweud:

'Richard, dwyt ti ddim wedi serfio'r ddynes yna'n iawn. Wyt ti 'di deud fod yna ddim paent pinc yma? Be ddylia ti ddeud yw bod yna ddim paent pinc ond fod yma baent coch sy'n well o lawer na'r un pinc.'

Ymhen hanner awr, daeth Mrs Gresham (mam Colin Gresham, awdur, ac arbenigwr ar hanes teuluoedd Eifionydd) i mewn a dyma hi'n dweud:

'*Good morning, young man.*'

'*Good morning,*' medda Dic yn ôl, '*what can I do for you, madam?*'

'*Have you got any toilet paper here?*'

Doedd gan Dic yr un syniad beth oedd *toilet paper* gan mai papur dydd Sul a ddefnyddiai ei deulu i'r pwrpas. Dyma fo'n dweud wrthi:

'*I'll have a look in the back.*'

Daeth yn ôl wedi amser go hir a dweud:

'*Madam, I'm very sorry, but we haven't got any toilet paper here today, but we've got the next best thing, madam, sandpaper!*'

Dywedai Mam bob amser y gallwn gysgu ar lein ddillad ac mi fyddwn i'n mynd i 'ngwaith efo beic oedd heb frêcs, na dim arall, bron. Byddwn bob tro yn cyrraedd am wyth neu funud neu ddau wedi wyth. Un bore, pan oedd Mam wedi mynd efo trip merched o Gricieth i'r Iwerddon am benwythnos, dyma Nhad yn gweiddi:

'Tyrd at dy waith, mae'n ddeg munud i wyth.'

Minnau'n codi a chyda brechdan yn fy llaw, rhoi naid ar y beic a ffwrdd â fi. Cyrhaeddais yno, yn ôl yr hyn a gredwn, am wyth ond doedd dim golwg o neb. Daeth William Jones y meistr i'r golwg:

'Duw, be ti'n da fan hyn mor fore?'

'Mae'n wyth o'r gloch.'

'Saith ydi hi.'

'Damia, Nhad wedi dweud clwydda. Mae Mam wedi mynd i'r Iwerddon am benwythnos.'

'Wel biti na fasa dy fam yn mynd i'r Iwerddon yn amlach,' oedd yr ateb.

Fel yr aeth y blynyddoedd heibio, daeth rhyw Sais i weithio i William Jones a doedd Saesneg hwnnw ddim yn dda iawn. Un diwrnod, roedd arno eisiau i'r Sais osod ffrâm drws a rhoi tolion (catiau) hen ffasiwn. Dyma fi'n ei glywed yn dweud wrth y Sais ond doedd o ddim yn gwybod beth oedd tolyn (cetyn) yn Saesneg:

'*You fix the cet,*' medda fo.

Doedd y Sais ddim yn deall a dyma William Jones yn dweud wrtha i:

'Damia, duda di wrtho fo.'

A fi fyddai'n gorfod egluro i'r Sais bob tro wedyn.

Wrth fynd yn hŷn, doedd William Jones ddim yn gallu gwneud rhyw lawer am fod ei olwg wedi dechrau mynd ond mi fedrai hogi llif gystal â neb, a'i gyngor oedd:

'Os wyt ti ar frys, 'ngwas i, stopia a hoga dy li. Mi ei di drwy fwy o waith efo min ar dy li na fel arall.'

Roeddwn yn ei ddallt o'n iawn am fy mod wedi prentisio efo fo. Un tro, roeddwn yn torri coed yn y gweithdy ac yntau'n codi'r planciau. Eistedd i lawr wedi llifio'n o lew a sgwrsio. Dyma finnau'n gofyn:

'Tasa chi'n cael cynnig ar yr hen fywyd yma eto, be 'sa

chi'n lecio 'i wneud?'

'O, mi dduda i wrthat ti; be leciwn i neud fasa cael byw am wyth deg o flynyddoedd eto.'

'Pam 'da chi'n deud hynny?' holais.

'Wel yli, yn fy oes i mae'r trên 'di dŵad, mae'r car 'di dŵad, y motobeic, yr eroplen, dŵr i'r tai a'r peth diweddaraf yw telifision. Beth sydd am ddŵad yn yr wyth deg mlynedd nesaf?'

Ar ddiwedd y Rhyfel, tua 1946, cafodd William Jones waith i adeiladu mwy o dai cyngor yn Nhy'n Rhos, Cricieth. Roedd codi 34 o dai yn joban go fawr yn y cyfnod hwnnw a minnau'n dechrau dod o 'mhrentisiaeth ar ôl gwneud tair blynedd. Cyflogai William Jones bawb yn lleol a thri ohonom fel seiri coed, fi, Jac Williams a Gwilym Ifor o Nefyn. Erbyn hyn, roedd y tri saer arall yn rhy hen i fynd i godi tai. Mae'n siŵr fod William Jones wedi cyflogi tua 50 i'w codi, a Nhad yn eu mysg yn dod yno i weithio efo ceffyl a throl. Ar ôl rhyw naw mis, fe adawodd Jac Williams a Gwilym Ifor i ddechrau eu busnesau eu hunain. O ganlyniad, fi oedd yr unig saer coed oedd yno ac mi gymerodd William Jones ryw ddynion oedd newydd adael y fyddin – 'pobl chwe mis' fel y gelwid hwy – ond fi oedd yr unig saer coed â phrofiad. 'Dw i'n cofio gofyn i William Jones a oedd hi'n bosib cael help i godi coed ar ben y toeau. Mi ddaeth â hogyn o'r enw Trefor Williams (oedd newydd orffen ar y môr) ac fe gododd y coed yn reit handi ac mi fu'n help mawr.

Wedi gorffen y job honno, mi gafodd William Jones gontract mawr ym Mhorthmadog i godi tai cyngor ym Mhensyflog. Erbyn hyn, roedd ganddo saer coed profiadol arall i orffen y gwaith yng Nghricieth ac felly, fi oedd y dyn cyntaf ar y safle ym Mhensyflog. Y rheswm am fy ngyrru yno oedd bod llond llong o goed lloriau yn cyrraedd Porthmadog cyn inni dorri sylfeini hyd yn oed, ac roedd fy

Pan oeddwn tua ugain oed

angen i godi'r coed ar ben ei gilydd a'u pacio'n groes bob yn ail er mwyn iddynt sychu yn y tywydd braf. Mi fûm ar y safle hwnnw am ryw flwyddyn ac o'r fan honno y penderfynais fynd am Lerpwl i chwilio am waith, gyda'r bwriad o fynd i'r môr.

Y rheswm am hynny oedd fy mod yn rhyw deimlo allan ohoni braidd. Roeddwn wedi gorffen fy mhrentisiaeth a doeddwn i ddim yn gorfod gwneud y Gwasanaeth Cenedlaethol fel bechgyn eraill gan fy mod mewn gwaith oedd yn cael ei ystyried 'o bwysigrwydd cenedlaethol', sef codi tai i'r rhai oedd yn dod o'r lluoedd arfog ar ôl y Rhyfel. Roedd fy mrawd wedi gorfod mynd a hwnnw'n ieuengach na fi. Teimlwn fy mod eisiau mynd i rywle ac i'r môr yr oeddwn eisiau mynd. Wnes i ddim ffraeo efo William Jones, dim ond dweud fy mod eisiau mynd ac felly y buodd hi.

Mynd am Lerpwl

Wedi gwneud y penderfyniad fy mod am fynd i Lerpwl, rhoddais fy notis i William Jones ac ysgrifennais at fy nghyfnither i ofyn a gawn aros yn ei thŷ am noson neu ddwy i chwilio am waith ac am lety. I ffwrdd â mi ar y trên drwy Afonwen a chyrraedd Lerpwl. Roedd fy nghyfnither a'r teulu yn byw yn 17 Rockfield Road, Anfield, yn agos at gae pêl-droed Lerpwl.

Digon ciami oedd fy Saesneg gan nad oeddwn wedi teithio fawr iawn allan o Gricieth cyn hynny. Rhos, Wrecsam, oedd y pella i mi fod, a hynny am wyliau efo chwaer fy nhad oedd â'i gŵr yn löwr yn yr ardal honno.

Wedi cael gwybod pa fws a pha dram oedd yn mynd i'r cyfeiriad cywir, dyma gyrraedd y tŷ a chael croeso mawr gan John ac Elsie. Dywedodd Elsie y cawn lojo gyda nhw beth bynnag, am fod y tŷ yn ddigon mawr, ac yno y bûm i'n byw tra'n gweithio yn Lerpwl. Mi gefais groeso a lle arbennig o dda ac roeddwn yn hapus yno am rai blynyddoedd.

Roedd ganddynt bedwar o blant, tair o genod ac un hogyn, sef Gwynfor, oedd newydd gael ei eni pan gyrhaeddais i. Bu Gwynfor yn berchen ar Wasg Eryri, Porthmadog, am flynyddoedd tan iddo ymddeol yn 2009. O'r merched, Jinw oedd yr hynaf, wedyn Helen (a fu'n wraig i Edgar Cipar yma yng Nghricieth, awdur *O Botsiar i Gipar*) a Mair. Teulu hapus iawn oeddynt, gyda John yn blastrwr, yn gapelwr ac yn flaenor selog yng nghapel yr Annibynwyr, Belmont Road. Er nad oeddwn mor selog â hynny, byddwn yn mynd gyda hwy i'r capel – taith o ryw ddwy filltir un ffordd – wedyn yn ôl i'r ysgol Sul yn y prynhawn ac eto i'r oedfa nos. Dim ond yn ddiweddar y deallais nad oedd y capel mor bell â hynny, ond gan fod y teulu yn gefnogwyr brwd i Everton, tîm arall Lerpwl, roedd yn rhaid osgoi pasio Anfield, gan wneud y daith gymaint â hynny'n hirach!

Yr oeddwn yn chwilio am waith a chan fod John Davies yn gweithio fel plastrwr efo cwmni Robert Miles yn Britport Street mi gafodd waith i mi yn y gweithdy yno. Yn ystod y cyfnod hwnnw, atgyweirio difrod a wnaed gan y bomiau yn ystod y Rhyfel oedd y cwmni; a bûm yn gweithio, ymysg llefydd eraill, yn yr Adelphi Hotel, Lime St. Station Hotel a'r Exchange Hotel. Yr Adelphi oedd y fwyaf, gyda londri a phob peth yno. Y Rheilffyrdd Prydeinig oedd yn berchen ar y gwestai, ac yn cyflogi dyn yn llawn amser i ddal llygod mawr. Roedd hwn yn gweithio'r nos ac un noson, yr oedd yn cerdded ar hyd un o strydoedd y ddinas efo sach ar ei gefn. Gan fod llawer o ddwyn yn ystod y cyfnod hwnnw, stopiwyd y dyn gan blismon a gofynnodd hwnnw beth oedd yn y sach.

'Llygod mawr,' oedd yr ateb.

Nid oedd y plismon yn ei gredu, felly dyma fo'n rhoi ei law yn y sach ac ynddi roedd chwech o lygod mawr byw. Roedd y plismon wedi dychryn am ei fywyd.

Bûm yn reit hapus yn gweithio i Robert Miles. Y perchennog oedd Mr Cowlin a chyflogai dipyn o ddynion yn Lerpwl. Yn Aigburth Vale roedd o'n byw, a dyma fo'n dweud un bore:

'*Harry, you're a country boy. I want you to do some trellis work at my house.*'

Doedd gen i ddim syniad beth oedd y *trellis*. Doeddwn i erioed wedi clywed amdano ac yn rhy swil i ofyn i neb beth oedd o.

'*You can go with the lorry driver to the timber yard,*' medda fo, '*and pick what you want to do the trellis work.*'

Dyma gyrraedd yr iard goed.

'*The trellis timber is over there, pick what you want,*' medda'r dyn. A beth oeddan nhw ond coed garw rhyw ddwy fodfedd o led ac mi ddeallais beth oedd y *trellis* wedyn ac es â llwyth efo fi.

Tŷ gyda gardd go fawr oedd ganddo, a ffrwd yn rhedeg

drwyddi. Pan gyrhaeddais, roedd Mr Cowlin a'i wraig yn y tŷ, a dyma fo'n dweud:

'*My wife will tell you what she wants*,' a'r hyn roedd hi eisiau oedd rhyw bont dros y ffrwd yn yr ardd a bwaon yma ac acw dros y llwybrau. Wrth glywed hynny, yr oeddwn yn gwybod yn iawn beth oedd *trellis work*.

Yn ogystal â rhedeg busnes, yr oedd Mr Cowlin yn gynghorydd ac mewn byd efo Lady Megan Lloyd George, yn ei gweld yn ddynes glyfar, a thrwy gysylltiadau bach felly mi ddois yn andros o ffrindiau efo fo a'i wraig. O ganlyniad i hynny, byddwn yn cael mynd yno bob penwythnos i weithio a chael fy nhalu am *overtime* a chael gwell cyflog na phawb arall. Trwy weithio i'r cwmni hwn deuthum i adnabod canol dinas Lerpwl yn dda iawn, ond mi ges brofiad rhyfedd wrth i mi wneud un o'r jobsys cyntaf allan o'r gweithdy.

Aed â fi i fyny i siop yn Walton Road, siop hetiau o'r enw *Hollywood Hats*. Roedd rhywun wedi torri i mewn i'r siop a dwyn ohoni ac felly roedd angen gosod *gratings* haearn ar bob ffenest. Aeth y lorri â mi i fyny yno efo'r fframiau haearn i'w gosod ar y ffenestri ac ar fy mhen fy hun y bûm wrthi'n gweithio. Pan ddaeth hi'n amser mynd adra, doedd gen i ddim syniad sut i fynd yn ôl i'r tŷ. Roeddwn yn gwybod am Pier Head a pha dram i'w ddal o'r fan honno i Anfield, felly dyma ddal y tram i Pier Head a chael tram 26B i Anfield. Dyma gyrraedd y tŷ a sgwrsio efo John ac Elsie.

'Lle fuost ti'n gweithio?'

'Siop yn Walton Road,' atebais.

'Pam oeddat ti mor hir yn dod yn ôl? Dim ond yn y stryd nesaf mae hi.'

Roeddwn innau wedi teithio cryn bellter heb ddeall fod y tŷ mor agos! Ond cyn pen dim, yr oeddwn wedi dod i nabod Lerpwl yn dda. Roedd Mr Cowlin am godi bynglo i ryw athro prifysgol yn Aigburth ac angen ei goedio – sef gosod coed ar gyfer toi'r tŷ. Doedd yr un o'r gweithwyr eraill yn gwybod sut oedd coedio tŷ, a dyma John Davies yn dweud wrtho fy mod i'n arbenigwr ar y gwaith. Canfyddais nad oedd gan y fforman syniad sut i wneud, a fi oedd yr unig un oedd yn gallu gwneud y gwaith coedio.

Yn ystod y cyfnod hwnnw, yr oedd dydd Iau yn cael ei alw'n 'Welsh Day' yn Lerpwl oherwydd bod cynifer o Gymry'n heidio yno i siopa. Pan oeddwn i'n gweithio ar y siopau yng nghanol y ddinas roeddwn yn gallu adnabod y Cymry yn ôl eu hedrychiad. Un tro, a minnau'n trwsio ffenest un o'r siopau yn y canol, dyma rywun yn gweiddi:

'Harri Bach, be ti'n dda'n fan hyn?' Pwy oedd hi ond Mrs Davies rhif pedwar o Gricieth, a fu'n gogyddes i Lloyd George yn Downing Street ar un adeg.

''Ngwas bach del i,' meddai wedyn, a rhoi hanner coron yn anrheg i mi. Mi fyddwn yn dod ar draws amryw o Gymry ar ddydd Iau.

Cofiaf fynd i gyngerdd Gŵyl Ddewi – *Grand Concert* y'i gelwid – a minnau'n eistedd rhwng dwy ddynes oedd mewn dipyn o oed. Pwy oedd yn canu ond y tenor enwog David Lloyd, a dyma fo'n canu'r unawd 'Cartref'. Y funud nesaf, roedd y ddwy ddynes yn beichio crio ac wrth weld hynny, dyma finnau'n dechrau beichio crio hefyd!

Bûm yn gweithio ar y fferi dros y Ferswy yn trwsio pethau a rhannau oedd wedi eu gwneud o goed (i gwmni Robert Miles), a hefyd yn ffatri esgidiau Timpsons – lle diddorol, gyda phob math o esgidiau yn cael eu gwneud efo llaw. Yr oeddwn yn gweithio llawer iawn yng nghanol Lerpwl ac wedi dod i adnabod llawer o'r *buskers* – y rhai oedd yn chwarae offerynnau i hel pres ar y stryd – a'r *barrow boys*. Un diwrnod, wrth sgwrsio yn y gweithdy, clywais fod arian mawr i'w wneud yn Capenhurst. Yr oedd pwerdy yn cael ei adeiladu yno ac roedd galw am seiri felly dyma roi notis i mewn ac ar ôl gweithio'r notis, es i chwilio am waith yn y fan honno. Erbyn i mi gyrraedd, roedd y gwaith ar fin gorffen a doedden nhw ddim yn cyflogi. Ychydig wythnosau cyn y Nadolig oedd hyn a doedd gen i mo'r wyneb i ofyn i Robert Miles am fy ngwaith yn ôl. Cerddais o gwmpas Lerpwl i chwilio am waith ond doedd neb yn cyflogi cyn y Nadolig. Doeddwn i ddim yn cael ceiniog o ddôl a bûm yn cerdded o safle i safle yn chwilio am waith.

Mi ddois i ryw safle yn Anfield a gofyn am waith. Doedd dim i'w gael, ond dyma'r dyn yn dweud wrthyf:

'*Charlie Harris is looking for joiners, based in Saint Domingo Vale.*'

Es yno ac i'r gweithdy ond cefais fy ngyrru i'r swyddfa yn selar y tŷ gyferbyn â'r gweithdy. Curais y drws, a daeth hen greadur i'w ateb; roedd o, erbyn deall, yn naw deg oed ac yn glerc i Charlie Harris. Gofynnais iddo a oedd yn chwilio am seiri coed ac atebodd gan ddweud nad oedd Mr Harris yno ar y funud ac imi ddod yn ôl am un o'r gloch.

Mi ddois yn ôl a churo'r drws. Daeth Charlie Harris i'r drws a gofyn beth roeddwn i eisiau. Atebais innau gan ddweud mai saer coed oeddwn yn chwilio am waith.

'*Oh*,' medda fo, '*you're looking for work? Are you a good joiner?*'

I mi, roedd y cwestiwn yn hollol hurt. Atebais fel hyn:

'*If you ask such a stupid question as that, I don't think I want to work for you,*' a chychwyn oddi yno.

'*Hold on,*' medda fo, '*when can you start?*'

'*When do you want me to start?*' holais.

'*Now,*' atebodd. I nôl fy mocs celfi â fi, ac i fyny i'r gweithdy lle y ffeindiais hanner dwsin o seiri coed yn gwneud gwaith ar gyfer siopau – *shopfitters* yw'r term Saesneg – ac yn gweithio i siopau Waterworths y rhan fwyaf o'r amser. Roedd gan y cwmni hwnnw tua tri chant o siopau yng ngogledd-orllewin Lloegr, mewn ardaloedd megis Morecambe, Lancaster, Wigan a llefydd eraill cyfagos. Mi ddois i adnabod Lerpwl yn well hefyd, gan fod siopau

Waterworths ym mhob man yn y ddinas. Roedd hanner cant o siopau'r cwmni ar hyd y Prescot Road o Lerpwl i Prescot yn unig!

Pan oeddech chi'n mynd yn saer coed i gwmni, byddai gennych bartner – dau joiner gyda'i gilydd. Mi ges i fy rhoi efo dyn oedd yn fud a byddar. Ro'n i'n 5'6" o daldra a hwnw'n 6'4"; anferth o ddyn ond roedd yn rhaid gallu cydweithio. Gallai ddarllen gwefusau pawb ond fi, gan na allai ddeall yr acen Gymreig ac, o ganlyniad, yr oeddwn yn gorfod sgwennu pob dim ar ddarn o bren. 'Rarglwydd, doedd yna'r un darn o bren heb eiriau arno ar ôl ychydig! Andros o job oedd gwneud hynny.

Ar ôl pythefnos, sgwennais ar bapur i ofyn iddo a oedd ganddo bamffledyn neu lyfr er mwyn i mi ddysgu'r iaith a dyma fo'n dod â llyfr ac mi lwyddais i'w ddysgu. Dysgais sut i siarad efo 'nwylo a dysgais y wyddor ac rwyf yn ei chofio hyd heddiw. Yr oedd hi'n bosib cyfleu geiriau heb orfod sillafu pob dim ac mi ddeuthum yn rhugl yn yr iaith dros gyfnod o amser. Alf Kennet oedd enw'r gŵr, wedi priodi â hogan fud a byddar, ond roedd y ddwy eneth a anwyd iddynt yn clywed ac yn siarad yn iawn.

Gan fy mod wedi mynd ati i ddysgu'r iaith, mi gymerodd ata i'n ddiawledig, bron y buasech yn dweud fod yr haul yn tywynnu o 'mhen-ôl i! Un diwrnod, estynnodd wahoddiad imi fynd i gapel y byddar yn Princess Road ac mi es yno efo fo. Profiad rhyfedd; gan fod pawb arall yn fyddar doedd dim sŵn. Cafwyd pregeth gan y gweinidog oedd hefyd yn fud a byddar. Yr oedd Alf wedi cael *German Measles* yn hogyn bach a hynny wedi effeithio arno mewn sawl ffordd. Fedra fo ddim gweld ond yn syth o'i flaen, ond am saer coed! Buom efo'n gilydd am bron i ddwy flynedd a gwneud cyflog da yn ystod y cyfnod hwnnw.

Yn y gweithdy, roedd y fforman o dras Eidalaidd, yn Babydd mawr, yn bwtyn bach 5'5" o daldra ac yn ŵr doeth iawn. Roedd un arall a weithiai yno yn aelod o'r Urdd Oren Brotestannaidd, ac yn annoeth iawn. Byddai'n tynnu ar y fforman drwy'r amser. Yr oedd y Pabyddion a'r Protestaniaid am ladd ei gilydd yn ystod y cyfnod hwnnw a minnau, yn y canol, wedi cael fy nysgu nad oedd drwgdeimlad i fod ac yn dweud hynny'n blaen. Ond roedd dyn yr Urdd Oren yn wirion efo'r busnes ac yn piwsio'r hen babydd. Byddwn yn cadw ar y Pabydd am ei fod yn ddoethach.

Mi ffeindiais i ymhen sbel pam yr oeddwn wedi cael y job gan Harries. Cymro oedd y pen dyn oedd yn gweithio i Waterworths fel *clerk of works*, a hwnnw oedd yn rhoi'r gwaith allan i gyd. Rhyw ddiwrnod, dyma fo i mewn i'r gweithdy a gofyn pwy oedd yn siarad Cymraeg yno. Es ato a chanfod mai un o ochrau Llanberis neu Fethesda oedd o, ond ei fod wedi byw yn Lerpwl am flynyddoedd. Cefais sgwrs yn Gymraeg ag ef a dod yn ffrindiau.

Cofiaf fynd i Widnes i wneud siop ar y Sul; roedd llawer iawn o *overtime* i'w wneud yr adeg honno. Tua pump o'r gloch y bore, roeddwn yn aros am y fan i'm codi. Mi o'n i yn ymyl cae pêl-droed Lerpwl ac yn hanner cysgu wrth bwyso ar bolyn. Yn sydyn, clywais fuwch yn brefu. Deffrais a chwilio ym mhob man, ond doedd dim un i'w gweld. Pwysais yn ôl ar y polyn a phendwmpian eto. Dyma'r fuwch yn brefu wedyn ac o'n i'n gwybod fod 'na fuwch yno yn rhywle ac nad oeddwn wedi breuddwydio'r peth. Ar draws y ffordd, mi welwn anferth o ddrws gyda drws bach yn ei ganol, ac o'r fan honno roedd y brefu'n dod. Agorais y drws bach a beth a welwn ond beudy a rhyw gant o wartheg ynddo. Doedden nhw ddim yn gweld golau dydd, dim ond wrth ddod â llo. Wyddwn i ddim fod y ffasiwn le yn bod yng nghanol y ddinas – *Anfield Dairy* oedd y lle.

Cefais fy nghodi gan y fan a mab-yng-nghyfraith Harris yn mynd â ni i'r gwaith. Y drefn yr adeg honno oedd eich bod yn gorfod teithio un ffordd yn eich amser eich hun a'r ffordd arall yn amser y cwmni. Gofynnais i'r mab-yng-nghyfraith sut oedd hi i fod. Atebodd mai mynd yno yn ein hamser ni a dod oddi yno yn amser y cwmni oedd y drefn. Buom yn gweithio ar siop newydd yn Canal Street, Widnes, tan chwech a phan ddaethom allan am y fan roedd yna niwl mor dew fel na fedrech weld eich llaw o flaen eich wyneb – y niwl mwyaf diawledig a welais i erioed. Yr oedd hi'n hanner nos erbyn i ni gyrraedd Lerpwl drwy'r niwl ond gan mai yn amser y cwmni yr oeddem yn teithio'n ôl, cawsom ein talu *double time* tan hanner nos – pres da iawn!

Mi fûm yn gweithio yn hanner siopau'r cwmni rhywdro neu'i gilydd. Waterworths Brothers oedd enw llawn y cwmni, gydag un brawd efo siopau ochr Lerpwl i afon Merswy a'r brawd arall yn gyfrifol am y siopau ar ochr Cymru i'r afon. Roedd ganddynt siop yng Nghaernarfon hefyd ond fues i ddim yn gweithio yn y rhai ar dir Cymru.

Doeddwn i ddim yn siŵr beth i'w wneud ar un adeg – mynd i ysgol nos i ddysgu rhywbeth oedd yn ymwneud ag adeiladu ynteu dysgu chwarae piano accordion. Taflais geiniog i benderfynu, a'r piano accordion enillodd! Mi brynais un a chefais wersi gan ryw dramorwr yng nghanol Lerpwl. Deuthum i'w chwarae yn reit dda ond er fy mod yn gallu darllen y gerddoriaeth, doedd y dwylo ddim yn cyd-fynd! Mae'r piano accordion yma hyd heddiw, ond does neb wedi ei chyffwrdd ers blynyddoedd a 'dw i wedi anghofio sut i'w chwarae erbyn hyn.

Ar ddechrau'r pumdegau, roedd pawb yn heidio i'r pictiwrs a chiwiau hir yn aros i gael mynd i mewn. Byddai *buskers* yn chwarae pob math o offerynnau i ddiddori'r ciwiau am bres, rhai eraill efo baglau a '*war wounds*' wedi ei sgwennu ar gerdyn i hel pres. Cofiaf, yn ddiweddarach, weld gŵr gyda '*ex-serviceman wounded*' ar blac ganddo, ond mi redodd i ffwrdd pan welodd fi am i mi fod ar y môr gydag ef. Unrhyw beth i hel pres.

Gweithio yn Iard Cammell Laird

Am ryw reswm nas cofiaf yn union, deuthum yn ôl adra i weithio i Ifan Gruffydd ac Arthur Jones, gan wneud eirch efo llaw a gwaith saer o gwmpas Cricieth. Fues i ddim yno am ryw lawer, chwaith.

'Pickles' fyddai pawb yn galw Ifan Gruffydd. Pan oedd yn yr ysgol yng Nghricieth byddai'r athrawes yn gosod tasg o sillafu deuddeg gair ar ddiwedd prynhawn Gwener. Os oeddech chi'n cael y deuddeg yn iawn, mi fyddech yn cael mynd adra yn gynt. Y drefn oedd i'r athrawes ddarllen yr enwau, wedyn sgwennu'r geirau'n gywir ar y bwrdd du. Os oeddech wedi cael y cwbl yn gywir, byddech yn codi'ch llaw i fyny ac os byddent yn gywir gan yr athrawes, byddech yn cael mynd adra. Cododd Ifan Gruffydd ei law a mynd â nhw i Miss Lilly Jones i'w darllen allan. Un o'r geirau oedd 'prickles' ac yntau wedi sgwennu 'pickles'. *'Pickles, pickles,'* medda hi, *'it's supposed to be prickles'*. A dyna sut y cafodd y llysenw 'Pickles'.

Yr oeddwn yn hapus iawn yn gweithio efo'r ddau, ond i'r môr yr oeddwn eisiau mynd ac mi ges addewid pe byddwn yn gweithio yn Cammell Laird neu iard longau debyg am gyfnod, y cawn fynd ar long. Yr oedd angen cael profiad o weithio mewn lle felly cyn mynd yn saer ar long. Roedd brawd-yng-nghyfraith Capten William Williams o Gricieth (neu Capten 'Washi' Williams fel y gelwid ef gan bawb), sef Glyn Jones, yn asiant llongau (*shipping supervisor* i roi'r enw Saesneg) efo'r Elder Dempster Shipping Company. Mi o'n i'n ffrindiau efo John Williams, brawd Capten 'Washi', yn Lerpwl, yn mynd i'w dŷ i gael te, ac mi ddywedodd John y bydda fo'n siarad efo Glyn er mwyn i mi gael gwaith fel saer ar y môr. Dywedodd hwnnw y byddwn yn gorfod cael papur i brofi fy mod i wedi cael profiad yn Cammell Laird, felly dyma bacio 'mag unwaith yn rhagor a mynd am Lerpwl.

Yn y cyfamser, roedd John ac Elsie wedi symud i Birkenhead, yn agos at Cammell Laird, ac mi ges aros efo nhw am gyfnod unwaith eto. Es i lawr i Cammell Laird a chael addewid am waith yno, a chyfarwyddyd i ddod i mewn y bore wedyn a mynd i'r ciw i seinio 'mlaen. Roedd cannoedd o seiri yno, a dyma fi i'w canol. Yn Cammell Laird, y drefn oedd bod dau saer coed yn gweithio gyda'i gilydd bob amser ac wedi seinio 'mlaen, cefais fy ngyrru i long haearn oedd i lawr yn y 'basin'. Yr oeddwn wedi arfer efo cychod pren – mi fedrwn adeiladu un a hwylio un – ond doedd gen i ddim syniad am longau haearn a sut oedd eu ffitio allan, gwneud y *cabins* ac ati. Gwyddwn fod yn rhaid chwilio am bartner a cheisiais gael hyd i un mewn oed oedd yn siŵr o fod wedi cael profiad yn y math hwn o waith. Mi welwn un mewn oed yn y ciw a dyma ddechrau cyd-gerdded efo fo am y llong. Mi drodd ataf a gofyn:

'*Tell me, have you got a mate?*'

'*No*,' atebais.

'*Well, we'll work together as mates*,' medda fo.

Roeddwn i wedi cael yr hyn yr oeddwn yn chwilio amdano. Holodd fi o ble yr oeddwn yn dod. Minnau'n ateb 'Cricieth'.

'*Where's that*,' holodd.

'*North Wales*,' meddwn. '*It's a little fishing village.*'

'*I'm glad I picked you*,' meddai. '*I come from Halifax and I've never seen a ship in my life.*'

'Wel,' meddwn wrthyf fy hun, 'dyma beth yw'r dall yn arwain y dall!'

I fyny â ni i'r llong fawr. Roedd y *chargehand* yn dweud wrthym lle i fynd a beth i'w wneud, ac yn fuan iawn deuthum i a'r hen foi o Halifax i ddeall y pethau. Yn ystod y cyfnod hwnnw, roedd Comiwnyddiaeth yn gryf yng Ngammell Laird ac yr oeddwn wedi cael ar ddeall pan oeddwn adra yng

Nghricieth na fyddwn yn cael gwaith yno heb berthyn i'r undeb, felly yr oeddwn wedi ymaelodi â'r *Amalgamated Society of Woodworkers* oedd yn cynrychioli pob agwedd o waith coed yn yr iard ac ar longau. Yn fuan iawn y deuthum i 'ddallt y sgôr'. Roedd yr undebau mor gryf yno fel nad oedd fiw i chi wneud unrhyw beth y tu allan i'ch swydd ddisgrifiad. Doedd gen i ddim hawl i sgubo siafins a llwch lli ar ôl plaenio a llifio gan fod yna ddyn yn mynd o gwmpas o gaban i gaban i wneud hynny. Yn ystod y cyfnod hwn, bu anferth o streic yng Nghammell Laird o ganlyniad i ddadl ynglŷn â phwy oedd i dyllu twll mewn haearn!

Deuthum i adnabod rhai o'r hogiau oedd yn gweithio yno a gweld fod yr undeb yn gryf. Un diwrnod, roeddwn i a'm mêt yn gwneud *partitions* mewn caban pan ddaeth bachgen gweddol ifanc atom a dweud:

'*This Barton (shop steward yr undeb) is no bloody good, he does not fight for us. We should change and have another shop steward.*'

Dyma'r ddau ohonom yn cytuno ag ef, ac ar ôl iddo draethu am sbel, a ninnau'n cyd-weld efo pob peth yr oedd yn ei ddweud, dyma fo'n estyn papur i'r ddau ohonom a gofyn i ni ei arwyddo. Ar ôl iddo fynd, dyma'r boi Halifax yn gofyn:

'*What the hell were we signing?*'

'*I don't know,*' atebais, '*something to do with the union.*'

Ymhen rhyw awr, daeth dyn o gwmpas efo placard mawr yn cyhoeddi: '*Mass meeting in lower hold for ASW members.*'

Roedd yn rhaid i ni fynd; doedd fiw i ni beidio, ac i lawr â ni yn ystod yr awr ginio i waelod y llong. Roedd platfform o gasgenni a phlanciau wedi ei osod a channoedd o seiri coed yno a ninnau'n mynd fel defaid. Pwy oedd ar y platfform yng nghanol amryw o rai eraill ond y bachgen ifanc a dyma fo'n dechrau areithio:

'*Brothers, we have a paper signed by twelve honourable*

members of the ASW to hold an election against Barton.'

Erbyn deall, fo oedd yr ymgeisydd!

Roedd y boi Halifax yn methu deall beth roeddem ni wedi ei wneud. Comiwnydd oedd y bachgen ifanc ond fe gollodd yr etholiad, a chan fod enwau'r ddau ohonom ni i lawr, rhoddodd hynny'r argraff mai Comiwnyddion oeddem ninnau! Cawsom ein cardiau, achos doedd Cammell Laird ddim yn hoffi Comiwnyddion.

Cawsom notis i orffen ymhen wythnos ac wrth fynd i lawr y gangwe i fynd oddi yno, gyda'r bocs twls ar fy nghefn, gwelais foi o Sir Fôn yr oeddwn yn ei adnabod.

'Lle ti'n mynd?' holodd.

'Newydd gael fy nghardiau 'dw i,' atebais.

'Os wyt ti isio job, cer i'r *basin*. Mae *fridge boat* o Dde America, un o gychod BSNC i fod i'w gorffen erbyn rhyw amser, ond gan fod streic wedi bod, maen nhw'n chwilio am tua cant o seiri i'w gorffen mewn pryd.'

Dyma fi'n dweud y newydd wrth y boi Halifax ac wrth y lleill oedd newydd gael eu cardiau. I lawr â ni ar hyd y doc i'r un nesaf a chafodd pob un ohonom waith. Gweithio'r nos oeddan ni, yn gosod paneli *plywood* ar du mewn y llong a llenwi'r lle gwag efo *insulation* – 'dw i'n siŵr mai asbestos oedd o ond wnaeth o ddim effeithio arna i, chwaith. Roeddan ni'n cychwyn am chwech y nos a gorffen am hanner awr wedi saith y bore. Un bore oer a glawog, wrth groesi'r ffordd yn Hamilton Square wrth ddod o'r gwaith i ddal y bws, clywais rywun yn gweiddi:

'Hei, Harri Bach, be ti'n neud yn fan hyn?'

Rodney Jones oedd o, wedi bod yn faciwî yng Nghhricieth ac yn ddreifar bysys yn Birkenhead. Roedd o wedi fy ngweld yn croesi'r ffordd.

Yr ail noson, dyma ni'n cael stop gan yr Undeb. Roeddem ni wedi mynd o un llong i'r llall a rhai y tu allan yn disgwyl am waith. Rhaid oedd mynd bob diwrnod i Lerpwl i gyfarfodydd (a hynny am bedwar diwrnod heb yr un ddimai yn dod i mewn). Yr oedd y dyn Halifax yn eistedd wrth fy ochr, a hwnnw'n denau fel styllen. Cododd ar ei draed a sefyll ar ben y gadair a dechrau annerch y cyfarfod.

'Pwy sy'n mynd i fagu fy naw plentyn,' holodd. ''dw i yn fa'ma'n siarad â 'mhlant eisiau bwyd.'

Cytunodd pawb ag ef ac mi aethon ni'n ôl i weithio. Comiwnyddiaeth a'r frwydr i reoli'r gwaith oedd y tu ôl i'r cwbl.

Roeddwn yn gwneud pres da wedyn ar y shifft nos. Yng nghanol y criw y gweithiwn gyda hwy yr oedd Gwyddel o'r enw Johnny Macree. Y bore hwnnw, yr oeddwn wedi derbyn llythyr oddi wrth Glyn Jones i ddweud fy mod wedi cael gwaith fel *carpenter's mate*, sef yr ail saer, ar yr *Accra* ac i mi fynd i lawr i'r *pool*, sef y swyddfa gyflogi, i seinio 'mlaen. Dywedais hynny wrth fy nghyd-weithwyr ac i ffwrdd â mi efo'r fferi i Lerpwl. Es i'r *pool office*, dweud pwy oeddwn a 'mod i wedi cael gwaith ar yr *Accra* – *passenger liner and mailboat*.

'Iawn,' medda'r dyn, 'ond 'dw i isio £25.'

'I be?' holais.

'Rhaid i ti ymuno efo Undeb y Morwyr.'

''Sgin i ddim £25,' atebais.

'Ei di ddim i'r môr, felly,' medda hwnnw.

Es yn ôl i Cammell Laird. Holodd Johnny Macree sut hwyl yr oeddwn wedi ei gael. Dywedais yr hanes gan ychwanegu fy mod yn credu fod aelodaeth o'r ASW yn ddigon da er mwyn cael mynd ar y llong.

'*Listen now,*' medda Johnny Macree, '*the ASW office is just opposite the pool office. Go there and ask for my dad, Leo Macree.*'

Dyna wnes i, a siarad efo Leo Macree. Pwtyn bach fel fi oedd o. Dywedais beth oedd wedi digwydd.

'*Have you got half a crown in your pocket?*' holodd.

'*Yes,*' atebais.

'*Go to the pool office and tell the man that Leo Macree sent you and if there's any problem, come back to me.*'

Yn ôl â fi a dweud wrth y dyn:

'*I've got half a crown. Leo Macree sent me and if there is any problem, he will be over.*'

'*Damn him,*' meddai'r gŵr a stampio 'mhapur. Hanner coron roedd hi'n gostio i fod yn aelod o Undeb y Morwyr a'r diawl yma'n hel pres i'w boced ei hun!

Ymhen wythnos, yr oeddwn yn hwylio ar yr *Accra.*

Ar y Môr

Llong weddol fawr oedd yr *Accra*, yn cario dros bedwar cant
o deithwyr, y post (*mailboat*) a chargo. Un o'r llongau a
elwir yn *liners* oedd hi. Dau saer oedd arni ac ail saer oeddwn
i. Un o Barrow in Furness oedd y prif saer, gŵr a oedd wedi
bod ar y llong ers amser – yr oedd wedi bod yn gweithio arni
hi wrth iddi gael ei hadeiladu ac mi ddaeth efo hi o'r iard
longau. Gan fy mod yn ddibrofiad yn y gwaith, mi ges dipyn
o addysg gan hwn.

Er mai fel 'saer llongau' yr oeddwn yn cael fy adnabod,
ychydig iawn o waith coed oedd yna a dweud y gwir, dim
ond trwsio ambell glo neu ddrws. Y gwaith pwysicaf a
wnawn oedd yr hyn a elwir yn 'sowndio', a hynny
ddwywaith y diwrnod yn y bore a gyda'r nos.

Mae dau waelod i bob llong fawr, a'r rheiny wedi eu
rhannu'n adrannau neu *gompartments* ar y *port* a'r *starboard*.
Yr oedd pibell i ollwng darn o haearn ar raff i bob
compartment i weld faint o ddŵr oedd ym mhob un. Fel

Yr Accra

Yr Accra *yn gadael Lerpwl*

arfer, byddai tua modfedd o ddŵr a rhaid oedd cofnodi pob mesur o bob *compartment* ar siart er mwyn i'r capten gadw golwg ar lefel y dŵr. Gallai *compartments* yn llawn o ddŵr ar un ochr ddrysu cydbwysedd y llong a'i pheryglu. Ym mhob un *compartment* yr oedd yr hyn a elwir yn *scupper*, sef twll bach a redai i'r *engine room* a thrwy hwn y gellid pwmpio dŵr allan o bob *compartment* yn ôl yr angen (neu eu llenwi ar adegau os byddai'r cargo wedi symud mewn tywydd garw a'r llong wedi listio i un ochr). Drwy gadw golwg ar y siart, yr oedd y capten yn gallu cadw'r llong yn syth yn y dŵr.

Roedd gan bob llong fawr *fore peak* ac *after peak*, sef tanciau mawr yn nhu blaen a thu ôl y llong, a'r rheiny i'w llenwi neu i'w gwagio pe byddai'r llong i fyny yn un pen ac i lawr yn y pen arall. Felly, yr oedd 'sowndio' yn waith pwysig iawn, fore a nos bob diwrnod ar y môr ac yn y dociau. A dweud y gwir, roedd gwaith y saer ar y môr yn fwy o waith peiriannydd. Dyletswydd arall oedd bod yn gyfrifol am gyflwr y badau achub – er mwyn gwneud yn siŵr fod pob dim yn iawn arnynt. Byddai cynifer â deugain ohonynt ar long fawr a chan fod heli môr yn bwyta haearn a phren, rhaid oedd cadw golwg arnynt, a rhoi olew, iro a phrofi, a hynny yn ei hun bron yn waith llawn amser.

Efallai mai'r gwaith pwysicaf o'r cwbl oedd gofalu am yr angor. Roedd y cadwynau mawr tua deunaw modfedd o led ac yn pwyso tunelli. Y saer oedd yn gyfrifol am ollwng yr angor a'i godi. Pan fyddai'r mêt ar y ffocsal yn gweiddi *'let go of the anchor!'* byddai winsh fawr stêm (a thrydan yn ddiweddarach) yn ei ollwng, neu ei godi. Roedd y gadwyn wedi ei marcio mewn *fathoms* felly gellid gollwng yr angor yn ôl y dyfnder. Pan oeddem yn dod i olwg y lan byddai'n rhaid i'r saer ddod ar *stand by* wrth yr angor. Y rheswm am hynny oedd rhag ofn y digwyddai rhywbeth i'r injan; yr angor oedd yr unig beth a allai gael ei ddefnyddio i reoli'r llong. Byddai rhywun yn cario bwyd i chi pan fyddech ar ddyletswydd wrth yr angor, yn enwedig wrth fynd i fyny afon i borthladd.

Ar y blaen, roedd anferth o winsh, a'r saer fyddai'n gyfrifol am honno hefyd (roedd un arall yng nghefn y llong). Wrth ddod at y cei, roedd yn rhaid taflu rhaff i'r lan a thynnu'r llong i mewn efo'r ddwy winsh i wneud yn siŵr ei bod yn union yn ei lle wrth y cei.

Roedd *hatches* pren yn agor i'r howldiau cario cargo. Cyfres o blanciau oeddynt a gosodid gorchudd tarpwlin drostynt a dyrnu wedjis pren ar yr ochr i'w ddal yn ei le rhag ofn i ddŵr fynd i mewn i'r cargo. Byddai ambell long yn cario olew palmwydd mewn tanciau a byddai'n rhaid rhoi gorchudd dur yn gaead ar bob un a gosod bolltiau bob rhyw dair modfedd i'w dal yn eu lle. Y saer oedd yn gyfrifol am hyn, hefyd.

Dyletswydd arall oedd mynd i'r *engine room* i fesur faint o olew roedd y llong yn ei ddefnyddio. Roeddwn yn defnyddio teclyn tebyg i bwmp beic ar ymyl pob tanc i fesur faint o olew oedd ar ôl a rhoi'r mesuriadau ar siart er mwyn i'r capten allu sicrhau nad oedd yn colli dim. Cyn i'r teclyn pwmp ddod ar y llong, rhaid oedd 'sowndio' y tanciau bob diwrnod.

Y saer oedd hefyd yn gyfrifol am iro popeth oedd yn symud ar y dec (heblaw'r teithwyr!). Roedd y gwaith hwnnw wedi parhau o gyfnod y llongau hwylio gan mai'r saer oedd yn trin y coed ac mai ef oedd y dyn pwysicaf ar y llong. Drwodd a thro, y saer oedd yn gyfrifol am ddiogelwch y llong ac am gofnodi mesuriadau oedd yn galluogi'r capten i weld beth oedd ei chyflwr. Ar yr *Accra* roedd dau blymar, ond ar longau llai, y saer oedd yn gyfrifol am y gwaith plymio hefyd.

Yr *Accra* oedd y llong fawr gyntaf i mi hwylio arni, ac ar y trip cyntaf, roedd gen i gaban i mi fy hun, gyda wardrob, *chest of drawers*, cadair freichiau a sinc 'molchi. Wrth fynd ar y daith o Lerpwl i Orllewin Affrica hwyliodd y llong drwy Fae Biscay ac, ar y trip cyntaf hwnnw, cododd un o'r stormydd mwyaf diawledig a welodd neb erioed. Mae Bae Biscay yn un o'r llefydd mwyaf stormus yn y byd ond mi glywais hen longwyr yn dweud fod y Môr Celtaidd cyn waethed ag unlle ar adegau.

Wedi dod allan o'r storm, yr oedd yna heyrn tewion wedi plygu ac mae'n anodd credu cryfder y môr. Fues i ddim yn sâl iawn, dim ond y stumog yn troi am ychydig oriau. Felly y byddwn i ar ddechrau pob trip, mae'n siŵr fy mod wedi arfer ar y môr yng Nghricieth.

Y porthladd cyntaf ar y daith oedd Las Palmas yn yr Ynysoedd Dedwydd, neu'r Canêris. Roeddem yno am ryw ddiwrnod yn gwagio cargo, y post ac yn gollwng ambell deithiwr. Gan fod Las Palmas yn borthladd rhydd neu *freeport* yr adeg hynny, gallem brynu pethau'n rhad iawn. Fu gen i erioed ddiddordeb mewn cameras, ond mi oeddan nhw'n rhad iawn yn y fan honno ac rydw i wedi difaru hyd heddiw na fu gen i un i dynnu lluniau'r llefydd y bûm ynddyn nhw. Roedd gwin yn rhad fel baw hefyd!

Gadael Las Palmas a'r alwad nesaf oedd Funchal, ym Madeira. Nid oedd harbwr yno bryd hynny, ac roedd yn rhaid angori yn y bae. Gallem weld Madeira fel hanner pêl o'r llong, ac yn y nos roedd wedi'i goleuo fel coeden Nadolig gan ei bod yn ynys dwristaidd am amser maith cyn i'r Ynysoedd Dedwydd ddod yn boblogaidd. Galwai'r hen longwyr Madeira yn *'bastard island'*. Y rheswm am yr enw oedd pan fyddai byddigions Ewrop yn 'disgyn i bechod' a chael plant cyn priodi, bydden nhw'n aros nes bod pethau'n dechrau dangos ac yna mynd am drip i Madeira – rhyw ddeufis o daith. Wedyn aros yn y fan honno nes geni'r plentyn, rhoi pres yn llaw rhywun i'w fagu a'i adael yno.

Pan oeddem ni'n dod i fyny i'r bae, byddai dyn bychan yn dod at y llong mewn cwch bach. Byddai'r mêt a minnau ar y ffocsal a'r dyn yn codi ei fawd a gweiddi *'let go!'* ac yn y fan honno y byddai'r angor yn cael ei ollwng. Y rheswm am hynny oedd bod silff yn y môr, ac os byddech yn methu'r silff, yna byddech yn colli'r angor am nad oedd y gadwyn yn ddigon hir. Cyn gynted ag y byddem wedi angori, byddai'r plant yn nofio allan atom a dringo i fyny cadwyn yr angor a gweiddi ar y teithwyr:

'Throw me a Liverpool sixpence.' Dau swllt neu hanner coron oedd y *Liverpool sixpence* ac fe fyddent yn deifio oddi ar y gadwyn ac yn dod i fyny gyda'r ddau swllt yn eu cegau. Yng nghanol y plant tywyll eu croen gwelid ambell un penfelyn – epil byddigions Ewrop, efallai!

Rhaid oedd codi dŵr yfed a dŵr injan yn y fan honno a fi fyddai'n gyfrifol am y gwaith o'i godi o gwch *barge*. Bob tro y byddem yn 'byncro', sef codi dŵr ar y ffordd i lawr ac ar y ffordd i fyny, byddwn yn cael pedair potel o win gorau Madeira mewn basged wiail (wyth potel ar y trip). Un tro, a minnau newydd agor potel yn fy nghaban mi gododd storm ac mi falodd y botel yn deilchion yn y sinc 'molchi.

Byddai cychod bach yn mynd â'r teithwyr i'r lan i weld yr

ynys. Yr oedd y lle'n enwog am waith arian cain, a hwnnw'n rhad. Peth arall gwerth ei weld yno oedd gwaith crosio. Cofiaf ofyn i un o'r merched a weithiai ar y llong ddewis ffrog i Mam pan fyddai'n mynd i'r lan, ond doedd Mam ddim yn ei hoffi o gwbl – gormod o grosio arni!

Deuthum yn gyfarwydd â'r rhan yma o'r byd ymhen sbel, ar fwrdd yr *Accra* ac wedyn yn ddiweddarach ar y *Winneba* (cewch hanes fy nhaith gyntaf ar y llong honno yn nes ymlaen). Wedi gadael Las Palmas, byddai'r tywydd bob tro yn braf. Ar fy chweched daith, ar y *Winneba*, roeddwn yn fy nghaban a'r ddwy ffenest gron (y *portholes*) yn agored drwy'r amser. I ffwrdd â ni am arfordir Affrica. Mi ddeffrais un bore ar ôl gadael Madeira, a hithau'n gynnes braf. Pan agoris i fy ll'gada, mi welwn filoedd o ll'gada'n edrych yn ôl arna i. Yr oeddwn wedi bod yn yr ysgol Sul ac wedi clywed am bla o locustiaid ond wnes i erioed feddwl y byddwn yng nghanol un! Roedd y caban yn llawn o locustiaid, ym mhob twll a chornel. Mae'n debyg eu bod wedi colli eu ffordd a mynd allan i'r môr. Mi godais, cau'r ffenestri a 'sgubo'r locustiaid i bwced a'u lluchio i'r môr. Doedd 'na ddim chwarter modfedd o'r llong heb ei orchuddio, ac mi oedd y môr yn frown am filltiroedd o gwmpas y llong gan fod miliynau ohonynt yn arnofio arno. Trefn natur oedd eu camgymeriad o ddod allan i'r môr, sef dull o deneuo'u poblogaeth mae'n siŵr.

Wedi imi orffen 'sgubo'r caban, mi glywis andros o sgrech o gaban y bosyn. Yr oedd hwnnw'n *alcoholic* ac wedi dychryn yn ei ddiod gan feddwl ei fod yn gweld y 'diawliaid gwyrdd'. Glanheais ei gaban a'i adael yn ei wely.

Ar yr *Accra* roedd y criw yn wyn i gyd, ond ar y *Winneba*, dim ond dau ohonom ar y dec (heb gyfrif y swyddogion) oedd yn wyn. Cerddais drwy'r locustiaid at y mêt.

'*Get the bosun, Chips, to get the crew to hose the deck,*' medda hwnnw. ('*Chips*' oedd y saer yn cael ei alw ar long.)

Eglurais na fyddwn yn gweld y bosyn am rai dyddiau wedi iddo gael y ffasiwn sioc.

'*You get the crew out, Chips, and hose the deck.*'

I lawr â fi a churo ar ddrws caban prif ddyn y criw. Jawri oedd ei enw. Agorodd gil y drws a dyma fi'n dweud wrtho:

'*Get the boys out to hose the deck.*'

'*No way, chippy, we not do the ju ju fly.*' ('*magic fly*' ofergoelus oedd y locustiaid iddynt). Ddaeth yr un ohonynt allan.

Pryfaid mawr, rhyw bum modfedd o hyd gyda ll'gada mawr oedd y locustiaid. I fyny â fi a dweud na ddeuai'r un ohonynt allan oherwydd ofergoeledd. Dyma fo'n dweud:

'*You take charge of the three apprentice officers,*' ac ymlaen â ni i glirio. Roedd y teithwyr wedi gwirioni ar y busnes a daeth nifer ohonynt i'n helpu. Mi gymerodd hi oriau i'w glanhau ac am wythnosau wedyn, roeddan ni'n dal i gael hyd i rai yma ac acw ar y llong.

Mewn tywydd braf byddem yn rhedeg i lawr arfordir Affrica a gweld pob math o bethau. Gwelais haid o forfilod un tro, a'r rheiny'n chwythu wrth nofio yn ymyl y llong. Dro arall, gweld anferth o *swordfish* yn dod allan o'r môr ac yn syth i'r awyr am ryw lathen cyn troi yn ôl i'r môr. Byddai *flying fish* hefyd yn glanio ar y dec. Yn ystod y tywydd hwnnw, dim ond trowsus byddwn i'n ei wisgo, ac fe gawn liw haul drwy'r flwyddyn.

Wrth deithio i lawr yr arfordir, gwelem gychod pysgota, a'r rheiny filltiroedd o'r lan. Byddai'r brodorion ynddynt yn gweiddi am fara a phobl yn lluchio bwyd iddynt. Pysgota oeddynt a hynny heb gwmpawd na dim, a hyd heddiw, does gen i ddim syniad sut oeddynt yn canfod eu ffordd yn ôl i'r lan.

Cyn cyrraedd y cyhydedd, roedd lle a elwid yn dawelwch trofannol neu'r 'doldrums', lle nad oedd chwa o wynt am gyfnod hir. Clywais am longau hwylio'n sownd yno am wythnosau. Nid oeddwn yn hoffi'r fan honno am na fyddwn yn medru cysgu, a dim ond tawelwch rhyfeddol o'm hamgylch. Gallwn gysgu'n iawn mewn storm ond heb chwa o wynt, mater arall oedd hi.

Y porthladd nesaf oedd Freetown yn Sierra Leone, lle tlawd ofnadwy. Rhaid oedd mynd i fyny afon cyn cyrraedd yr hen borthladd hwn a dim ond cei ar ochr yr afon oedd yno – dim harbwr. Gollwng cargo a phost yno ac aros am ddiwrnod go lew. Ar y *Winneba* yr oedd dyn mawr du o'r enw Tommy Davies yn ben barman. Cofiaf glywed cnoc ar ddrws fy nghaban unwaith – Tommy Davies oedd yno, wedi dod i ddangos ei wraig newydd i mi. Er ei bod yn glamp o ddynes fawr, dim ond pedair ar ddeg oed oedd hi ac yntau'n ddyn mewn oed. Erbyn deall, roedd ganddo ddwy neu dair gwraig arall. Y peth rhyfeddaf yn ei chylch oedd bod ei hwyneb yn wyn i gyd am ei bod yn ei bowdro! Yn ôl yr hyn a ddeallais, roedd gan ddynion Gorllewin Affrica yr hawl i gael cynifer o wragedd ag y gallent eu cadw.

Yn Freetown y dechreuais weld sut oedd pethau'n gweithio. Os oedd dyn yn gweld hogan 5, 6 neu 7 oed, byddai'n dweud wrth ei thad y byddai'n ei phrynu, ond ni fyddai'r ferch yn cael dod ato hyd nes yr oedd tua deuddeg oed. Mae'n debyg fod y merched yn datblygu'n gynt yn y rhan honno o'r byd. Wedi iddi ddod ato, byddai'n prynu canŵ a'i lenwi efo bananas neu nwyddau eraill, a'r wraig yn ei thro yn mynd i werthu'r nwyddau i fyny'r afonydd (*creeks* roeddan nhw'n eu galw) i'w chynnal ei hun. Byddai'r gwragedd i gyd yn byw o dan yr un to a phawb yn ddigon hapus, a phan fyddai gwraig yn disgwyl babi, yna byddai'n mynd i'r pentref at ei rhieni i'w eni ac aros yno am flwyddyn cyn dod yn ôl at ei gŵr. Po fwyaf o gyfoeth oedd gan y gŵr, mwyaf i gyd o wragedd roedd o'n gallu eu prynu – dyna'u ffordd o fyw.

Yn Freetown, roeddan ni'n codi'r hyn a elwid yn *deck*

passengers – rhai yn teithio'n rhad drwy aros a chysgu ar y dec. Mynd i Takoradi oeddynt ac roedd gan bob un wely 'Iesu Grist' a phaciau. Byddai cannoedd ohonynt yno nes ei gwneud hi'n anodd cerdded ar y dec. Gan fy mod yn gorfod sowndio'r ddau danc yn nhu blaen a chefn y llong, rhaid oedd cerdded yn ôl ac ymlaen ddwywaith y dydd. Roedd crochan yma ac acw, geifr ac ieir, a'r coginio'n cael ei wneud ar y dec. Un tro sylwais ar chwadan wen hir oedd yn symud dim, hyd yn oed ei ll'gada. Meddyliais mai tegan oedd hi. Wrth ei phasio'r trydydd diwrnod, dyma fi'n rhoi clec iddi efo rhaff. Arglwydd mawr, roedd hi'n fyw! Mi ddeffrodd pawb, ac es i o'r golwg yn sydyn iawn.

Wrth fynd i lawr yr afon o Freetown, roedd yn rhaid i'r saer fod ar y bow. Byddai yna wynt o'r môr a thonnau mân, gwynion, a channoedd o bysgod baraciwda, rhyw chwech i wyth modfedd o hyd, yn y dŵr. Petaech yn cael codwm i'r afon, dim ond rhyw eiliad a fyddai gennych cyn i'r baraciwda eich bwyta. Roedd yno ddwsinau o siarcod, ond roedd y baraciwda'n fwy peryg o lawer. Un tro, a minnau ar y bow, dyma floedd:

'Man overboard!'

Mi welwn ddyn du yn lluchio ei hun drosodd. Gafaelais mewn bwi a'i daflu ar ei ôl. Gan fod y llong yn fawr, nid oedd yn gallu stopio'n sydyn, felly mi gymerodd hi dipyn o amser i droi'n ôl ac wrth fynd i fyny, roedd pawb yn chwilio am y dyn. Mi welis i'r bwi a dyma fi'n gweiddi a dangos hwnnw. Gollyngwyd cwch a chriw ac mi gawson nhw afael arno fo a dod â fo i fyny. Gofynnwyd iddo beth oedd yn bod. Doedd o ddim yn gwybod, ond mi ddywedodd rhywun arall fod hwn wedi bod efo gwraig dyn arall, a bod hwnnw wedi mynd at y *witch doctor* ac yntau wedi melltithio'r dyn. Aethom ag ef yn ei ôl a'i ollwng ar y cei yn Freetown.

Y porthladd nesaf oedd Takoradi yn Ghana. Harbwr cyffredin, gweddol newydd oedd o, a gollyngwyd teithwyr y dec, y cargo a'r post yno. Wedi treulio diwrnod yn y fan honno, i lawr wedyn am Lagos, prifddinas Nigeria. Pan oeddwn ar yr *Accra*, roeddwn yn Lagos am wythnos ond ar y *Winneba* treuliais bythefnos yno. Docio yn Apapa Wharf, a phob diwrnod yr oeddem yno, byddai'r llong yn mynd yn boethach nes ei bod, yn y diwedd, mor boeth fel y gallech ffrio ŵy ar y dec! Y drefn oedd dadlwytho'r nwyddau i gyd a llwytho pob math o gargo drwy'r dydd a thrwy'r nos, gan gynnwys ceir newydd.

Yr oedd gan Gwmni Elder Dempster ddwy long yn rhedeg o Tilbury, Llundain, i Lagos, sef y *Winneba* a'r *Calibar* a byddai'r ddwy'n pasio'i gilydd rhyw hanner ffordd drwy'r daith – un ar y ffordd i lawr a'r llall ar y ffordd yn ôl. Hen longau a arferai redeg i Dde Affrica gan gwmni'r Boulard and Kings oeddynt cyn i Elder Dempster gymryd rheolaeth dros y cwmni hwnnw.

Mae porthladd Lagos ar ynys, gyda phont fawr, sef Pont Carter, yn cysylltu'r ynys honno â'r tir mawr. Pan oeddwn i yno, dim ond ambell adeilad mawr oedd i'w weld – dim byd tebyg i'r hyn sydd yno heddiw – a chytiau to gwellt oedd mwyafrif yr adeiladau eraill. Dwy ffordd oedd i fynd i Lagos ei hun o'r porthladd – efo tacsi dros y bont neu efo canŵ dros yr afon, oedd tua hanner milltir o led. Roedd yna gerrynt cryf iawn yn rhedeg yn yr afon drwy'r adeg a byddech yn gweld llawer o bethau'n dod i lawr i'r porthladd gyda'r llif. Byddai coed yn dod i lawr o ganol Affrica a gwelid boncyffion mawr wedi eu clymu ar draws yr afon yn ymestyn yn ôl am tua chwarter milltir o hyd a thŷg bach yn eu tynnu. Byddai cwt bach to gwellt yn y canol ar ben y coed a mwg yn codi o'i gorn.

Bron bob diwrnod, byddai corff yn cael ei olchi i'r lan, a phob un ohonynt heb galon. Yr adeg honno byddai'r *witch doctor*, fel rhan o'i ddefodau, yn tynnu calonnau o gyrff ac yn lladd plant.

Fyddai neb yn gwisgo sgidiau a dim ond rhyw drowsus bach fyddai gan bawb. Cariai'r merched a'r dynion bob dim ar eu pennau. Sylwais ar rai'n sgota mewn canŵs bychan gyda rhwydi crynion â darnau o blwm o gwmpas yr ymyl. Byddent yn troi'r rhwydi – oedd tua ugain metr o hyd – uwch eu pennau a'u taflu i'r dŵr. Mi brynais i un i fynd adra i 'sgota yng Nghricieth, ond mi fu ond y dim i mi foddi ar ddau achlysur gan nad oeddwn yn gallu ei handlo hi; roedd yn fy nhynnu i'r môr.

Yn yr harbwr byddai prysurdeb mawr drwy'r amser gan y byddai llongau, canŵs a phob math o gychod yno. Ar yr Apapa Wharf roedd *sailor's mission*, a phwll nofio am fod y siarcod a'r baraciwda'n ei gwneud hi'n rhy beryglus i nofio yn yr afon. Byddai pawb, bron, yn cael helynt gyda'u clustiau ar ôl bod yn nofio yn y pwll oherwydd rhyw haint yn y dŵr ac mi ges i helynt efo'r ddwy glust.

Ar fy nhrip cyntaf yno, es mewn tacsi i Lagos a mynd i hen far gwyllt y llongwrs o'r enw Dresler Bar, reit ar y cei. Roedd hi'n costio dau swllt i fynd drosodd mewn canŵ a phunt efo tacsi. Byddwn bob amser yn mynd ar fy mhen fy hun, achos os byddech yn mynd mewn criw byddech yn siŵr o landio mewn ffeit, gan fod yr hogia Lerpwl 'ma yn enwog am gwffio ar ôl diod. Un tro, mi es mewn canŵ, a hanner ffordd ar draws, dyma'r hen ddyn yn dweud ei fod o eisiau dau swllt arall neu fe fyddai'n troi'r cwch a'm taflu i'r dŵr. Gan fy mod i wedi arfer efo cwch bach yng Nghricieth ers talwm, mi ddywedais wrtho pe byddwn i'n mynd drosodd, yna byddai yntau'n dod efo fi. Ches i ddim trafferth wedyn.

Yn y Dresler Bar roedd pob dim yn rhad, gyda merched yn dawnsio'n wyllt gan rwbio yn ei gilydd. Byddai yno gwffio bob rhyw hanner awr gan fod llawer o Almaenwyr yn dod yno, a'r atgofion am y Rhyfel yn dal yn fyw yn y cof. Ar ôl profiad y canŵ, efo tacsi ddois i 'nôl. Cyn cyrraedd y bont roedd lle o'r enw Tinabu Square – croesffordd efo dim ond blocyn concrid ar y canol a phlismon yn rheoli'r traffig. Bu rhyw hen ddoctor ar y llong yn egluro fod y sgwâr wedi ei enwi ar ôl anferth o ddynes ddu (yn ôl y llun a welais) o'r enw Lady Tinabu a wnaeth ei ffortiwn drwy yrru dynion i'r jyngl i ddal caethweision a'u gwerthu i gapteiniaid llongau. Felly, dysgais fod y brodorion hefyd wrthi'n gwerthu caethweision, nid yn unig y dyn gwyn.

Un diwrnod, a'r plismon du ar ben bocs yng nghanol y sgwâr wrthi'n cyfeirio'r traffic, mi stopiodd o lorri fawr. Pwy oedd yn digwydd sefyll wrth ei hochr ond yr Inspector (oedd yn ddyn gwyn), ac mi glywodd sŵn plant yn crio y tu mewn. Gwaeddodd ar y plismon i'w dal yn ôl a dyna'r dreifar yn neidio allan a rhedeg i ffwrdd. Roedd llond y lorri o blant wedi cael eu dwyn.

Un peth arall 'dw i'n 'i gofio ar yr Apapa Wharf oedd anferth o gwt crwn agored gyda tho gwellt arno, lle a elwid yn Tombol Mary. Roedd crochan mawr yn y canol a gallech, am ryw geiniog neu ddwy, brynu diod o'r enw Tombol, oedd yn uffernol o gryf ac yn ddigon i chwalu eich pen yn rhacs! Un waith y cymerais i o, a byth wedyn! Byddai golwg y diawl ar rai o'r dynion oedd wedi bod yn ei yfed, ond gan fod cynifer o alcoholics ar y môr, byddai'r rheiny'n ymffrostio am y ddiod yma.

Dadlwytho ac wedyn llwytho'r llong fyddai'r drefn, a phrysurdeb ofnadwy yn y lle. Roedd hi'n ddiawledig o boeth gan fod Lagos ar y cyhydedd. Cofiaf unwaith imi gerdded ar hyd y dec heb ddim am fy nhraed. Dyma'r hen fosyn yn dweud:

'*Chips, put some shoes on in case you get elephantitis.*'

'*What's that?*' holais.

'*Come here, have a look at that chap.*' Roedd ei droed yn grwn fel troed eliffant.

'*That's what elephantitis is and there's no cure for it.*'

Mi ddychrynais a fues i erioed wedyn heb ddim ar fy

nhraed ar fwrdd y llong.

Doedd dim *air conditioning* ar y llongau, dim ond pethau i chwythu aer cynnes neu aer oer. Roeddan ni yn Lagos am wythnos ac yn ystod yr wythnos honno, mi gollais ddwy stôn o bwysau efo'r gwres gan fy mod yn chwysu nos a dydd. Daliwn i weithio drwy'r gwres. Gan fy mod yn dal i 'sowndio' a chodi dŵr, un joban ychwanegol oedd codi ceir allan o'r howld a gollwng rhai eraill i mewn – ceir y teithwyr a cheir newydd, tua 150 ohonynt – a'm gwaith i oedd rhoi'r ceir mewn trefn yn yr howld a rhoi ffrâm bren o gwmpas pob un i'w rhwystro rhag symud mewn storm. Roedd ugain o ddynion duon yn fy helpu a choeliwch chi fi, roedd y gwres yn uffernol yng ngwaelod y llong haearn. Doedd y dynion ddim yn deall llawer o Saesneg ac mi fyddai wedi bod yn gynt i mi wneud y gwaith fy hun! Gorweddian o gwmpas oeddan nhw am ei bod hi mor boeth ac mi fyddwn yn cega arnynt am beidio gweithio, ond y ffordd orau i'w cael i weithio oedd canu efo nhw a byddwn yn canu caneuon Cymraeg wrth weithio. Andros o waith caled oedd trefnu'r ceir yng nghanol y gwres. Gan ei bod hi mor boeth, ni fedrwn gysgu, ond wedi gadael yr harbwr a mynd am y môr ac i'r gwynt, byddai'r llong yn dechrau oeri a'r noson gyntaf wedi i ni adael Lagos, byddwn bob amser yn cysgu fel mochyn.

Ar y trip cyntaf neu'r ail ar yr *Accra*, a rhyw ddau ddiwrnod allan o Lagos, roeddwn yn digwydd cerdded ar hyd y boat deck, lle roedd y cychod achub. Ar y dec yn y fan honno, roedd yna gorlan chwarae gyda chanfas yn gysgod uwch ei phen a thomen o blant yn chwarae ynddi. Mynd i lawr am gefn y llong roeddwn i, ac mi welwn i'r hogan dal yma wrth y gorlan.

'Duw,' meddwn wrtha' i fy hun, 'mae hon yn debyg i Meri Elias.' Roedd Meri yn yr ysgol yng Nghricieth efo fi a bu'n nyrs yn Lerpwl wedyn. Ond na, doedd bosib,

Ar y traeth yn Lagos efo Meri Elias a'i mab. Ei gŵr a dynnodd y llun.

meddyliais, naw mil o filltiroedd o Lerpwl, ac ymlaen â fi am
y cefn. Ymhen rhyw awr wedyn, roeddwn yn dod yn ôl yr un
ffordd a dyma lais yn gweiddi:

'Harri Bach, be ti'n da yn fan hyn?'

'Meri Elias wyt ti, 'de, o'n i wedi dy weld di. Be ti'n da
yma?'

''Dw i 'di priodi ac yn byw yn Lagos.'

'Be 'sgin ti'n fan hyn?' holais.

'Hwn,' meddai. 'Pip (Philip) ydi 'i enw fo', a hwnnw y
bachgen delia erioed, efo gwallt melyn. A finnau'n ofn gofyn
rhag ofn creu embaras mewn rhyw ffordd.

Bûm yn sgwrsio efo hi bob cyfle a gawn ar hyd y trip. Yr
hyn roedd hi'n ei wneud oedd mynd adra i eni plentyn am
fod gwell adnoddau adra ar gyfer hynny.

'Mae 'ngŵr i'n gweithio i Elder Dempster ar y lan yn
Lagos, yn ben *storekeeper*.

Doedd neb Cymraeg arall ar y llong felly fe dreuliodd

Meri a finna lawer o amser yn sgwrsio ar y dec. Ar ôl y tro hwnnw, byddwn yn galw yn nhŷ ei mam yng Nghricieth i fynd a parsal iddi, ac i fynd ag un yn ôl ar y daith nesaf. Byddwn adra am ryw dri diwrnod bob tro ac yn mynd i dŷ mam Meri Elias efo'r parsal ac ychydig o'r hanes. Ar ôl dipyn, ro'n i'n cael te efo Mr a Mrs Elias. Ar y trydydd neu bedwerydd trip, roedd Meri wedi cael babi arall, ac yn mynd yn ôl ar yr un llong ag yr oeddwn i arni – wedi trefnu hynny er mwyn iddi gael sgwrsio â mi. Wedi cyrraedd Lagos, anfonodd gar a *chauffeur* i'm nôl i gael cinio bob nos efo'i theulu yn eu cartref, oedd yn un crand a braf. Os oeddwn yno ar y Sul, byddwn yn mynd yno am y diwrnod a mynd o gwmpas gyda'r teulu i weld rhyfeddodau'r lle. Rhaid cyfaddef fod y lleill ar y llong yn genfigennus iawn!

Un diwrnod, mi welais fod 'hoel teulu' ar Meri ond doeddwn i ddim yn hoffi gofyn iddi. Ymhen sbel, dyma hi'n dweud:

'Harri, ti ddim yn ddall, wyt ti'n gweld fy nghyflwr i?'

'Yndw, ond doeddwn i ddim yn lecio deud.'

'Wnei di ffafr? Paid â deud wrth Mam. ''Dw i ddim yn dod adra y tro yma ond am ei mentro hi yn fa'ma.'

Felly y bu. Cyrraedd adra a mynd â'r parsal i dŷ Mrs Elias. Cefais groeso mawr fel arfer a hithau'n holi am y teulu a'r lle. Yn sydyn, dyma hi'n gofyn:

'Harri, ydi Meri'n iawn?'

'Mae Meri'n *champion*, Mrs Elias, welis i hi erioed cyn iached.'

Os gofynnodd hi unwaith, mi ofynnodd hi chwe gwaith yn ystod y prynhawn, a minnau'n rhoi'r un ateb. Mae'n siŵr bod ei greddf fel mam yn ceisio dweud rhywbeth wrthi.

Erbyn i mi fynd yn ôl, roedd Meri wedi cael efeilliaid a fi oedd y cyntaf o Gymru i'w weld.

Rhaid cofio fod y daith yn ôl o Lagos i Lerpwl yn cymryd rhyw ddau i dri mis, a'r llong yn galw yn yr un llefydd ag ar y ffordd i lawr, felly dyma gyrraedd adra a galw yn nhŷ mam Meri ar brynhawn Sadwrn oer yn y gaeaf. Curais y drws. Agorodd y drws ac edrychodd Mrs Elias yn gas arnaf.

'Sut ydach chi, Mrs Elias?'

''Dw i ddim yn siŵr gewch chi ddod i mewn yma heddiw. 'Da chi wedi deud clwydda wrtha i.' Roedd hi'n hynod o gas.

Safai Owen Elias, ei gŵr, y tu ôl iddi yn wincio ac ysgwyd ei ben.

'Cofia fod Harri Bach wedi bod yn y *tropics* ac mae'n rhewi yn fa'ma. Gad o i mewn.' Ac i mewn â fi i'r gegin at y bwrdd derw crwn. Ar hwnnw, roedd tri phlât, tair cwpan de a thri jeli a blymonj, felly roedd hi wedi bwriadu i mi ddod am de. Dyma hi'n dechrau rhygnu 'mod i 'di deud clwydda wrthi hi a meddyliais fod yn rhaid i mi roi stop ar y ddynes yn syth:

'Mrs Elias, cerwch chi a'ch meddwl yn ôl i'r tro d'wethaf. Mi ddaru chi ofyn i mi os oedd Meri'n iawn a ddudis i wrthych chwe gwaith ei bod hi'n edrych gystal ag erioed, yn hapus, ac yn llond ei chroen. Mrs Elias, tasa chi wedi gofyn i mi os oedd Meri'n disgwyl, faswn i ddim 'di deud clwydda wrthych, ond wnaethoch chi ddim gofyn i mi os oedd hi'n disgwyl, a Mrs Elias, Meri oedd wedi gofyn i mi beidio deud rhag i chi boeni heb eisiau.'

'Bwyta dy de,' meddai wrtha i. Roedd Owen Elias yn chwerthin ac yn wincio am fy mod wedi dweud yn iawn. Mi fûm i a Mrs Elias yn ffrindiau mawr ar hyd y blynyddoedd wedyn. Pan oedd hi wedi mynd i oed, aeth i fyw at Meri, oedd wedi dod yn ôl i Lerpwl erbyn hynny, ac mi oedd hi wedi dweud mai fi oedd i'w chladdu hi. Mi cleddais hi yn Abererch efo'i gŵr er mai yn Lerpwl y bu farw, a hithau ymhell dros ei 90. Gyda llaw, roedd Owen Elias yn frawd i dad Twm Elias sydd ym Mhlas Tan y Bwlch.

Am gyfnod, wedyn, bûm ar yr *Adventurer*, llong o'r

eiddo'r un cwmni, yn teithio o gwmpas arfordir Prydain yn cario llwythi trymion i Fryste a phorthladdoedd eraill, ond fues i ddim ar y môr mawr arni.

Yr Adventurer

Newid Llong

Wedi bod ar yr *Accra* am rai teithiau, mi ges drip i ffwrdd (methu trip, neu aros am gyfnod oddi ar y llong). Tri diwrnod o seibiant roeddwn i'n ei gael rhwng pob trip fel arfer, ond yn digwydd bod, roedd yna streic llongau, a minnau'n methu dod i mewn i Lerpwl am ddau ddiwrnod. Mi ges lythyr gan Emrys Jones, twrnai yng Nghricieth, yn fy atgoffa fod arna i ffafr iddo, ac yn gofyn a fedrwn i gymryd trip i ffwrdd er mwyn ei helpu i godi tŷ newydd ac yntau'n methu cael gafael ar saer i goedio'r to. Es yno i'w helpu, ac ar ôl gorffen y gwaith, dyma fynd yn ôl i ymuno â'r *Accra*. Pwy welais wrth giatiau'r dociau ond hogyn o Ben Llŷn o'r enw Seiriol Thomas.

'Be ti'n 'i neud fan hyn?' holais.

''Dw i 'di bod yn saer ar yr *Accra* am un trip a 'dw i 'di priodi a heb fod i ffwrdd yn hir iawn.'

'Os ti'n lecio'r llong, mi gei di hi,' atebais, a dyma fi'n

Y Winneba

mynd at y mêt ar y llong a deud y byddai'n cael y job yn fy lle
i.

Es i swyddfa'r *pool*. Doedd dim gwahaniaeth gen i i fynd
i ffwrdd am flwyddyn. Mi ddeudis i fy mod am roi'r gorau i
Elder Dempster ac yn fodlon cymryd unrhyw long, ac
arwyddais ymlaen. Dychwelais adra ar ddydd Gwener ond
ddydd Llun, daeth teligram o'r pool yn dweud:

'*Report to the pool office with sea-going kit.*'

A dyma fi'n ôl ddydd Mawrth.

'*What ship have you got?*' holais.

'*Elder Dempster*', oedd yr ateb.

'*I've just packed them in as I fancy a trip to Australia.*'

'*Nothing to do with me,*' meddai'r dyn. '*You'd better go to
see Glyn Jones in the office.*'

Dyma fi i weld Glyn Jones a dyma fo'n dweud:

'O'n i'n gwbod dy fod ti wedi rhoi'r gorau i'r *Accra*. Arnat
ti ffafr i mi (y fo gafodd fi i mewn yn y lle cyntaf). Mae
gynnon ni long yn rhedeg o Tilbury, ac mae rhywbeth yn od
arni. 'Da ni'n gorfod chwilio am saer newydd ar gyfer pob
trip ac mi ydan ni eisiau ffeindio beth sy'n bod.'

Y *Winneba* oedd y llong honno, a dyna sut yr es i arni am
y tro cyntaf.

'Pwy ydi'r mêt arni?' holais.

'Hawkins,' medda fo. Roedd hanesion yn frith am bob
capten a mêt yn y cwmni'r adeg honno, a phawb yn gwybod
amdanynt.

'Dyn blin 'di hwnnw.'

'Ia,' medda fo, 'ond rho di gymaint yn ôl iddo fo ag y mae
yn ei roi i chdi ac mi fydda i y tu ôl i chdi bob cam am gymryd
y job.'

'Duw, os 'da chi isio, mi wna i.'

'Dyma i chdi ddigon o bres i gael tocyn trên, bwyd, tacsi
a bob peth ti 'i angen,' medda fo, ac i ffwrdd â fi ar y trên i
Lundain. Cymryd tacsi wedyn i Fenchurch Street a dal y

trên i ddociau Tilbury. Dyma gario fy mocs celfi a'r ces am y
Winneba oedd, erbyn canfod, sbel i ffwrdd. Ar y gangwe
roedd yna ddyn yn gofalu am y llong ac mi yrrodd o fi i'r
caban cywir. Troi dwrn y drws ac i mewn â fi. Roedd yna
ddyn yno.

'*Sorry*,' medda fi, '*I've come to the wrong place. I'm the new
carpenter.*' Un saer oedd ar y *Winneba*, nid dau.

'*You're in the right place. I'm the old carpenter and I'll move
out.*'

'*When are you going home?*' holais.

'*Tomorrow morning*,' atebodd. Albanwr mewn oed oedd
y dyn, felly dyma fi'n dweud wrtho:

'*You stay here, as long as I can leave my tools and case in the
cabin. I'm younger than you.*' Mi ges sgwrs efo fo cyn gadael.

'*Hawkins is a terrible man, you're in for a hard time.*'

I ffwrdd â fi i Tilbury i chwilio am le i aros. Mi welais i y
Flying Angel, sefydliad Cristnogol i longwyr, un newydd,
wrth i mi basio yn y trên. Cerddais yno, tua dwy filltir o daith
ac es i mewn. Roedd o'n lle crand, a gofynnais am wely a
brecwast gan ddweud mai llongwr oeddwn i. Popeth yn
iawn ond roedd y ferch angen gweld fy mhapurau, sef llyfryn
tebyg i basbort gyda llun a rhif i brofi mai llongwr oeddwn i.
Roeddwn wedi ei adael yn y cês ar y cwch a dyma egluro'r
amgylchiadau. Addewais fynd i'w nôl y bore wedyn.
Gwaeddodd ar y rheolwr ac egluro'r sefyllfa i hwnnw.
Doedd o ddim yn rhyw ddyn neis iawn a gwrthododd roi
gwely i mi. Sylwais ar gwpwrdd gwydr yn llawn o Feiblau ym
mhob iaith dan haul – ond doedd dim Beibl Cymraeg yn eu
mysg!

Yn ffodus, roedd gen i ddigon o bres yn fy mhoced ac es
i dafarn y tu allan i fynedfa'r dociau a chodi peint. Wrth fy
nghlywed yn gofyn am beint, dyma ryw ddyn wrth fy ochr
yn troi a gofyn i mi:

'Cymro wyt ti?'

'Ia,' meddwn.

'Ar y môr wyt ti?'

'Ia, mynd ar y *Winneba*.'

''Dw i'n nabod y *Winneba*. Ar y docia 'dw i'n gweithio.'

O ochrau Deiniolen roedd o'n dod ac yno y bûm i'n siarad efo fo. Dywedodd nad oedd yn cael tâl tan y diwrnod wedyn felly mi brynais gwrw iddo fo.

'Lle wyt ti'n aros?' holais.

'Yn y Railway Hotel.'

'Oes yna le i mi?'

'Oes, digon o le.'

Ar ôl cau, i ffwrdd â ni am y Railway Hotel. Roedd rhyw bum trac lein yn rhedeg i'r porthladd a buom yn cerdded ar hyd y traciau am rai milltiroedd.

'Faint sydd i fynd?' holais.

''Da ni jest yno rŵan,' atebodd.

Ond cefais dipyn o syndod pan welais mai wagen wartheg gyda gwellt ar y llawr oedd y Railway Hotel, a chriw o ddynion yn cysgu ynddi. *Down and out* oedd y dyn!

'Yli, diolch i ti, ond 'dw i ddim am gysgu yn fa'ma,' meddwn. Roedd gen i dipyn o bres yn fy mhoced ac ofnwn eu colli.

Cerddais yn ôl am Tilbury a thua hanner nos, wrth i mi gerdded y stryd yn chwilio am wely a brecwast, gwelais blismon a gofyn a oedd llety ar gael yn y stryd. Dywedodd wrthyf am fynd i dŷ yn y stryd oedd yn cymryd lojars ac es yno a churo'r drws.

Daeth dyn tal, tenau i'r drws. Gwyddel.

'*What do you want?*' holodd.

'*I'm looking for bed and breakfast,*' meddwn.

'*There's no bloody room here,*' meddai.

'*Hold on,*' meddai llais dynes y tu ôl iddo. '*What are you after, son?*'

'*I'm looking for bed and breakfast.*'

'*Where are you from?*' holodd y Wyddeles.

'*Cricieth,*' atebais.

'*Which part of Ireland is Cricieth, now?*'

Ddywedes i ddim, roedd hi wedi meddwl mai acen Wyddelig oedd gennyf neu faswn i ddim wedi cael lle.

'*Come inside,*' meddai ac i mewn â mi i 'stafell fawr. Roedd tua deuddeg gwely yno, un ohonynt yn wag, a chriw o Wyddelod – *navvies* – yn chwyrnu dros y lle. Tynnais fy nillad, rhoi 'mhres yn fy hosan a chysgu yn nhraed fy sanau. Roeddwn wedi blino ac mi gysgais fel mochyn. Erbyn i mi ddeffro yn y bore, dim ond fi oedd ar ôl – roedd pawb arall wedi mynd. Doedd dim dodrefnyn arall yn yr ystafell ond roedd y lle'n lân iawn. Molchais a gwisgo a mynd i nôl brecwast wedi i wraig y tŷ weiddi arnaf. Brecwast Gwyddel go iawn, anferth o blatiad ac er mor flasus oedd o, fedrwn i ddim ei fwyta i gyd a dyma fi'n ymddiheuro am adael y gweddill, gan wneud esgus fy mod wedi cael gormod o gwrw'r noson cynt. Tri swllt a chwe cheiniog (rhyw 18 ceiniog ym mhres heddiw) oedd y gost, ac mi roddais bunt iddi am fy mod mor falch o gael to uwch fy mhen. Roedd hi'n dal i feddwl mai Gwyddel oeddwn i a dyma ei geiriau wrth adael:

'*Son, if you want a bed, night or day, you come here.*' Mae'n rhaid bod y bunt wedi gwneud ei gwaith!

Ar y *Winneba*

Mi es ar y *Winneba* a dod i adnabod y llong wrth wneud y sowndings. Mi gymerodd rhyw ddwy awr i ddallt pob peth. Ar y *Winneba* yr oedd y ffenestri crynion, y *portholes*, i lawr yn isel ar ochr y llong. Roedd gwydr trwchus, sef *deadlight*, yn gyfrifol am ddal pwysau'r dŵr pan fyddai'r ffenest o dan y dŵr mewn môr garw. Y noson honno, a'r cwch heb hwylio, pwy ddaeth i lawr gan weiddi ond Mr Hawkins y mêt. Roedd o'n anferth o ddyn, tua ugain stôn, a chanddo lais fel tarw. Hwnnw'n gweiddi arnaf i fynd ar y *bridge* ac wedyn rhoi gorchymyn i mi fynd i lawr i gau'r *deadlights* oedd o dan hyn a hyn o ddyfnder. Gan fod gen i oriad (sbaner) pwrpasol i'w cloi, roedd yn rhaid i mi fynd o gwmpas y llong i gyd i'w cau.

Y bore wedyn, dyma gychwyn i lawr afon Tafwys a hithau'n fore braf. Bûm wrthi'n gwneud y 'sowndings' ac yn eu cofnodi ar fwrdd oedd ar y *bridge*. Dyma Hawkins yn gweiddi:

'*Chippy. I want your overtime sheets.*'

Es i nôl *timesheet* a'i llenwi. Dwy awr oedd gen i o *overtime* ac es â hi iddo fo. Dyma fo'n gweiddi:

'*Two hours to do this job?*' a dyma fo'n edrych arna i a chodi twrw am y peth. Cofiais eiriau Glyn Jones, am imi roi cymaint yn ôl iddo fo ag a gawn ganddo. Dyma gipio'r *timesheet* o'i law a'i thorri o'i flaen gan ddweud wrtho:

Wrth fy ngwaith ar y Winneba

Ar y Winneba

'*If you are so concerned about those two hours you can have them,*' a lluchio'r *timesheet* i'r bin. Aeth o'n ddistaw.

Wrth fynd i lawr y sianel fyddai neb yn rhyw hapus iawn gan y byddai siwrnai hir o'n blaenau, yn wahanol i'r daith i fyny'r sianel o'r môr. Ymhen rhyw dri neu bedwar diwrnod roeddwn wedi dod i adnabod y llong yn iawn – roedd hi'n llong hapus ac yn cario rhyw dri chant o deithwyr. Fi oedd yn gyfrifol am bopeth ar y dec ac roeddwn yn gorfod gwybod y cwbl. Hefyd, roedd y llong yn cario prentisiaid ac roedd un gyda mi, sef Alistair Leslie, hen foi bach hoffus. Byddai'n dod i ddysgu'r sowndings er mwyn cael profiad, a daethom yn ffrindiau. Gorsaf-feistr yng Ngharlisle oedd ei dad.

Byddai'n cymryd rhyw bedwar diwrnod cyn dod i dywydd cynnes ac yn ystod y cyfnod hwnnw, ar y daith gyntaf, cofiaf gerdded ar y dec a phasio rhyw ddynes fechan wedi'i gwisgo mewn du. Roedd hi'n wahanol i bawb arall, gan fod y rheiny mewn dillad golau a lliwgar. Ar y trydydd diwrnod, dyma'r Prif Stiward yn gweiddi:

'*Oi, Chips. There's a countrywoman of yours here, Mrs Thomas,*' a dyma fo'n fy nghyflwyno iddi.

'Ydach chi'n siarad Cymraeg?' holodd.

'Ydw,' medda fi. 'O ble 'da chi'n dŵad?'

'Ges i 'ngeni ym Mhorthmadog cyn symud oddi yno i ochrau Caernarfon.'

'Lle ydach chi'n mynd?' holais.

'At y gŵr i Ghana, i le o'r enw Kumasi. Mae'r gŵr yn bennaeth adran y gyfraith yn y coleg yn y fan honno.'

Yn raddol, deuthum i'w hadnabod a chlywed mai un o dde Cymru oedd ei gŵr; dyn reit grefyddol, yn pregethu ac yn cenhadu yn answyddogol. Buom yn cyfarfod ar y dec rhyw ddwy neu dair gwaith y diwrnod i gael sgwrs.

'Mae gen i deulu yng Nghricieth 'cw,' meddai. 'Ydach chi'n nabod Dafydd Glyn (Williams) siop ffrwythau a llysiau? Mae 'mrawd wedi priodi chwaer Dafydd Glyn a 'dw i'n deall fod un o'r genod bach yn hel doliau o wahanol wledydd. Tybed fasech chi'n mynd â doli o Las Palmas ac un o Madeira iddi? Y trip nesa, mi ro i ddoli o Ghana.'

Mi ges fodd i fyw efo Mrs Thomas ac mi welwn ei bod yn gryf ei meddwl ac yn benderfynol iawn. Dywedodd fod ganddi un mab. Doeddwn i ddim yn cofio ei enw ar y pryd ond y peth rhyfedd oedd i mi fod yn gwylio rhaglen o'r enw *Pawb a'i Bethau* ar y teledu un nos Sul, a hynny wedi i mi roi'r gorau i'r môr, gyda dyn o'r enw Ned Thomas yn ei chyflwyno. Welais i erioed mo'r dyn cyn hynny ac wrth iddo sôn am ei yrfa, mi ddywedais wrth Linor:

''Dw i'n siŵr Dduw mai mab Mrs Thomas ydi hwn,' meddwn.

'Paid â phoetsio,' atebodd.

'Mi wna i'n siŵr bore fory,' meddwn, a'r bore wedyn es i lawr i dŷ Dafydd Glyn ac mi gadarnhaodd mai Ned Thomas oedd ei mab. Daeth yn enwog yn ddiweddarach gyda'r ymgais i sefydlu'r papur dyddiol Cymraeg *Y Byd* ond ches i erioed ei gyfarfod.

Dri neu bedwar diwrnod cyn cyrraedd porthladd Takoradi, oedd yn un bach, gweddol newydd yr adeg honno, dyma Mrs Thomas yn dweud:

'Rhaid i chi gael cinio efo fi cyn cyrraedd.'

Golygai hynny fod problem fawr yn codi achos roedd Mrs Thomas yn eistedd ar fwrdd y Capten.

'Mrs Thomas, cha' i ddim gwneud hynny, mae o yn erbyn rheolau'r cwmni. Dydi'r criw ddim i fod i gymysgu gyda'r teithwyr.'

Doedd dim yn tycio. Roedd hi'n mynnu fy mod yn cael bwyd gyda hi, gyda'r Prif Stiward yn poeni'n ofnadwy am ei bod hi'n mynnu hyn.

'*Can you do something about it? If I don't allow you to have a meal with her, she's going to send a message to head office in Liverpool.*'

Roedd y Stiward yn poeni'n ofnadwy ac ymhen ychydig, dyma fo'n dod i 'nghaban gyda photeli wisgi, jin a gwin a gofyn:

'*Harry, try to do something for me with Mrs Thomas.*'

I lawr â mi a churo ar ddrws Mrs Thomas.

'Wnewch chi ffafr â mi? Wnewch chi anghofio am y cinio heno?'

'Pam?'

'Does gin i ddim dillad i fynd i giniawa, dim siwt. Gwrandwch, mi ga' i ginio efo chi a Mr Thomas rhywdro eto.'

Felly y bu, mi gytunodd. Pan gyrhaeddodd y llong Takoradi a'r teithwyr yn mynd i'r lan, dyma gnoc ar ddrws y caban. Mrs Thomas oedd yno. Wedi dod â'i gŵr i'm gweld oedd hi, ac fe gawsom sgwrs Gymraeg am ryw awr yn y fan honno.

Amryw o weithiau wedyn, fel yr oeddwn i'n glanio ar y ffordd yn ôl, roedd Mr a Mrs Thomas yn dod i 'ngweld a dod â doliau i mi fynd â hwy yn ôl. Welais i mohoni wedyn, ond clywais ei bod yn byw'r ochr isaf i Aberystwyth ac iddi fyw yn hen iawn.

Yr un oedd y drefn wrth gyrraedd Lagos ond, y tro hwn, roedd y *Winneba* yn aros pythefnos (yn lle wythnos gyda'r *Accra*). Weithiau, byddai'r *Winneba* a'r *Accra* yno ar yr un adeg a chawn gwmni Seiriol Thomas o Ben Llŷn oedd bellach ar y llong honno a chaem fynd i weld Meri Elias i gael bwyd. Ar y *Winneba*, roedd gennyf lawer mwy o gytiau i storio pethau ac mi fyddwn yn prynu tua phymtheg o gywion parot *African Grey* am ryw bunt a hanner yr un. Roeddwn wedi gwneud caetsys bach i'w cadw ac fe fyddwn yn cael pymtheg punt yr un amdanynt ar y doc yn Tilbury. Capten Robinson oedd y *Superintendent* ar ddociau Tilbury ac un waith, dyma fo'n dweud ei fod eisiau parot yn anrheg ben-blwydd i'w hogyn. Rŵan, eu smyglo nhw i mewn oeddwn i a hwn yn ddyn uchel yn y cwmni felly doeddwn i ddim yn siŵr a oedd o'n ceisio fy nal ai peidio.

'It's illegal to carry them on the ship,' meddwn.

'He wants a parrot anyway,' meddai, heb sôn am y ffaith ei bod hi'n anghyfreithlon i ddod â nhw. Doeddwn i ddim yn siŵr beth i'w wneud.

Pan ofynnodd wedyn:

'Have you brought me a parrot?'

Atebais: 'I've got three here, you can pick whichever one you want.'

Dyma fo'n rhoi pymtheg punt i mi – mi oedd o'n gwybod y 'drefn' yn iawn! Wedi hynny, rhoddais y gorau i smyglo parots.

Roedd yna hogyn ifanc ar y llong yn glanhau cabanau'r swyddogion a chario bwyd. Doedd ganddo ddim Saesneg a phan fyddai'r parots yn ei weld, bydden nhw'n mynd yn hollol wallgo. Dwn i ddim pam, ond roeddan nhw'n iawn efo fi bob amser.

Mi ddois â pharot i Mam ac oedd o'n un da iawn am siarad. Roedd Mam wedi gwirioni efo fo ac, yn y nos, byddai'n rhoi'r caets a'r parot yn y bath yn yr ystafell ymolchi oedd i lawr y grisiau. Roedd o fel un o'r teulu ac yn gallu siarad Cymraeg ac yn gweiddi 'Linor' ar fy ngwraig. Un noson, a minnau adra o'r môr, yr oeddwn wedi mynd am beint ac mi ddaeth rhai o hogia Cricieth adra efo fi er mwyn cael trio'r *banana wine*, rhyw ddiod gref yr oeddwn wedi ei chario adra o rywle ar fy nhaith. Roeddan nhw wedi gwirioni efo fo ond heb werthfawrogi ei gryfder. Ymhen rhyw awr, gofynnodd Gwilym Lumley am y toilet ac es i ddangos yr ystafell ymolchi iddo. Dyma gythgam o sŵn o'r tywyllwch – roedd Gwilym wedi chwydu i'r bath ac ar ben y parot! Cododd Mam o'r gwely, hel pawb allan ac wedyn bu'n rhaid golchi'r parot druan.

Es yn ôl i'r *Winneba* ac am Lagos unwaith yn rhagor. Yn y fan honno, byddai amryw o Gymry yn galw i 'ngweld ar y llong er mwyn cael sgwrs ac ambell waith byddwn yn dod ar draws teithwyr o Gymru. Yn y cyfamser, roedd Mr Hawkins yn dal i weiddi a chega ac os byddwn yn gwybod fy mod yn iawn, byddwn yn ei ateb yn ôl a rhoi llond bol iddo. Doedd gen i mo'i ofn.

Erbyn yr ail drip i Orllewin Affrica, roedd o wedi dod yn eitha ffrindia efo fi a ches i ddim trafferth wedyn, ond erbyn fy nhrydydd trip, cafodd ei dynnu oddi ar y llong am ryw reswm a chael ei symud i un o'r llongau cargo. Dwn i ddim pam; chefais i ddim esboniad am y digwyddiad. Mi ddois ar ei draws yn Lagos ymhen misoedd ac mi ddaeth i'm caban. Dywedodd fod ganddo hiraeth ar ôl y *Winneba*. Y diwetha glywais i oedd ei fod wedi cael trawiad wrth fynd am ynys Fernando Po ac fe fu farw a chael ei gladdu yno.

Wedi i Hawkins adael y *Winneba*, daeth Albanwr ifanc,

Bob Black, yn ei le. Am y ddwy daith gyntaf, roedd o'n iawn. Mi ffeindiais wedyn nad oedd yn adnabod y llong, a'i fod yn cael gwybodaeth amdani yn slei gen i. Er enghraifft, pan oeddem yn cychwyn allan ar i lawr o Las Palmas, byddwn yn gosod pwll nofio ar y dec. Fi oedd yn ei osod o ar ôl dod o'r tywydd mawr a byddai Hawkins yn gadael y gwaith yma i mi. Ar y ffordd adra, byddwn yn ei dynnu oddi wrth ei gilydd a'i storio. Gan inni gael tywydd braf wrth ddod i Tilbury ar ddiwedd yr ail daith,

Yn y trofannau ar y Winneba

ar y drydedd daith dyma'r mêt yn dweud fod angen gosod y pwll yn syth. Holais a oedd hynny'n beth call i'w wneud, ac egluro'r drefn arferol.

Ei ateb oedd mai ef oedd y mêt, ac i mi wneud fel yr oedd ef yn ei ddweud, felly gosodais y pwll ar y dec. Wrth gwrs, mi gawsom storm fawr ym mae Biscay ac fe falwyd y pwll yn rhacs. Bu'n rhaid i mi ei drwsio a'i ailgodi. Ar y bedwaredd daith mi wrandawodd, ond roeddwn wedi gweld nad oedd y dyn yn llawer o beth. Mi ddioddefais ddau drip wedyn ond roedd o'n llawer mwy dan din na Hawkins. Cofiaf ddod i fyny am Loegr yn cario teithwyr a llwyth o ffa palmwydd i wneud olew. Roedd streic docwyr yn Tilbury, felly rhaid oedd gollwng y teithwyr yn Dover a gollwng y llwyth yn Rotterdam. Codwyd yr angor ond fel yr oeddem yn mynd am geg yr harbwr, disgynnodd niwl tew – y math a elwir yn *smog* – fel na ellid gweld dim. Methwyd â mynd allan dair gwaith ond llwyddwyd yn y diwedd ac am Rotterdam â ni.

Y pwll nofio ar y Winneba *yr oeddwn yn gyfrifol am ei godi*

Yn y fan honno, dadlwythwyd y sachau ffa palmwydd i longau neu *barges* ddaeth at ochr y llong ac aeth pob dim rhagddo yn daclus heb lanast. Roedd angen codi ychydig ar lefel y dŵr yfed i fynd yn ôl a 'ngwaith i oedd rhoi clorin ynddo i'w buro. Gwyddwn fod y dŵr yn ddrutach yn Rotterdam ac wrth godi dŵr, roedd angen hyn a hyn o glorin i bob mil litr. Gan fod yr Iseldiroedd mor wastad, roeddwn i'n gwybod eu bod nhw eisioes yn clorineiddio'r dŵr ac mi ddywedais i hynny wrth y mêt.

'Dyro di'r mesur sy' fod ac mi fyddaf yn dy wylio,' oedd ei orchymyn. O ganlyniad i'r ffaith fod yna, felly, ormod o glorin yn y dŵr, roedd y te'n ddu bitsh a ninnau'n methu ei yfed. Bu'n rhaid gwagio'r tanciau dŵr ar ôl cyrraedd Tilbury a'u hail lenwi. Roeddwn yn gwybod y byddai'r dŵr yn iawn i'w yfed heb roi mwy o glorin ac wedi rhybuddio'r mêt, ond roedd o'n dal i fynnu.

Wrth ddod i fyny'r sianel ar y Tafwys, roeddech yn gwybod a fyddech yn dod yn ôl i'r llong ar gyfer y daith

Ar y Winneba

nesaf. Byddai rhyw bum niwrnod yn Tilbury yn ddigon o amser i'r swyddfa ganfod saer arall ond gan nad oeddwn wedi dweud dim yn wahanol, roeddent yn cymryd fy mod am aros ar gyfer y daith nesaf. Cyn cyrraedd, es lawr at y purser a gofyn a oedd wedi llenwi a stampio fy *discharge book*, un ai'n VG (*very good*) neu DR (*dishonourable registration*). Pe byddech yn cael dwbl DR fyddech chi byth yn cael mynd yn ôl i'r môr wedyn.

'Yes,' meddai, *'yours is the same as usual, Chips, VG.'*

Wrthi'n tynnu'r llong i'r lan yr oeddem, ac wrth ddiffodd y winsh stem, dyma fi'n troi at y mêt ac yn dweud:

'Wel, Chief, you'll have to find a new carpenter on the next trip. I can't tolerate you.'

Aeth yn lloerig ac yn wirion. Ei waith o oedd riportio nad oeddwn yn dod yn ôl.

'The best thing you and me can do,' medda fi, *'is go down to the quay and settle it now.'*

Cachgïo wnaeth o ac mi roddais i'r gorau i'r llong. Mi wnaeth y 'Siwper', Capten Robinson, fy ngalw drwodd wedyn i ofyn pam yr oeddwn yn rhoi'r gorau i'r llong. Wnes i ddim dweud y gwir, dim ond fy mod eisiau newid, a ffarweliais â'r *Winneba*. Er fy mod yn hapus arni, roedd y mêt a minnau'n methu cyd-fyw. Clywais iddo gael y sac o'r cwmni ymhen rhyw flwyddyn wedyn.

Ar ddiwedd un o'r teithiau, roeddwn yn dod i mewn i Tilbury a dyma'r siwpar yn gofyn i mi a fyddwn i'n fodlon peidio cymryd fy mhum diwrnod o seibiant cyn y daith nesaf am na allai gael gafael ar saer arall. Roedd y rheolau'n dweud fod yn rhaid cael saer er mwyn diogelwch y llong, hyd yn oed yn y porthladd. Dywedodd fod yna *chef* i wneud bwyd a pheiriant newydd, sef teledu, yn y lownj. Doeddwn i erioed wedi gweld teledu – dim ond wedi clywed sôn amdano.

Ar ôl cinio dydd Sul, es i'r lownj i weld y teledu. Roedd tua pymtheg yno, i gyd yn mwynhau'r teclyn newydd. Yn sydyn, dyma'r llun yn dechrau troi rownd fel y diawl a phan stopiodd o, beth oedd arno ond pregeth Gymraeg. Dyma un o'r lleill yn gweiddi:

'*Change the channel and turn that bloody French off.*'

Dyma fi'n codi:

'*Over my dead body. It's not French, it's Welsh. Sit down and listen to it.*'

Yn anffodus, pharodd y bregeth ddim yn hir iawn. Dyna'r tro cyntaf i mi weld teledu – a chael rhaglen yn y Gymraeg!

Newid Cwmni a Mynd ar y *Crofter*

Rhoddais y gorau i'r *Winneba* tua diwedd y pumdegau, a mynd ar y 'pool'. Mi ges long yn perthyn i gwmni Harrisons, cwch cargo o'r enw'r *Crofter* yn rhedeg o Ddoc Brunswick yn Lerpwl i India'r Gorllewin, De America a thaleithiau deheuol yr Unol Daleithiau, a oedd yn dripiau tywydd brafiach na'r tripiau i Orllewin Affrica. Rhyw 12,000 tunnell oedd y *Crofter*, yn cario cargo a dim teithwyr.

Rhyw ddau ddiwrnod cyn hwylio, a'r llong yn y doc wedi'i llwytho a reit i lawr yn y dŵr, ro'n i wrthi'n topio'r dŵr cyn hwylio'r noson honno pan welais ddyn efo cap pig a streips yn dod i fyny'r gang planc.

'*Are you the new carpenter?*' holodd.
'*Yes.*'
'*What's your name?*'
'Henry Jones.'
'*Where are you from?*'
'*Cricieth, North Wales.*'

Y Crofter

'Wyt ti'n siarad Cymraeg?'

'Yndw.'

'Ti'n gwybod pwy 'dw i?'

''Dw i'n meddwl mai mab John Williams, Tan Graig, Cricieth, ydach chi. Mi fues i'n gweithio i'ch tad.'

'Iawn,' medda fo. 'Bihafia dy hun yn fan hyn.'

Fo oedd y capten – Capten W.E. Williams, neu Capten 'Washi' ar ôl ei arferiad o ddweud 'washi' (fy ngwas i). Dyna oedd pawb ar y doc yn ei alw, er na wyddent darddiad yr ymadrodd 'washi'.

Dyma hwylio am India'r Gorllewin ac ar ôl rhyw bedwar neu bum niwrnod, cyrraedd Kingston, Jamaica, yn hwyr un noson. Y tro cyntaf, ein llong ni oedd yr unig long yno a chei pren oedd pob cei.

Kingston oedd un o'r llefydd mwyaf cosmopolitaidd a welais i erioed, gyda phobl o bob lliw a llun i'w gweld yno. Er ei fod yn lle digon tlodaidd, byddwn yn hoff o fynd allan i'r bariau a gwrando ar grwpiau yn chwarae'r *calypso*, oedd yn ddieithr iawn i mi ar y pryd, wrth gwrs. Byddai dau wynt yn chwythu yn Kingston yn ôl y trigolion lleol; gwynt o'r môr oedd y naill, a *Doctor* roeddan nhw'n galw hwnnw am ei fod yn iach. Wedyn byddai'r gwynt yn troi tua chanol y prynhawn ac yn dod o'r corsydd; *Killer* oedd yr enw ar hwnnw gan fod mosgitos a phethau eraill ynddo, a'r rheiny'n achosi salwch.

Roeddem yno am sbel ac yn ystod y blynyddoedd canlynol, bûm yno sawl gwaith. Cofiaf yn ystod un trip i mi gael damwain gyda chŷn a aeth i gyhyr yn fy nghoes gan agor briw o ryw bedair modfedd. Rhaid oedd mynd i rywle i weld meddyg tua un o'r gloch y prynhawn gan deithio drwy strydoedd yn llawn prysurdeb. Wrth fynd, sylwais ar gi wedi marw ar ochr y palmant. Bûm yn lle'r meddyg am ryw bedair awr yn cael pwythau ac wrth ddod yn ôl, gwelais fod y ci yn dal yno a miloedd o bryfaid o'i gwmpas. Meddyliais y funud

Wedi galw yn nhŷ John Davies yn Lerpwl pan oeddwn ar y môr

honno mai lle i ddal afiechyd oedd Kingston.

Byddai'r capten yn ein rhybuddio am y peryglon o fynd efo'r merched ac aflwydd y 'pocs'. Yr oedd tri ohonom yn bwyta gyda'n gilydd, gan gynnwys y bosyn, ac ar y trip cyntaf hwnnw, awgrymwyd y dylem fynd i'r lan am ddiod ar y nos Sadwrn. Doeddwn i ddim am wrthod a bod yn destun gwawd am weddill y daith, felly es gyda hwy. Aethom i far oedd yn eithaf agos i'r harbwr, a chan mai ond un llong oedd i mewn, roedd y lle'n wag. Archebwyd tair potel o rym a photeli *Coke*. Yr oeddent yn rhad fel baw, a theimlwn fod yn rhaid i mi geisio yfed yr un fath â hwy er mwyn cadw wyneb. Wedi gorffen y poteli, roedd un yn chwil iawn a'r llall yn cysgu, ond roeddwn i'n teimlo'n iawn. Yn ystod y noson, llenwodd y bar â merched a oedd yn dawnsio'n wyllt ac yn dod yn nes ac yn nes atom. Pan aethom allan o'r bar, mae'n rhaid bod yr awyr iach wedi dweud arnaf, achos 'dw i'n cofio dim tan i mi ddeffro yn y bore mewn cwt gwellt yng nghwmni geneth dywyll, hardd. Cerddodd fi at y doc gan ddweud fy mod wedi addo ei phriodi, ond does gen i ddim cof o wneud hynny, ac yn siŵr i chi, doeddwn i ddim mewn cyflwr i wneud dim arall, chwaith!

Wrth fynd at y llong, canfyddais fod fy mhres a'm goriadau wedi mynd i gyd. Pwy welais yn dod i lawr y gangwe oedd y Capten, gyda Beibl dan ei gesail. Roedd yn amlwg yn mynd i'r gwasanaeth bore Sul, fel y gwnâi ym mhob porthladd. Ar y doc, roedd bêls cotwm, a chuddiais y tu ôl iddynt rhag iddo fy ngweld, cyn sleifio ar y llong. Yr oedd goriad sbâr i'm caban ac felly gwnes gopi ohono. Dysgais fy ngwers ar y trip hwnnw.

Gadawodd y *Crofter* Kingston a mynd am wahanol ynysoedd i wagio a llwytho. Nid oedd gan y rhan fwyaf o'r ynysoedd hyn gei, felly cychod bach oeddem yn eu defnyddio i ddadlwytho. Aethom heibio i ddwsinau o ynysoedd bach mewn pythefnos. Wedyn, i lawr am Fecsico, i Cancun, er mwyn dadlwytho. Dim ond dwy long oedd yn y fan honno a'r llall oedd un o longau cwmni'r Royal Mail yn llwytho sylffwr. Un cei oedd yno a'r lle, yr adeg honno, yn dal i fod fel yr hen Fecsico, gyda phobl efo mulod a cheffylau. Gerllaw'r cei roedd canolfan y fyddin a welis i ddim byd tebyg erioed. Roedd rhai o'r milwyr dros chwe throedfedd a'r lleill tua phedair troedfedd a hanner, i gyd mewn lifrai gwyn. A band y fyddin! Wel sôn am sŵn, cyrn mawr a dim trefn. Gyferbyn â'r harbwr roedd y corsydd a chofiaf dreulio amser gyda sbienddrych yn 'studio rhai o'r brodorion yn 'sgota mewn canŵs gyda bwa a saeth.

Roedd ceffylau wedi eu clymu y tu allan i'r *cantinas*, yn union fel yn y ffilmiau cowbois. Treuliwyd ychydig o amser yno yn dadlwytho cyn cychwyn am Veracruz a dadlwytho pob math o gargo yn y fan honno wedyn. Yn Cancun, rhaid oedd defnyddio derics, neu graeniau'r llong, i ddadlwytho gan nad oedd craeniau ar y cei. Y drefn arferol oedd tynnu'r derics i lawr ar ôl gorffen y gwaith yn yr harbwr. Fel arfer, byddent yn cael eu gollwng i lawr a'u cloi, ond gan fod y tywydd mor braf, gofynnodd y bosyn i'r mêt am gael eu gadael i fyny. Cytunodd, ond rhyw ddiwrnod, y tu allan i Veracruz, mi gododd gwynt cryf ac fe gawsom waith go galed yn ceisio rhoi'r derics i lawr. Ar ôl y profiad hwnnw, dywedodd y Capten wrth y mêt y byddai'n rhaid eu rhoi i lawr cyn cychwyn bob tro wedyn.

Lle hynafol iawn oedd Veracruz, ac roedd hi'n fore Sul arnon ni'n cyrraedd yno. Ar y dociau, cysgai'r Mecsicanwyr yn y gwres o dan gysgod eu hetiau mawr sombrero. Yng Ngwlff Mecsico, mae'r llanw'n codi a gostwng gryn droedfeddi, felly rhaid cael dynion i gadw golwg ar y llong wrth y cei. Wrth i'r llanw godi a gostwng rhaid llacio'r rhaffau sy'n dal y llong er mwyn ei chadw'n dynn yn erbyn y cei. Ar ôl cinio dydd Sul daeth cyfieithydd ar fwrdd y llong gan nad oedd llawer o'r trigolion lleol yn siarad Saesneg yr adeg honno. Gwyddel oedd o, wedi priodi geneth o Fecsico a chanddo rhyw ddeg o blant. I 'nghaban i roedd o'n dod bob tro – roedd wedi cymryd mai Gwyddel oeddwn i oherwydd fy acen – a 'Pat' roeddwn iddo bob gafael. Gofynnais sut y bu iddo ddod i Veracruz a'i ateb oedd:

'Wel, mi ddos yma efo llong a mi o'n i mor uffernol o sâl môr fel na fedrwn i byth bythoedd fynd ar long wedyn, felly mi arhosais i yma, priodi a chael plant.'

Yn ystod y prynhawn, aeth y ddau ohonom i bwyso dros ochr y llong i wylio'r hyn oedd yn mynd ymlaen ar y doc. Âi'r sbwriel o'r gali, neu'r gegin, allan drwy dwll sbwriel i'r môr, ond pan fyddai'n ben llanw, glaniai'r sbwriel yn domen ar y doc. Yna byddai rhyw bedwar neu bump o blant bach yn dod yno i fwyta'r gwastraff bwyd. Mi drodd fy stumog wrth weld hyn. Drwy gydol yr amser y bûm yn Affrica, welais i ddim cymaint o dlodi â hyn. Gofynnais i'r Gwyddel pam na châi'r plant fwyd.

'Wnei di ddim stopio hyn os na wnei di newid y ffordd o fyw ym Mecsico. Y traddodiad yw priodi am byth ond, wedi cyfnod, bydd dyn yn cymryd dynes arall (*mistress*) a'i chadw mewn *adobe* neu gwt yn y cefn. Ar ôl cael dau neu dri o blant gyda hon, efallai y bydd yn cael ei thaflu allan a dyna ydi'r plant sydd ar y stryd.'

Doedd dim llawer o gyffuriau o gwmpas yr adeg honno ond 'dw i'n cael ar ddeall ei bod hi'n rhemp yno erbyn hyn.

Dyma fynd i'r lan a cherdded ar hyd prif stryd Veracruz, mynd heibio i adeiladau crand a chyrraedd eglwys anferth a throi i mewn i fusnesa. Doedd dim seti yno – byddai pawb yn sefyll neu'n penlinio – ac roedd cerfluniau crefyddol anferth mewn casys gwydr. Fel yng ngweddill Mecsico, roedd Pabyddiaeth yn gryf iawn.

Ar hyd y stryd roedd siopau traddodiadol. Es heibio i un siop fawr yn gwerthu pob math o *sombreros* – rhai crand iawn a miloedd ohonynt o bob lliw a llun. Doedd dim llawer o geir ar y stryd, dim ond ceffylau a mulod. Ar y ffordd yn ôl i'r llong, dyma weld *cantina* gyda byrddau y tu allan a phenderfynu eistedd am ddiod. Tequila oedd y ddiod leol ac roedd yn gryf iawn, ond cwrw y byddwn i'n ei gymryd bob tro. Wrth y bwrdd nesaf, roedd plismon yn ei lifrai wedi meddwi'n rhacs. Roedd mor feddw nes iddo dynnu ei wn allan a dechrau saethu i'r awyr gan wneud i bawb sgrialu oddi yno. Wnes i ddim symud yn fy mraw nes yr oedd wedi gorffen saethu pob bwled yn y gwn, ac wedyn fe gododd a cherdded oddi yno.

Yr oedd Gwilym Lumley o Gricieth wedi bod yn fêt ar longau Harrison ac wedi sôn wrtha i am Fecsico.

'Pan ei di i Veracruz,' medda fo, 'mae yna ddau le da i fynd iddyn nhw – y *Bikini Club* a *My Ranchito*.'

Un noson, dyma fi'n cychwyn allan o'r llong a daeth rhyw hanner dwsin o rai eraill efo fi a gofyn i ble roeddwn i'n mynd. Soniais wrthynt am y ddau le. Cafwyd hyd i dacsi i fynd â ni, a chan ei fod mor rhad, roedd y dyn tacsi yn aros gyda ni drwy'r nos.

Dyma gyrraedd y *Bikini Club*. Roedd y lle yn llawn, a'r

merched oedd yn gweithio yno i gyd yn gwisgo *bikinis*. Roedd rhai yn ddigon del ond y lleill yn ugain stôn a mwy – a hynny mewn *bikini*! Sôn am lanast! Doedd y lle ddim yn plesio, felly ymlaen â ni am *My Ranchito*. Buom yn teithio am filltiroedd lawer drwy'r anialwch, gan basio planhigion cactys anferth cyn cyrraedd y lle. Y cwbl oedd yno oedd sièd anferth a thu mewn yr oedd bar â'i lond o ferched, a chriw o ddynion yn canu a chwarae gitârs. Lle difyr iawn, ac agoriad llygad i mi. Ar ddiwedd y noson, aeth y tacsi â ni yn ôl i'r llong.

Wedi bod yno am rai dyddiau dyma hwylio am Tampico, eto ym Mecsico, ar y ffordd i fyny am 'Merica. Rhaid oedd mynd i fyny'r afon am Tampico, a'r ochr draw i'r afon o'r man lle roeddem yn docio roedd pentref mawr ac fe gawsom ar ddeall ei fod yn lle peryglus iawn i fynd iddo fo, yn enwedig gan ein bod yn ddieithriaid.

Yn ôl yr arfer, byddwn yn mynd am dro ar fy mhen fy hun am ddiod gan fod criw yn aml yn creu helynt. Gwisgwn ddyngarîs a chrys glân gan fod gwisgo coler a thei'n creu'r argraff fod gennych lawer o bres. Doedd dim waliau o gwmpas y dociau; roedd o'n gei agored, ac ar brynhawn Sadwrn a Sul byddai cyfle i fynd am dro i weld y lle. Es i sgwâr y dre a gweld band pres yn chwarae yno. Os oeddech yn stopio i wrando, byddai disgwyl i chi roi pres mewn blwch casglu. Dro arall, roedd rhyw hanner dwsin yn canu efo gitârs ac unwaith fe welais ddyn gyda nadroedd mawr mewn bocsys. Byddai 'plismyn' yn gwneud yn siŵr eich bod yn rhoi pres yn y bocs – a gwell oedd ufuddhau neu mi fyddech yn mentro'n uffernol. Mae'n debyg fod y 'plismyn' yn cael hanner y pres oedd yn y casgliad.

Euthum i'r farchnad fawr oedd yn Tampico a gwelais stondinau yn gwerthu llysiau a ffrwythau o bob maint a phob lliw, reis a chig. Yn y farchnad honno y gwelais ddyn yn gwerthu cyfrwyau, rhyw dri neu bedwar cant ohonynt;

welais i erioed rai mor hardd ac rwy'n dal i ddifaru na wnes i brynu un ohonynt.

Ar y trip yma es allan un noson a cherdded ar hyd strydoedd oedd â waliau mawr ar bob ochr a drysau ynddynt i fynd i mewn i'r tai neu'r *haciendas*. Doeddech chi ddim yn gweld y tai oni bai bod y drysau'n agored. Dyma ddod i bentref yn y pen draw a minnau heb air o Sbaeneg. Talais am ddiod mewn *cantina* ac yno roeddwn i gyda chriw o bobl leol yn ceisio siarad Saesneg â mi. Roeddwn yn cerdded yn ôl yn oriau mân y bore ar fy mhen fy hun, ar ôl cael dipyn o gwrw, a hanner ffordd i lawr stryd gyda waliau uchel, clywais sŵn canu yn dod o rywle. Mi welwn ddrws agored yn y wal a dyma fi'n edrych i mewn. Yr hyn a welais oedd twr o bobl ac arch yn eu canol. Roeddent yn amlwg yn dathlu'r *wake* fel y gwna'r Gwyddelod. Cefais fy ngalw i mewn a chael mwy i yfed. Wedi bod yno am sbel, dyma fynd yn ôl am y llong. Yn ystod y nos doedd neb yn gwylio'r rhaffau ac, o ganlyniad, roedd y llong wedi symud allan efo'r llif, rhyw chwe throedfedd oddi wrth y cei. Fedrwn i ddim mynd arni, felly dyma eistedd ar y cei yn ceisio meddwl beth i'w wneud. Cefais afael ar blanc tua saith troedfedd o hyd a'i daflu ar y gangwe. Es arno a rhoi naid am dsiaen y gangwe a llwyddais i ddringo i'r llong. Ond roedd gwers i'w dysgu. Wrth i mi fynd i fyny'r gangwe daeth tygbôt heibio'r ochr arall, a lluchiodd y don ddaeth ohono y llong yn ôl yn dynn yn erbyn y cei. Pan welais i hynny, mi sobrais yn y fan a'r lle, gan feddwl beth fyddai wedi digwydd petawn wedi methu'r gangwe a disgyn i'r dŵr. Mi fyddwn wedi cael fy malu'n rhacs a 'dw i'n gwybod fod sawl llongwr wedi eu colli dros y blynyddoedd o ganlyniad i hyn.

Dro arall, pan oeddwn yn cychwyn o Tampico dyma'r mêt yn dweud:

'Stand by, going out at four in the morning.'

Gan ein bod yn mynd allan ar y llanw, roeddwn ar y

ffocsl yn barod, a hithau'n dywyll. Daeth y mêt i fyny a dweud:

'*You can go back to your bunk now, Chips, we haven't got an engineer on the ship.*'

Ar y trip arbennig hwn, Capten Sol oedd y capten, gŵr o Gernyw a phwtyn bach pum troedfedd ond yn dipyn o foi, ac mi roedd hi'n ddrwg rhyngddo ef a'r *Chief Engineer*; hogyn ifanc yn syth o'r coleg, a wyddai ei waith ond heb gael profiad bywyd. Byddai'n herio'r capten weithiau.

Y noson cyn hwylio, yr oedd y *Chief* wedi mynd i'r lan gyda chriw o'r *engineers* ac i un o'r *cantinas* yn Tampico. Yno, roedd merched yn dawnsio a dynion yn canu efo gitârs. Archebodd y *Chief* ddeg o boteli cwrw i'r criw a gofyn i'r barman faint oedd y pris. Gofynnodd hwnnw am bris deuddeg potel. Gan fod y *Chief* yn ifanc a heb fod yno o'r blaen, gwrthododd dalu am ddeuddeg. Ni wyddai fod y tâl 'ychwanegol' yn mynd am y dawnswyr a'r *vigilantes*, y 'plismyn' oedd yn gofalu am y lle. Gwrthododd dalu, gan ddangos ei hun o flaen y lleill. Dyma'r barman yn galw'r 'plismyn' ac i'r jêl aed â'r deg ohonynt heb lol. Rhaid oedd talu swm go sylweddol o bres er mwyn cael eu rhyddhau a chysylltwyd â'r llong. Er bod gan y Capten ddigon o bres yn y sêff, gwrthododd dalu, a hynny er mwyn dysgu gwers i'r *Chief* ifanc.

'*We'll let them stew,*' meddai wrth y mêt, ac mi gadwodd nhw yno am ddiwrnod cyfan. Gwyddai fod y carchar yn lle uffernol ac y byddai'n rhaid i'r carcharorion fynd allan yn y bore i 'sgubo'r lôn neu i gario carthion ac y byddai'r *engineers* i gyd ar yr hyn a elwid yn '*shit cart*' tan y noson wedyn. Mi fuom ni yno am ddiwrnod yn fwy na'r disgwyl, felly.

Yna, hwylio i Brownsville ar y Rio Grande yn America. Rhaid oedd mynd i fyny'r afon yn weddol bell i ddadlwytho. Oddi yno wedyn i Galveston yn Texas ac i fyny'r afon i harbwr Houston City, lle roedd llawer o longau mawr a bach. Clywais sôn pan oeddwn yno fod rhywun yn cael ei lofruddio yn Houston bob dau funud o'r dydd. Roedd Galveston ei hun yn lle diddorol iawn a byddwn wrth fy modd yn cael mynd i'r amgueddfa oedd yn arddangos dillad a gynnau *Billy the Kid* a dihirod eraill y Gorllewin Gwyllt.

Wedyn, hwylio i New Orleans i ddadlwytho a llwytho pob math o bethau. Byddai'n cymryd wyth awr i fynd i fyny afon Mississippi, a Chyfraith Lloyd's, sef y canllawiau cyfreithiol ar bob agwedd o forwriaeth, yn datgan fod yn rhaid i'r saer fod ar y ffocsl unwaith y byddai'r lan yn y golwg, yn barod rhag ofn y byddai angen gollwng yr angor. Yno y byddwn, a'r bwyd yn cael ei gario i mi. Yng ngheg yr afon roedd ynysoedd bach ym mhob man a cheffylau gwyllt yn nofio o ynys i ynys. Gwelais ddynion yn pysgota mewn cychod ac, wrth ddod i fyny'r afon, gwelais y *Mississippi Boats* enwog gyda'r olwyn ddŵr fawr ar y cefn.

Dinas fawr iawn oedd New Orleans, ac yn ystod y cyfnod hwnnw, cedwid y bobl wynion a'r bobl dduon ar wahân, rhywbeth yr o'n i yn ei weld yn hurt. Mi wnes gamgymeriad y tro cyntaf yr es i'r lan yn y fan honno. Wrth fynd am beint, daeth tri llongwr arall i lawr y gangwe efo fi.

'*Never been here before,*' medda' un. '*Can we come with you, Chips?*'

'*I've never been here either,*' atebais, '*but you can come with me.*'

Aethom allan o'r dociau ac i'r stryd. Gwelsom salŵn ac i mewn â ni. Dyma godi poteli cwrw ac eistedd i lawr. Dyn du oedd yn rhedeg y lle ac yn fuan iawn gwelsom mai dynion duon yn unig oedd yn dod i mewn ac roeddent yn syllu arnom ni. Roedd gan y barman ddau bistol ar y bar, a ninnau wedi mynd i far du heb ddeall nad oedd croeso i'r dyn gwyn yno. Dywedais wrth y lleill am beidio symud, ac es at y dyn y tu ôl i'r bar a dweud ein bod wedi gwneud llanast gan nad oeddem yn deall y drefn ac na ddyliem ni fod yno.

Dyma fo'n ateb:

'*Don't say anything, tell the others to come with you*,' a dyma fo'n ein harwain drwy ddrws yng nghefn y bar i'w le byw. Caeodd y drws a dweud wrthym am aros gan ychwanegu y caem eistedd wrth y bwrdd ac yfed yno drwy'r nos. Ymddiheurais am wneud y camgymeriad ond yr oedd o'n deall gan iddo fod yn Llundain yn ystod y Rhyfel lle yr oedd perffaith ryddid i'r du a'r gwyn fynd i unrhyw far. Daeth y teulu atom, a bob tro y byddwn yn dod i New Orleans, byddwn yn cael croeso wrth y drws cefn a chael gwahoddiad i ddod i mewn i yfed.

Mi fues yn New Orleans ddau Ddolig ar ôl ei gilydd ac roedd stryd fawr Canal Street yn y ddinas wedi ei thrimio, gyda charolau'n cael eu canu dros y lle, ddydd a nos. Un tro pan oeddwn yno, dyma Capten Washi'n dweud:

'Washi, gei di ddod efo fi pnawn fory i siopa.'

Pan aethom, gwelais fod y siopau'n anferth, yn fwy o lawer na rhai Lerpwl. Aethom i mewn i un siop oedd ddeng gwaith yn fwy na Lewis's yn Lerpwl, a phob dim o dan haul yno. Roedd pethau'n rhatach o lawer nag adra felly roedd o'n lle da i brynu anrhegion. Daeth y *Chief Engineer* gyda ni. Price oedd ei enw, Cymro di-Gymraeg ond ei fod ef a'r Capten yn tynnu'n groes i'w gilydd drwy'r amser. Câi'r Capten dacsi am ddim gan y cwmni ac fe gawn i a Price fynd gydag ef. Roedd bandiau jazz yn chwarae ar y strydoedd ym mhob man ac yn werth eu clywed.

O New Orleans, byddai'r llong yn mynd am Mobile, Alabama, i ddadlwytho a llwytho nwyddau o bob math. Yn y fan honno yr es i siop Woolworths a phrynu lamp baraffîn yn anrheg i Mam.

Wedyn, cychwyn oddi yno ar daith o rhwng deng niwrnod a phythefnos i ddod adra, gyda phawb yn disgwyl bod adra erbyn dydd Nadolig. Pan fyddai tywydd mawr, byddai'r Capten yn ofalus ac yn arafu i hanner y cyflymdra gyda phawb yn flin wrth weld y tywydd. Dod i mewn i afon Merswy y noson cyn y Nadolig a phawb yn gweld na fyddent adra yn eu cartrefi erbyn y diwrnod mawr achos bod rhaid mynd i fyny'r Gamlas, y Manchester Ship Canal, i Fanceinion. Byddai hynny'n cymryd diwrnod ychwanegol am fod rhaid docio yn nociau Eastham i ddisgwyl eich tro i fynd i fyny'r gamlas. Yno, byddai'n rhaid tynnu topiau'r mastiau er mwyn gallu mynd o dan y pontydd. Roeddwn wrthi'n llacio'r *wedges* i dynnu mast pan waeddodd y Capten arnaf yn Gymraeg:

'Washi, pacia dy fagia, 'da ni wedi cael criw arall yn ein lle.'

Y bosyn ac eraill ar y ffocsl yn gofyn i mi gyfieithu'r neges a dyma hwnnw'n dweud:

'*I've been on this company for twenty years and never seen a relief crew.*'

Ymhen pum munud yr oedd y ffôn wedi canu i ddweud fod ein cyflogau yn barod ac am ddeg o'r gloch y nos cefais dacsi i Lerpwl a dal y trên hanner nos o orsaf Lime Street. Dim ond fi oedd ar y trên a chyrhaeddais Bangor rhwng dau a thri'r bore. Doedd dim trên wedyn, felly ceisiais gysgu wrth rynnu yn yr ystafell aros. Daliais y trên cyntaf y bore wedyn i Fryncir a chael reid gan y postman i Gricieth. Roeddwn yn y tŷ erbyn wyth y bore ac mi gefais ginio Nadolig gyda'r teulu.

Mi wnes i amryw o dripiau wedyn i India'r Gorllewin efo'r *Crofter*, ac un trip i Dde America.

Un arall o hogiau Cricieth oedd yn saer ar long yr adeg honno oedd Robin Glyn, cymeriad lliwgar a hoffus oedd rhyw flwyddyn neu ddwy yn hŷn na fi. Bu ei dad ar longau hwylio a'i fam yn coginio i Lloyd George pan oedd hwnnw yn 10, Stryd Downing. Yn y fan honno ddaru'r ddau gyfarfod, pan alwodd ei dad i weld Lloyd George, gan eu bod yn adnabod ei gilydd yn dda. Cofiaf i Robin Glyn a minnau ddigwydd bod i mewn ar wahanol longau yn Lerpwl a chyfarfod mewn tafarn yn Birkenhead.

"Dw i'n gorfod gwisgo oferôls gwyn a chap pig am 'mod i'n mynd ar *passenger liner*, a 'sgin i ddim rhai', medda fo.

'Mae 'na beintars wedi bod ar y llong acw ac maen nhw 'di gadael dau bâr o oferôls gwyn. Gei di un ac mae gen i gap pig. Fydda i ddim isio fo achos cario cargo'n unig mae'n llong i. Ddoi â nhw i'r Gwcw (dyna oedd enw hogia Cymru ar dafarn yn Birkenhead lle byddent yn cyfarfod) am chwech y noson cyn hwylio.'

Rhaid oedd eu cario mewn bag go fawr ac wrth ddod allan drwy'r giatiau cefais stop gan y *customs*. Wrth deithio ar y bws, yr oedd pawb yn edrych ar y bag mawr. Mi fues i yn y Gwcw tan ddeg o'r gloch a welais i ddim golwg o Robin Glyn. Roeddwn wedi gwylltio ac wrth fynd yn ôl i'r llong, cefais fy stopio gan blismon i weld beth oedd yn y bag.

Ymhen rhai wythnosau, cefais lythyr gan Mam yn dweud fod Robin Glyn wedi ffraeo efo'i wraig cyn dod am Lerpwl ar ôl iddo ddweud ei fod yn mynd efo'r llong rownd y byd ac y byddai i ffwrdd am naw mis. Cafodd funud wan y bore wedyn ac aeth yn ôl am Gricieth gan gyrraedd adra tua pump y noson honno. Aeth o a'i wraig yn syth i'r Prins i ddathlu eu bod yn ffrindiau unwaith eto. Roedd Robin Glyn i hwylio am bedwar y bore wedyn ond erbyn deg y nos yr oedd o a'i wraig wedi meddwi. Clywodd ei fam ei fod adra ac yn y Prins, a llogodd dacsi yn syth i fynd â fo'r holl ffordd i Lerpwl. Petai Robin Glyn wedi methu'r llong honno, fyddai o byth wedi cael mynd i'r môr wedyn achos fe fyddai wedi cael dwbwl DR.

Morwr *South About* oedd Capten Washi – hynny yw, byddai bob amser yn mynd am y tywydd braf ar y ffordd allan, drwy fynd o Lerpwl am Caracas yn Venezuela. Rhyw ddydd Sul, wedi bod ar y môr am wythnos neu fwy yng nghanol tywydd braf, doedd neb yn gweithio heblaw amdana i'n gwneud y sowndings. Y noson honno, es â'r sowndings i fyny ar y *bridge*. Roedd y Trydydd Swyddog, Mr Bumble, wrthi'n edrych allan drwy sbeinglas ar y môr, oedd fel llyn llefrith.

'*Have you seen anything?*' holais.

'*There's a little boat out there. I don't know what it is,*' atebodd.

Roedd gen i ddiddordeb mewn hwylio a gwyddwn fod ras ar draws yr Iwerydd, y *Cross Atlantic Single Handed Race*, wedi cychwyn cyn i ni fynd allan. Roeddwn yn siŵr mai un ohonyn nhw oedd yno ac yn bell oddi ar ei gwrs.

Daeth y Capten i fyny a gofyn:

'Be ti'n weld, washi?'

Finnau'n dweud beth oedd yno. Dyma fo'n gweiddi '*hard a-port and full steam ahead!*' Ar long fawr, a honno'n newid cwrs a chyflymdra, roedd y sŵn yn wahanol ac yn ddigon i ddeffro pawb a dod â hwy ar y dec. Rhag cael y bai am eu deffro, es i lawr oddi yno'n sydyn. Erbyn hyn, roedd pawb yn gwylio'r cwch bach wrth i ni ddod yn agos ato. Ffrancwr gyda locsyn mawr coch oedd yno, yn amlwg wedi colli ei ffordd. Dyma'r Capten yn gweiddi drwy gorn siarad hen ffasiwn:

'Ar iw ôl reit?'

Wrth gofio ei fod wedi treulio hanner can mlynedd ar y môr, rhyfeddais wrth glywed fod ei acen mor Gymreig. Mi daerech mai bugail o Gwm Pennant oedd yn gweiddi! Doedd y Ffrancwr ddim angen bwyd na dŵr, dim ond eisiau gwybod ble yn union yr oedd o am ei fod ar goll. Wedi rhoi'r wybodaeth iddo aethom yn ein blaenau a welson ni ddim ohono wedyn na chlywed sôn amdano.

Cyrraedd Caracas, prif dref Venezuela, a dadlwytho'r cargo. Ymysg y cargo hwnnw roedd injan trên, a bu'n rhaid defnyddio'r derics i'w chodi. Wrth i ni godi'r injan o'r howld efo dau dderic, dyma floedd o'r *bridge* – '*Hold it!*' Roedd y Capten wedi bod yn ddigon craff i sylwi fod y rhaff weiar wedi mynd dros y trac ar y bloc o dan y pwysau trwm, a'i bod hi'n beryg. Rhaid oedd gollwng yr injan yn ôl ac ailgychwyn. Doedd neb ond y Capten wedi sylwi ar hyn ac fe fuom yn lwcus.

Lle difyr oedd Caracas. Heb fod yn bell i ffwrdd, roedd andros o faes awyr mawr gydag awyrennau'n codi a glanio drwy'r dydd a thrwy'r nos; hwn oedd un o'r meysydd awyr mwyaf yn y byd ar y pryd. Roedd Venezuela yn un o'r gwledydd cyfoethocaf yn y byd ar y pryd gan fod cymaint o olew yno ond, yn amlach na pheidio, byddai rhyw chwyldro wedi digwydd a'r llywodraeth wedi newid erbyn i ni ddod yn ôl. Ar ochr dde'r porthladd roedd blociau mawr o fflatiau, a'r rheiny'n wag. Ar y chwith, ar ochr y mynydd, roedd 'na dref sianti – llawer iawn o gytiau sinc blêr a'r bobl oedd yn byw yno yn gwrthod symud i'r fflatiau newydd. Rhedai afon drwy ganol y dref sianti, gyda phawb yn taflu sbwriel iddi.

Cofiaf fynd i'r pictiwrs a gweld ffilm gowboi mewn Sbaeneg ac, wrth gerdded y stryd, sylwais fod teledu mewn llawer o'r tai. Yr adeg honno, prin iawn oedd y setiau teledu yng Nghricieth.

Gadael Caracas a mynd i ollwng pacedi bach yma ac acw ar hyd arfordir Venezuela, gyda chychod bach yn dod allan at y llong i'w nôl. Wedyn, mynd i fyny i le o'r enw Maracaibo, ac ar hyd Llyn Maracaibo, llyn o'r un maint â Chymru. Dadlwytho yno, a sylwi fod llawer o Almaenwyr i'w gweld, ambell un yn Natsi oedd wedi dianc ar ôl y Rhyfel. Cofiaf ddod i mewn i Maracaibo pan oedd hi'n gwawrio a minnau'n hanner cysgu. Mi welwn gwch mawr yn mynd heibio, a mwya sydyn, cododd ar bedair coes yn y dŵr. Roeddwn wedi dychryn achos doeddwn i ddim wedi gweld y math hwn o gwch, a elwir yn *hydrofoil*, o'r blaen. Mi ddeffrais yn fuan ar y diawl!

Roeddem yn dadlwytho yn y fan honno ac yn cymryd yr hyn a alwyd yn *crew boys* i weithio ar fwrdd y llong, rhyw bymtheg ohonynt. Doedd ganddynt yr un gair o Saesneg ac roeddynt yn byw ac yn cysgu ar y dec, gan osod cwt ar gefn y llong fel toiled yn syth dros y cefn i'r môr. Dyma fynd o Maracaibo i ben draw'r llyn. Y cwbl a welwn ynddo oedd cannoedd o bympiau, a elwid yn *donkeys*, yn pwmpio olew i fyny o'i waelod. Aethom i ben draw'r llyn at bier pren mawr ac i'r fan honno y byddai'r tanceri'n dod i lwytho olew – buom yno am bythefnos a hithau'n boeth iawn. Cario pibellau ar gyfer y diwydiant olew oeddem, a threulio'r pythefnos yn dadlwytho gyda chymorth y *crew boys*. Byddai'r tanceri'n cymryd rhyw ddwy neu dair awr i lenwi ac i ffwrdd â hwy, tra oeddem ni yno'n berwi am bythefnos.

Wedi dod o Maracaibo, mynd i fyny wedyn ar hyd arfordir Venezuela ac i fyny am Fecsico ac wedyn America, cyn troi'n ôl am Lerpwl.

Mae un stori am Capten Washi yn aros yn fy nghof. Pan oeddwn ar yr *Accra*, a minnau'n mynd yn ôl i'r llong wedi cyfnod adra, roeddwn yn dal bws o Dy'n Rhos, Cricieth, i fynd i Gaernarfon i ddal y bws wyth o'r gloch o'r dref honno. Y condyctor oedd Jac Moss, un digon blin, yn enwedig ar fore Llun. Dyma fi'n rhoi punt iddo er mai swllt a chwech oedd y gost.

'Be ddiawl ti'n rhoi punt i mi ar fore Llun! Does gen i ddim newid.'

'Mae gen i bres. Mi fysa' chi'n cega os na fyddai gen i bres.'

Yng nghefn y bws roedd gŵr a gwraig yn eistedd, a dyma hwnnw'n gofyn faint roeddwn i eisiau.

'Swllt,' medda Jac, 'mae ganddo fo chwech.'

'Wel mi ro' i swllt,' a dyna a fu.

'Gwrandwch,' medda fi, 'mae gen i ddigon o bres. Sut

ydw i yn talu'n ôl i chi?'

'Paid â phoeni, mi fyddan ni'n siŵr o gyfarfod rhyw dro eto.'

Doedd gen i ddim syniad pwy oedd o ond, ymhen blynyddoedd, mi ffeindiais mai Capten William Williams, Tan Graig, Cricieth, oedd o, neu Capten Washi fel yr oedd pawb yn ei adnabod yn Lerpwl.

Ar ddiwedd y trip cyntaf ar y *Crofter* yr oeddwn yn cael fy nhalu. Y drefn gan gwmni Harrisons oedd cyrraedd yr harbwr yn Lerpwl ac wedyn byddai aelodau'r criw yn mynd fesul un i ystafell gyda bwrdd yn y canol. Wrth y bwrdd hwnnw, eisteddai'r Capten yn y canol, y purser ar un ochr iddo a phlismon yr ochr arall. Byddem yn cael ein talu yn ôl trefn pwysigrwydd. Fi oedd y cyntaf i gael pres ar ôl y swyddogion. Byddai'r *purser* yn rhoi'r cyflog ar y bwrdd ac wedyn yn tynnu'r hyn a elwid yn *allotment*, sef pres wrth gefn i'w rhoi i'r teulu petai rhywbeth yn digwydd i mi. Yna, byddai'n rhoi'r pres i'r Capten a hwnnw'n fy nhalu. Ar y trip hwnnw, yr oedd £95 i ddod i mi. Wrth i mi dderbyn y pres, dyma Capten Washi yn dweud:

'*You owe me a shilling. I lent you a shilling to pay a bus fare.*'

Aeth pawb i chwerthin. Dyma fi'n dweud nad oeddwn am dalu'r swllt iddo am fod pawb wedi cael gwerth swllt o chwerthin ar fy mhen.

Un o'r llongwyr yr oeddwn wedi gwneud ffrindiau ag ef oedd dyn o'r enw Rooney. 'Dw i bron yn siŵr mai brawd i daid Wayne Rooney (y pêl-droediwr) oedd o. Ta waeth, wedi i mi gael fy nhalu, dyma Rooney'n gweiddi:

'*Another acre again, Chips.*'

Mae'n debyg fod hwn yn hen ddywediad am longwyr Sir Fôn oedd yn mynd adra a phrynu tir ar ôl pob trip.

Pan oeddwn yn dod am Lerpwl ar y *Crofter* ar ddiwedd un o'r teithiau, digwyddai fod yn streic llongwyr. Es adra am wythnos o seibiant ond pan ddeuthum yn ôl, doeddwn i ddim yn cael mynd ar y llong oherwydd y streic. Trefn cwmni Harrisons oedd cael hanner criw yn wyn a hanner y criw o India'r Gorllewin. Gan nad oeddem ni'n cael mynd ar y llong, cyfunwyd dau hanner criw o India'r Gorllewin ac, o ganlyniad, roedd y *Crofter* wedi hwylio. Parhaodd y streic hon am wythnosau a ninnau'n gorfod mynd i gyfarfodydd mewn neuaddau mawr yn Lerpwl. Pan oedd y streic drosodd, doedd dim llong ar gael, ond gan fod fy nghytundeb wedi darfod wrth ddocio yn Lerpwl, yr oeddwn yn rhydd i chwilio am un arall.

Y drefn arferol oedd arwyddo am ddwy flynedd. Byddai'n bosib mynd i Orllewin Affrica ac wedyn newid i un o'r cychod cargo oedd yn mynd i America, a hynny heb orfod mynd yn ôl i Lerpwl. Gyda chwmni Elder Dempster, unwaith yr oedd y ddwy flynedd ar ben, i'r diwrnod, rhaid oedd i'r cwmni hedfan y morwyr adra, ond wnes i erioed hynny, chwaith.

Wedi i mi ddod yn ôl i Lerpwl doedd dim llong ar gael, ond bod angen saer ar yr *Adventurer* a hwyliai o gwmpas y glannau – i Avonmouth, Abertawe ac un neu ddau o lefydd eraill – yn cario nwyddau trymion. Yr enw ar y math yma o long oedd *heavy lift*. Wrth wneud y sowndings ym mhob man, byddai angen pwmpio dŵr allan neu i mewn wrth gario llwyth mor drwm a hynny er mwyn cadw cydbwysedd y llong.

Bûm ar y llong honno am ryw dair wythnos ac, ar ôl gorffen, yn 1958, roedd gen i ychydig o wythnosau o seibiant, felly mi es adra i Gricieth i 'sgota ac i osod cewyll cimychiaid gyda'm cwch. Byddwn yn mynd allan bob dydd gan fod y tywydd mor braf. Un tro, a minnau'n dod adra o ochrau Pwllheli ar noson braf, gyda'r môr fel llyn llefrith, a fawr o neb allan, deuthum am drwyn y Castell yng Nghricieth a gweld llong hwylio dau fast, un andros o hardd, wedi'i hangori yn y bae. Wrth i mi fynd am y lanfa, dyma ddyn yn gweiddi ac yn fy ngalw at y llong. Roedd hi'n uchel, yn llawer uwch na'r cwch bach.

'Can you help me?' meddai mewn acen Wyddelig.

'What do you want?' holais.

'Can I anchor here for the night?'

Roedd hi'n llong fawr, ac meddwn wrth y dyn:

'I wouldn't anchor here, it's not safe. You are on a lee shore and the prevaling wind is Sou'west and we're not sheltered here.'

'Where can I go?' holodd.

'You can go to Pwllheli or Abersoch.'

Dyma fo'n edrych i lawr i'm cwch.

'Lobsters,' medda fo. 'Will you sell some to me, and some fish?'

Gwerthais werth £15 ac fe dalodd y dyn. Gan ei fod yn gwsmer go lew, cynghorais ef fel hyn:

'If I were you, I'd go to Abersoch. It's very sheltered. If you go to the Faenol Hotel in Abersoch, ask for Wil Williams (Wil Gwynfa) and tell him that Harri Bach has sent you, and he'll give you a mooring for the night.'

Hynny a fu. Ar newyddion wyth ar y radio y bore wedyn, dyma ni'n clywed fod yna uffarn o storm wedi dod o'r dwyrain a'r unig le oedd yn saff o wynt y dwyrain oedd Cricieth! Ond hwnnw oedd yr unig wynt oedd yn effeithio ar Abersoch am nad oedd cysgod rhagddo. Ac mi fu hwn yn wynt eithriadol, gyda channoedd o gychod hwylio wedi torri angor ac wedi malu ar y lan, gan achosi miloedd ar filoedd o gostau. Welwyd mo'i debyg ac mae pobl yn dal i sôn am y storm honno a darodd yr ardal yn 1958. Dywedais wrth Mam beth roeddwn wedi ei wneud, sef gyrru'r dyn i dragwyddoldeb. Teimlwn yn reit euog am ei yrru ond waeth heb â phoeni diawl o ddim.

Ychydig ddyddiau wedyn, roeddwn yn mynd am Lerpwl i ymuno â'r *Barrister*. Aeth sbel go lew heibio, efallai chwe mis i flwyddyn, ac roeddan ni'n llwytho yn Birkenhead i fynd am India'r Gorllewin. Ar hyd ochrau'r prif ddec roedd yna *scuppers*, fel draen i ddŵr mewn tywydd garw, oedd yn rhyw bedair i bum modfedd o ddyfnder. Rhoddais fy nhroed yn un ohonyn nhw a throi fy ffêr yn o ddrwg nes y cawn drafferth i symud. Es i lawr i giatiau'r doc a gofyn am dacsi. Doeddwn i ddim am golli'r llong, felly dyma holi'r dyn am feddyg.

'*I'll take you to my doctor,*' meddai, ac i ffwrdd â ni.

Gofynnais iddo aros amdanaf ac es i mewn i'r feddygfa ac aros yn y ciw. Fi oedd y diwethaf i mewn. Pan es i'w ystafell, gwelwn ddyn mewn côt wen yn eistedd y tu ôl i ddesg. Dyma fo'n edrych arnaf a dweud:

'*I know you, you're the fisherman from Cricieth.*'

Edrychais ar y dyn. Wyddwn i ddim be ddiawl i'w ddweud, dim ond rhywbeth fel fy mod wedi poeni amdano wrth glywed am y storm.

'*Well, thanks to you, I didn't lose my ship. I did as you said and went to the pub and met Mr Wil Williams, and told him you had sent me. I had a bit of a session with him and, after closing time, Wil came with me and gave a mooring for free. In the early hours of the morning, a hell of a storm got up and boats were flying past us on to the beach.*'

Diwedd y stori oedd iddo glywed y *Rosebud*, cwch Wil Williams, yn dod yn agos a gwaeddodd Wil arno i daflu rhaff. Cododd y Gwyddel yr angor ac aeth Wil ag ef i gysgod yr ynys, fel nad oedd difrod i'r cwch ac fe fu'n un o'r ychydig i osgoi dinistr y storm.

Aeth y meddyg ymlaen i ddweud:

'*Do you know that you are the last patient I am going to see in this country as I'm going to Australia tomorrow.*'

Rhoddodd fandej a phigiad a digon o bethau i helpu'r

Y Barrister

ffêr, ac ymhen dau ddiwrnod, roeddwn wedi dod ataf fy hun. Rhyfeddais at y cyd-ddigwyddiad.

Mynd am India'r Gorllewin, Mecsico ac America oedd y *Barrister*. Capten Sol oedd wrth y llyw – wedi newid ei long fel finnau. Ar y llong, roedd peiriannydd bach o Benmaenmawr ar ei drip cyntaf i'r môr, yn ogystal â Chymro arall, sef Harri Jones, y trydydd mêt, oedd yn dod o Bwllheli. Bob siawns yr oedd yn ei gael, byddai'r bachgen ifanc o Benmaenmawr yn dod i'm caban am sgwrs a phaned. Dywedodd fod y Capten wedi dweud wrth y swyddogion yn y *mess* ar y diwrnod cyntaf ei fod o'n filain fod y llongwrs wedi mynd ar streic ac mi fyddai'n torri'r *overtime* oedd ar gael. Doedd hynny ddim yn berthnasol i mi gan fod fy ngwaith yn wahanol i waith llongwr cyffredin.

Ar ôl bod o gwmpas yr Ynysoedd dyma gyrraedd Veracruz a chofio fod y llanw'n codi a gostwng dipyn go lew ac, fel yr arfer, byddai'r llongwyr yn barod i dynnu a gollwng y rhaffau. Ar brynhawn Sadwrn, a llawer o'r llongwyr yn gorwedd ar y dec (gan nad oedd *overtime* i'w gael), rhoddodd y capten y prentisiaid a Harri, y trydydd mêt yn ei lifrai gwyn, i wneud y gwaith. Cyn pen dim, roedd trowsus y mêt yn ddu a dyma fi'n gweiddi arno:

'Be ddiawl sydd arnat ti, yli golwg sydd arnat ti.'

'Cau dy geg y diawl bach,' medda fo, 'ti'm yn meddwl 'mod i isio tynnu a gollwng y rhaffau?'

Aeth hi'n ddrwg rhwng Harri Jones, y mêt, a'r Capten am dorri i lawr ar y llafur. Doedd o ddim yn drip hapus a dweud y lleiaf.

Wedi gadael Mecsico, aethom am America a galw mewn lle o'r enw Tampa yn Florida. Yno, rhaid oedd mynd i fyny afon oedd yn debycach i lyn yn ôl ei maint. Yr adeg honno, doedd pethau ddim yn dda rhwng America a Rwsia ac wrth i ni fynd heibio Cape Canaveral, y lle lansio rocedi, roedd awyrennau'n hedfan yn isel atom a thynnu lluniau'r llong. Wrth fynd i fyny'r afon, pasiai'r llong dai anferth, pob un â harbwr preifat ac awyren yng nghefn y tŷ – y *Millionaire's Row*.

Llwythwyd planciau derw yn Tampa. Doedd neb yn hoff o'r Capten am dorri'r *overtime*, a daeth yr hogyn bach o Benmaenmawr i'm caban.

'Wyt ti'n iawn?' holais. 'Ti ddim yn edrach yn iawn.'

'Mae gen i boen yn fy stumog.'

'Ers pryd?'

'Ers dyddiau.'

'Cer i ofyn i'r Capten gei di weld doctor,' meddwn.

'Iawn, mi af i.'

Dyma fo'n ôl: 'Cha' i ddim mynd i weld doctor, does dim digon o amser.'

Gwyddwn fod hyn yn groes i'r rheolau, felly dyma fi i fyny at y Capten a gofyn pam na châi'r hogyn weld doctor. Cefais yr un ateb – dim digon o amser. Dywedais yn blaen wrtho:

'*If anything happens to this boy on the way home, God help you,*' ac es oddi yno gan wybod nad oedd gennyf yr hawl i siarad fel hyn gyda'r Capten.

Hwylio am adra fu'r hanes, a hithau'n aeaf dros yr Iwerydd. Roedd y bachgen yn dal i gwyno efo'i stumog ac mi fues i'n gwneud Bovril a diodydd eraill iddo.

Pan gyrhaeddodd y *Barrister* Lerpwl, a'r gangwe'n mynd

i lawr, daeth y bachgen ataf a dweud na fyddai byth yn mynd ar y môr eto. Erbyn deall, hiraeth oedd arno, a finnau wedi gwneud ffŵl ohonof fy hun efo'r Capten.

Daeth Harri, y trydydd mêt, yn gapten yn ddiweddarach ac mi fu'n hwylio fel Capten ar longau mawr iawn. Mae wedi ymddeol ers blynyddoedd bellach ac yn byw yng Nghaernarfon lle y bu ef a'i wraig yn cadw siop.

Rhoddais innau'r gorau i'r *Barrister*, gan nad oeddwn yn hoff o'r Capten.

Y Nova Scotia

Y Newfoundland

Newid Llong am y Tro Diwethaf

Tua 1959 oedd hi, ac mi es yn ôl i'r *pool* i chwilio am long ac mi gefais fynd ar y *Nova Scotia* yng nghanol gaeaf. Ro'n i'n dal eisiau mynd am Awstralia ond es i ddim yno, chwaith. Wedi cyrraedd y llong, cefais wybod ei bod yn hwylio ymhen pedair awr ac fe fu'n rhaid i mi a'r bosyn fynd i swyddfa'r cwmni, sef Furness Withy, i seinio 'mlaen. Es i mewn i'r ystafell. Roedd golwg wael ar y bosyn. Hen ddyn o Norwy ydoedd. Seiniodd 'mlaen cyn i mi wneud.

'*How old are you?*'

'*Sixty five.*'

'*You've been sixty five as long as I've known you.*'

Doedd neb eisiau mynd ar y llong yn y gaeaf am fod tywydd garw o'i blaen a hithau'n hwylio am Newfoundland. Cario teithwyr, cargo a'r post oedd hi a byddai'n pasio'r llong *Newfoundland* – y ddwy'n croesi'i gilydd ar y môr. Andros o griw ryff a garw oedd arni am na fedrai'r cwmni gael llongwyr i fynd ar y llong yr adeg honno o'r flwyddyn. Roedd dau fêt cyntaf arni ac ar ôl mynd heibio Iwerddon roedd un mêt wedi rhoi *overtime* i bawb ond fi. Es ato a gofyn pam.

'*O no, there's no overtime for you.*'

Felly y bu, y llongwyr yn cael a minnau ddim. Aethom heibio'r Grand Banks, lle y byddai llawer o bysgod penfras i'w cael, yna cyrraedd St. John's, Newfoundland. Wrth ddod i mewn i St. John's, rhaid oedd dod rhwng dwy graig. Lle tlodaidd oedd o yr adeg honno a phan oeddwn yno, cofiwn am longau hwylio bychain Porthmadog oedd yn cario llechi yno a chario pysgod wedi eu halltu i Sbaen. Andros o le oer oedd St. John's, hefyd. 'Dw i'n cofio Capten Cadwaladr yn byw yn Salem Terrace, Criccieth, yntau wedi bod yn Newfoundland ar longau bach Port. Yr adeg honno, roedd

Y llong a welais yn harbwr Boston

yna longwr o Gricieth oedd yn fyddar bost ond byddai pob
capten yn Port ei eisiau o gan ei fod yn gallu ogleuo
mynyddoedd rhew ar y môr cyn eu gweld. Wrth basio'r
rheiny, byddech yn gallu teimlo'r oerfel.

Dadlwytho a llwytho yn St. John's am ryw ddau
ddiwrnod a chael gweld hen longau hwylio a llongau
pysgota yn yr harbwr. Tai pren oedd ym mhob man ac mi
fyddech yn taeru mai Gwyddelod oedd y trigolion gan fod
eu hacen yn swnio'r un fath.

Wedyn i lawr am Halifax, Nova Scotia, a threulio
ychydig amser yno cyn hwylio am Boston, a hithau'n oer
iawn drwy'r amser a finnau heb ddillad addas ar gyfer yr
oerni. Roeddem wedi docio yn Boston am amser go lew, tua
wythnos, ac yn ystod y cyfnod hwnnw, byddai hen foi o'r
enw Johnny the Greek yn dod i'r llong bob diwrnod. Roedd
ganddo andros o gar mawr ac fe fyddai'n mynd â ni i Skid
Row, lle'n llawn o alcoholics a dynion ar gyffuriau, ac i siop

yn gwerthu dillad oedd yn debyg i siop *Army and Navy*. Yno prynais ddillad cynnes gan gynnwys côt beilot, un ledr gyda gwlân y tu mewn. Yna, byddai'r hen Johnny'n mynd a ni yn ôl i'r llong. Pan ddeuthum adra, gyrrodd Mam y gôt i'r londri i'w golchi ac mi ddaeth yn ôl yn ddarnau! Yn yr harbwr yn Boston, rhyfeddwn at long hwyliau hynafol oedd wedi ei hangori yno ac mi yrrais gerdyn post adra gyda llun y llong honno.

Yna, teithio yn ôl o Boston i Lerpwl. Mi wnes ryw ddau drip. Doedd hi ddim yn dda rhyngof fi a'r mêt am nad oedd yn rhoi *overtime* i mi ond yn St. John's, roedd o'n fy ngweithio nos a dydd ac ro'n i ar andros o gyflog wedyn. Mi ddois i'n ffrindiau efo'r hen fosyn, oedd yn aros yn ei gaban fel arfer. Erbyn hyn, hefyd, roeddwn wedi dod yn ffrindiau efo'r mêt ac un diwrnod, dyma fo'n cael telegram i ddweud ei fod wedi cael ei godi'n *Chief Officer* ar y *Queen of Bermuda* oedd yn rhedeg o Bermuda i Efrog Newydd, ac yn gwneud mordeithiau yn ystod yr haf. Llong fawr oedd hon, gyda phedwar saer arni ac yn y telegram, roedd gorchymyn iddo – '*find your own carpenter*'. Byddai'r llong yma'n dod i Belfast bob rhyw ddwy flynedd i gael *refit* ac ro'n i wedi cael y job, fwy neu lai. Ond methais â phasio'r prawf meddygol. Y rheswm am hynny oedd bod fy mhwysau gwaed yn uchel o ganlyniad i fynd o dywydd poeth i dywydd oer.

Byddai'n rhaid i mi fod adra am ddau neu dri mis cyn cael mynd yn ôl i'r môr. Yn ystod y cyfnod hwnnw, es i weithio gydag adeiladwr lleol – roedd hwnnw mewn trafferth ac angen saer arno am ryw wythnos neu ddwy. Wedi gorffen y gwaith, roeddwn yn barod i fynd yn ôl am Lerpwl ac wedi dod dros y broblem pwysau gwaed (a ches i ddim problem pwysau gwaed wedyn), ond doedd gen i ddim llong.

Dyma fi'n gofyn i Mam fy neffro i ddal y bws wyth er mwyn mynd i chwilio am long i Lerpwl, gyda'r gobaith o gael mynd am Awstralia. Gwaeddodd Mam arnaf am chwarter wedi wyth ac mi oeddwn i wedi colli'r bws!

'Be ddiawl sy? Pam fasa chi'n 'y nghodi fi'n gynt?' meddwn wrthi'n wyllt. Torri i lawr â chrio wnaeth hi.

'Be sy arna chi? 'Da chi ddim yn dda?

'Ddim isio ti fynd yn ôl i'r môr 'sgin i. 'Dw i'n methu cysgu yn poeni amdanat ti ar y môr. Wnes i rioed ofyn am ddim gin ti, ond 'dw i'n mynd i ofyn i ti rŵan. Wnei di ddechrau busnes dy hun?'

'Mam bach, tydw i ddim yn ddyn busnas.'

'Wnei di drio?' ymbiliodd, gyda dagrau yn ei ll'gada'. Beth fedrwn i wneud?

'Wel iawn, mi dria i. Os 'da chi mor daer, mi dria i.'

Roedd gen i weithdy, a'r diwrnod wedyn es i Lerpwl i nôl fy nghelfi. Roeddwn wedi eu cadw yng Ngorsaf Lime Street ar ôl dod oddi ar y môr ac mi ddois â nhw adra ar y trên. Dechreuais fusnes fy hun, gan fynd o gwmpas ar feic, neu ddefnyddio tryc bach i gario pethau – un bach pren reit syml gyda dwy handlen a dwy olwyn arno. Roedd gen i gelfi a pheiriannau llaw yn y gweithdy, ond dim un trydan gan mai ar y rhai llaw yr oeddwn wedi fy mhrentisio.

Er fy mod wedi prynu car – *Morris Traveller* – ychydig ynghynt, fedrwn i mo'i yrru ac felly ar droed neu ar feic y cychwynnais. Ar y dechrau, cerddais o un pen stryd Cricieth i'r llall ac i bob siop, er mwyn dweud fy mod wedi dechrau fy musnes fy hun ac y byddwn yn falch o wneud jobsys. Ymhen ychydig amser, dechreuais gael gwaith. Y joban gyntaf un a gefais oedd trwsio ffenestri tafarn y Prins – mi o'n i'n gwsmer da yno 'doeddwn!

Dechreuais gael gwaith yn Llanystumdwy, Pentrefelin a Rhoslan a byddwn yn mynd efo'r beic neu'r tryc er mwyn cario pethau. Cofiaf fynd am Bentrefelin efo'r tryc a phawb yn canu corn wrth basio – roeddwn wedi mynd yn destun hwyl pan oeddwn efo'r tryc. Er fy mod yn cael digon o waith, doeddwn i ddim yn hapus fy myd am fy mod yn hoffi'r môr.

Aeth rhai wythnosau heibio ac mi ges syniad – brênwef. O'n i'n gweithio'n galed ac yn hambygio fy hun efo'r beic a'r tryc ac, wrth y bwrdd brecwast un bore, dyma fi'n dweud wrth Mam:

''Dw i'n lladd fy hun efo'r beic a'r tryc. 'Dw i am wneud cytundeb efo chi. Mi dria' i fy mhrawf gyrru'r wythnos nesaf. Os pasia i, mi fydda i'n aros adra, ond os metha i, mi a' i'n ôl i'r môr. Ydach chi'n cytuno?'

'Yndw,' meddai.

Es yn syth at Harold Johnson oedd yn rhedeg Ysgol Yrru Cricieth er mwyn cael gwersi. Gofynnais am wers ar ddydd Gwener a dywedodd y cawn un dydd Sadwrn. Yn y cyfamser, rhaid oedd gwneud cais am brawf gyrru. Yr adeg honno, byddai rhywun oedd yn y lluoedd arfog neu ar y môr yn cael neidio'r ciw ar gyfer y prawf. Ysgrifennais i ddweud fy mod yn y Llynges Fasnachol ac adra am wythnos ac a fyddai'n bosibl cael prawf yn ystod y cyfnod hwnnw.

Doeddwn i erioed wedi gyrru car, ond roeddwn wedi codi trwydded. Dyma gael gwers ar y dydd Sadwrn a thrannoeth, a'r dydd Mawrth wedyn cefais lythyr yn dweud wrtha i am fynd i Bwllheli am brawf gyrru ddydd Mercher. Gofynnais am wers nos Fawrth a dywedais wrth Harold fy mod yn mynd am brawf ddydd Mercher. Doedd ganddo ddim amcan nad oeddwn eisiau pasio'r prawf beth bynnag.

'Ti'n wastio dy bres,' meddai'n filain, 'nei di byth basio, dim gobaith.'

''Dw i am 'i thrio hi i'r diawl. Ewch chi â fi i Bwllheli?'

Dyma gyrraedd Pwllheli a Harold yn dweud:

'Paid â lluchio dy bres, 'sgin ti ddim gobaith pasio.'

'Mi dria i beth bynnag.'

Allan â fi o'r car ac i fyny'r grisiau i'r lle. Daeth dyn at y drws.

'Chwilio am Mr Lloyd ydw i. Henry Jones ydi'r enw.'

Ar gefn motobeic John fy mrawd
– er na fûm i erioed yn reidar motobeics!

'Dowch i mewn i arwyddo,' medda fo. Yna clywais lais
o'r tu ôl i'r drws:

'Harri Bach, be ti'n neud yn fan hyn?' Pwy oedd o ond
Herbie Hart o Gricieth.

'Dod am dest dreifio,' medda fi.

Dyma Herbie Hart yn dweud wrth Mr Lloyd:

''Da chi'n saff heddiw, 'da chi efo cychwr.'

Wyddwn i ddim o hanes Mr Lloyd. Erbyn deall, yr oedd
o a Herbie Hart yn debyg i'w gilydd. Cychod hwylio oedd
pethau'r ddau.

Mi ges ryw hen deimlad digon od fy mod i am basio'r
prawf! Dyma fynd i'r car ac i lawr stryd Pwllheli. Roedd Mr
Lloyd yn fy ngweld yn gyrru'n iawn ac yn fy holi am y
llongau y bûm arnynt a'r cychod yr oeddwn wedi eu hwylio
efo Herbie – dim oll i'w wneud â gyrru car!

Ymlaen â ni i'r Maes a heibio'r *Palladium*. Yn sydyn,
dyma fi'n cael *emergency stop* yn y fan honno a chan fod fy

ymateb yn dda, mi stopiais yn syth.

'Mae eich *reflexes* chi'n dda. 'Da chi wedi pasio,' medda fo.

Cafodd Harold Johnson sioc ei fywyd wrth glywed fy mod wedi pasio. Dydw i ddim yn honni am eiliad fod Mr Lloyd yn anonest, ond mae'n siŵr fod Herbie Hart wedi helpu'r achos. Meddyliais yn dawel nad oedd gennyf obaith i fethu rhwng Mam a 'fo'n y topia 'na'. Roeddwn yn siŵr Dduw fod Mam wedi bod yn gweddïo drwy'r nos imi basio a dyma gofio'r cytundeb a wnaethom ac felly bod angen gwneud y gorau o'r peth.

Es adra a dweud wrthi:

'Ylwch, 'dw i 'di pasio,' a dyma hi'n cyfaddef ei bod wedi gweddïo drwy'r nos, felly doedd gen i ddim gobaith methu!

Cychwyn Busnes

Mae'n amlwg nad oedd gen i obaith o fethu'r prawf gyrru yn erbyn Mam a'i gweddïau, felly mi wnes i gymryd fy musnes fy hun o ddifrif o'r funud honno. Dechrau'r chwedegau oedd hi, a minnau wedi cyrraedd fy nhridegau. Erbyn hyn, roedd y Morris Traveller gen i i gario'r celfi, ac roedd pethau'n llawer ysgafnach. Un o'r pethau cyntaf i mi ei brynu oedd lli gron, oedd ar werth mewn ffatri yng Nghaernarfon. Es yno i'w phrynu ac mae'r lli'n dal yma, bron i hanner canrif yn ddiweddarach, ac yn gweithio bum awr y dydd hyd heddiw; fu dim angen newid y peiriant, ac mae'n gweithio'n iawn ers iddi gyrraedd yma. Rhoddais hi yn y gweithdy oedd yn y tŷ bychan y drws nesaf, yn rhif 1 Rhes y Capel, ac fe fu'n rhaid cael pŵer cryfach i'w gyrru. Mae'r polyn a osodwyd i gario'r cebl yn dal yno hyd heddiw.

Un diwrnod, daeth cymydog i'r gweithdy i gwyno fod y lli'n amharu ar ei set deledu. Erbyn hyn, roedd gen i brentis, Geraint Hughes (Toby) o Borthmadog; ac es i fyny i gael golwg ar y teledu o'r ffordd. Mi welwn y llun yn troi a'r cymydog yn dal i gega. Gwaeddais ar Geraint i droi'r lli ymlaen a sefais yno efo'r dyn ac yna gwaeddais ar Geraint i ddiffodd y lli ac roedd y llun yn dal i droi.

''Da chi'n fodlon rŵan?' meddwn. 'Dydi'r teledu ddim ar yr un llinell – *three-phase* yw hi.' Ymddiheurodd y cymydog.

Erbyn hyn, roeddwn yn cael mwy na digon o waith. Cofiaf gael gwaith mewn siop yn trwsio'r lloriau a phethau eraill. Yr oedd yna hogan ifanc yn gweithio yno, un go handi.

'Pwy 'di hon?' holais.

'Hogan o Chwilog ydi hi, merch y bwtsiar,' medda'r siopwr, 'ac mae ganddi ddigon o bres.'

Rhaid oedd mynd ar ei hôl hi. Yn fuan iawn daethom yn ffrindiau a dechrau mynd allan gyda'n gilydd. Mi briodon ni

Linor a minnau ar ddydd ein priodas yng Nghricieth

yng nghapel Rhoslan ddechrau Mai 1964 – ond doedd ganddi ddim pres, chwaith!

Yn y papur lleol gwelais fod Cyngor Tref Cricieth wedi penderfynu gosod gwaith i mi. Wnes i ddim gofyn iddyn nhw wneud hynny, ond y cynghorwyr oedd wedi penderfynu. Y drefn oedd bod un contractwr yn cael tri mis o waith ac un arall yn cael tri mis mewn rota. Mr Thomas oedd syrfëwr y Cyngor a chan fod Cricieth mor fach, roeddech yn gwybod beth oedd pawb yn ei gael. Yr unig dro y byddwn i'n cael gwaith gan Mr Thomas oedd rhyw bythefnos cyn y Pasg gan y byddai'r adeiladwyr, y plymwyr a'r trydanwyr eraill yn brysur yr adeg honno a hithau bron yn dymor gwyliau. Doedd dim llawer o bwys gen i achos roeddwn yn cael digon o waith arall. Y drefn oedd gwneud y gwaith ar ddechrau'r tymor a chael eich talu ar ddiwedd yr haf wedi i bobl y gwestai a'r siopwyr wneud pres ar draul yr ymwelwyr. Roedd rhyw bedwar adeiladwr, tri phlymar a dau drydanwr yma yng Nghricieth. Cofiaf un tro i storm fawr chwythu darn o do oddi ar dŷ cyngor Robin Jones yn Nhy'n Rhos. Daeth ata i a gofyn am help.

'Rhaid i ti 'i riportio fo i Thomas y syrfëwr,' meddwn.

Dyma Robin yn dweud:

''Dw i 'di gneud hynny, ond mae pawb yn brysur.'

'Mi wna' i o i chdi, mi fydda i'n siŵr o'i wneud cyn nos.'

Roeddwn i'n mynd ar hyd y stryd a phwy stopiodd fi ond Mr Thomas.

'Mae gen i joban ar frys i ti, mae'n rhaid ei gwneud yn syth rŵan.' Tŷ Robin oedd o.

Atebais innau:

'Ydach chi'n sylweddoli mai blwyddyn i rŵan oeddach chi'n gofyn i mi wneud gwaith o'r blaen? 'Dw i ar y rhestr, ond fydda i ddim ond yn cael gwaith bythefnos cyn y Pasg am fod pawb arall yn brysur. Ylwch, 'dw i'n gallu byw am bum deg ag un o wythnosau bob blwyddyn hebddoch chi, siawns na alla i fyw am un wythnos arall. Ond 'dw i'n mynd i wneud y to i Robin ac wedi hynny, 'dw i am sgwennu llythyr i'r Cyngor i ddeud wrthyn nhw am dynnu fy enw oddi ar y rhestr – mae yna annhegwch mawr yn rhywle.'

Dyma gnoc ar y drws ar ôl cinio. Mr Thomas oedd yno, yn llwyd i gyd, gyda rhestr o waith i mi hyd ei fraich. Roedd o wedi sylweddoli nad oedd wedi rhannu'r gwaith yn deg, ond mi ffeindiais i wedyn nad arno fo oedd y bai am hynny. Pan ddaeth Mr Thomas i Gricieth gynta, Arolygydd Iechyd oedd o. Yn ymyl Garej Regent ar ffordd Caernarfon roedd pistyll o'r enw Pistyll Bach – pibell dwy fodfedd gyda'r dŵr yn dod allan ohoni'r un fath haf a gaeaf. Byddai pawb yn meddwl y byd o'r Pistyll Bach a llawer yn yfed y dŵr. Arferai dyn o'r enw Sam Gruffydd, oedd yn gweithio ar y lein, yfed cwpaned bob bore wrth fynd i'w waith a chwpaned bob prynhawn wrth ddod adra. Holodd rhyw ddynes ef:

'Sam Gruffydd, 'da chi'n edrach mor iach a'ch croen fel sidan. Beth yw'r gyfrinach?'

'Mi fydda i'n yfed dŵr o'r Pistyll Bach ddwywaith y dydd a dyna pam 'dw i'n edrach mor dda.'

Un o'r pethau cyntaf wnaeth Mr Thomas oedd profi dŵr amryw o lefydd yn yr ardal, gan gynnwys y Pistyll Bach, a gyrru'r samplau i ffwrdd i labordy i'w dadansoddi. Cafodd y canlyniadau, a'r rheiny'n dangos fod mwy o facteria yn y Pistyll Bach nag yn unlle arall! Dyma fo'n rhoi rhybudd nad oedd neb i yfed ohono, er gwaethaf ffydd y bobl yn nŵr y pistyll. Dwn i ddim a oedd y bacteria'n lladd llawer o facteria eraill ai peidio.

Bûm yn canlyn Linor am dipyn cyn priodi ar Fai 9fed, 1964. Doedd neb yn gwybod am ein bwriad ac yng nghapel Rhoslan y cynhaliwyd y briodas. Aethom i Bort Talbot am benwythnos i dreulio'r mis mêl, ac aros efo John fy mrawd oedd yn byw yno ar y pryd. Roeddwn wedi prynu hen dŷ Nain, sef yr un yr ydym yn dal i fyw ynddo hyd heddiw, ac wedi adnewyddu'r gegin, yr ystafell 'molchi ac un llofft, ond doedd dim carped ar y llawr yn unman. Rhaid cyfaddef na fu i Linor gwyno na mynnu cael pethau, chwaith. Rhyw fis cyn i'r mab hynaf, Bryn, gael ei eni dyma roi carped ar y grisiau, y pasej a'r llofft. Ganwyd Bryn yn 1965 ac yna, ddwy flynedd yn ddiweddarach, daeth Emlyn. Ymhen pedair blynedd daeth Alwyn, a saith mlynedd wedyn daeth Rhodri – y cyw melyn olaf fel y sgwennodd o mewn traethawd yn yr ysgol rywdro.

Es ymlaen gyda'r busnes, a heb fwriadu hynny, tyfodd yn fwy ac yn fwy. Pan oedd fy nhaid yn byw yma, tua 1962, aeth rhyw acer o dir ar werth yn y cefn. Roedd Stad Ynysgain eisiau mil o bunnau am y tir – swm anferthol yn ystod y cyfnod hwnnw pan oedd gwerth tir amaethyddol tua hanner can punt yr acer. Es i lawr i weld rheolwr y banc, sef Peredur Wyn Williams (mab y bardd Eifion Wyn) a'm cynghorodd fi

i beidio rhoi'r ffasiwn bres am y lle. Eglurais nad oeddwn
angen benthyg arian, dim ond wedi dod am gyngor.
Roeddwn yn dal i bendroni uwch y broblem a dywedais
hynny wrth fy nhaid:

'Mae'r hen dir yn y cefn ar werth ond mae'r Stad eisiau
mil o bunnau amdano fo. Be 'da chi'n feddwl?'

'Dydw i'n gwbod dim, chdi sy'n gwbod,' a chan dynnu ar
y cetyn, ymhen sbel dyma fo'n dweud:

'Wyddost ti, dydi drws nesa ddim yn mynd ar werth ond
unwaith mewn oes.'

Diolchais iddo ac es yn syth at asiant y Stad a chynnig
naw can punt amdano fo, ac mi gefais o am hynny. Dyna'r
peth gorau a brynais erioed. Gerddi neu gae oedd yno
unwaith ond mi drois y lle yn iard a thros y blynyddoedd
mae'n siŵr fod cannoedd wedi gweithio yno ac wedi ennill
bywoliaeth ohoni.

Y peth cyntaf a wnes oedd agor ffordd, ac wedyn codi
gweithdy mawr. Ar ôl gorffen gweithio ac ar ôl cael bwyd y
byddwn yn ei godi, fesul dipyn, ac wedyn gosod peiriannau
gwaith coed ynddo. Codais siediau i gadw coed a chodi garej
a bu'n rhaid cadw mecanic llawn amser i drin y peiriannau
a'r loris. Roedd tua ugain yn gweithio yno'r adeg honno;
mae 23 yno heddiw a'r meibion sy'n rhedeg y busnes wedi i
mi ymddeol. Er hynny, ar un adeg mi fues yn cyflogi dros
gant o ddynion.

Yn ystod y dyddiau cynnar, cefais gyfle i osod pris am
godi dau fynglo newydd ar dir y Rheithordy. Roedd Syr Billy
Butlin yn talu am eu codi gan ei fod yn rhoi arian i'r Eglwys.
Wrth arwyddo'r cytundeb, roedd yn rhaid trefnu amser i'w
gorffen gan fod Billy Butlin yn dychwelyd o'r America er
mwyn eu hagor yn swyddogol. Pan ddaeth y dydd hwnnw,
bu gwasanaeth mawr yn yr eglwys, gyda dau neu dri esgob a
sawl rheithor yn bresennol. Wedi'r gwasanaeth, cynhaliwyd
seremoni i agor y tai'n swyddogol cyn mynd i'r George i gael

te. Roedd Linor a minnau yn eistedd ar yr un bwrdd â Billy Butlin.

Cefais gyfle i brisio gwaith ail-wneud tu blaen rhai o siopau'r Stryd Fawr yng Nghricieth. Er mwyn gwneud y gwaith rhaid oedd cael coed arbennig o'r enw *Burma Teak*, pren caled ond drud ofnadwy. Y fforman yn y gweithdy ar y pryd oedd Bob Jones (Robin Pen Bont) o Lanystumdwy. Un diwrnod, daeth Robin ataf a dweud:

'Mae'n ddrwg gen i ond fedra i ddim cario 'mlaen efo'r gwaith 'ma.'

'Be sy'n bod?' holais.

''Dw i wedi cael *rash* drosta i i gyd.' Roedd y llwch mor fân wrth lifio'r *Burma Teak* fel ei fod yn cael effaith ar groen Bob.

'Marciwch chi'r coed ac mi wna innau'r gwaith arnyn nhw gyda'r nos,' meddwn.

Felly y bu, ac mi gwnes i nhw i gyd. Wedi gorffen y gwaith, cefais helynt efo 'ngwynt. Roeddwn i'n cloi a fedrwn i ddim cael fy ngwynt – a minnau'n dal i geisio rhedeg y busnes. Galwais am y meddyg, a gyrrwyd fi ar frys i'r hen C&A ym Mangor. Yn digwydd bod, doedd dim gwely'n sbâr, felly yn y pasej oeddwn i ac mi gofiaf i dri meddyg ddod yno i roi pigiad i mi – roedd peryg i'r galon stopio wrth ei roi. Effaith llwch y *Burma Teak* oedd arna inna.

Ymhen diwrnod neu ddau, yr oedd wedi clirio ac mi gefais ddod adra – ar ddydd Sadwrn. Es i weld gêm bêl-droed yn y prynhawn a bûm yno am ryw awr cyn dod yn ôl i'r tŷ. Y noson honno, daeth y mygdod yn ôl. Erbyn dydd Llun, rhaid oedd galw'r meddyg a Doctor Tudor (Jones) ddaeth i'm gweld. Dyma fo'n dweud;

'Gwranda, 'dw i am ffonio Machynlleth – mae yna arbenigwr yr ysgyfaint, Doctor Thomas, yn yr ysbyty yn y fan honno.'

Galwyd am dacsi i fynd â fi i Fachynlleth. Huw Crydd

oedd yn gyrru. Roedd ganddo goes bren, a sôn am siwrnai! Mi dreuliais bythefnos yn Ysbyty'r Frest ym Machynlleth ac yn ystod y cyfnod hwnnw, roeddwn yn dal i redeg fy musnes – o'r ciosg ffôn yn y pasej! Allwn i ddim rhoi'r gwaith hwnnw i unrhyw un arall ar y pryd.

Cliriodd Dr Thomas yr anhwylder ymhen pythefnos ac wedi fy rhoi ar *cortisone*, mi fûm yn mynd unwaith y mis i'w glinig yn Nolgellau. Mi fûm am wythnos yn ysbyty Machynlleth am yr eilwaith, er mwyn iddo gael gwneud profion arnaf. Cadwodd Dr Thomas fi i fynd ac erbyn heddiw rwy'n cael *inhaler* ac mae hwnnw wedi newid fy mywyd yn llwyr.

Pan oeddwn yn codi'r ddau fynglo, roedd y ffordd atynt mor gul fel na allai'r lorri fawr oedd yn cario blociau fynd i'r safle. Roeddwn wedi gofyn iddynt roi'r blociau ar y lôn ond mae'n debyg nad oedd gyrrwr y lorri yn deall Cymraeg Eifionydd gan mai ar y lawnt o flaen ein tŷ ni y dadlwythwyd hwy! O ganlyniad, doedd Linor ddim yn gallu gweld allan drwy'r ffenest. Bu'n rhaid defnyddio lorri fach i'w cario i'r safle.

Ar yr un pryd, roeddwn yn gorffen atgyweirio'r siopau ac ro'n i mor brysur ar ôl dod adra nes bod deg awr y dydd ddim yn ddigon. Bûm hefyd wrthi'n codi tŷ newydd ym Mhwllheli a'i ddarfod cyn mynd yn ôl i Fachynlleth am yr eildro. Roeddwn mor brysur fel nad oeddwn yn cael amser i wneud y biliau. Byddwn yn gwneud cyfrifon *P.A.Y.E.* ar ddydd Gwener wrth gael cinio ac wedyn gwneud rhestr gyflogau cyn mynd am y banc ar ôl gorffen fy nghinio.

Es i lawr i'r banc un dydd Gwener a rhoi'r rhestr i'r ferch wrth y cownter. Dyma hi'n troi ataf â phiti'n llenwi ei hwyneb:

'Mae'r rheolwr eisiau eich gweld.'

Dyma fi drwy'r drws i'w ystafell.

'Isio pres ydach chi?' gofynnodd Peredur Williams.

Wyth can punt oedd ffin y benthyciad i fod ar y cyfrif.

'Ydach chi'n gwybod eich bod chi wedi mynd dros eich *limit?*'

Doeddwn i ddim wedi sylweddoli hynny.

'Mae'n ddrwg gen i, gewch chi nhw ddydd Llun.'

'Dydi hynny ddim digon da, dydach chi ddim yn cael dima'n fwy.'

Gan fod y banc yn dal gweithredoedd dau dŷ a pholisïau yswiriant o'm heiddo, gofynnais wedyn am bres.

'Dim dima,' medda fo.

Es allan o'r banc mewn sioc. Yna cofiais fod Sam y Becar, brawd fy nhad, wedi dweud wrtha i am fynd ato os oedd angen rhywbeth arna i. Cyn mynd, mi gofiais yn sydyn fod gen i dystysgrif yn fy mhoced, sef y taliad cyntaf am godi'r tŷ newydd ym Mhwllheli (nid siec syml, sylwch, ond *Architect's Certificate, Please pay the builder, H. Jones, the sum of £5,000*). Roedd hi yn fy mhoced ers wythnos. Roeddwn yn codi'r tŷ i'r dyn oedd â siop y drws nesaf i'r banc, sef Mr Davies yr Eifion. Tynnais y dystysgrif allan ac es i'r Eifion. Roedd Mr Davies – gŵr yr oedd gen i barch mawr tuag ato – yn y siop a dyma fi'n dweud wrtho:

'Mewn ffics ydw i'r wythnos yma ac yn meddwl y basach chi'n gallu talu hon i mi. Mae'n ddrwg gen i na ddois â hi yma'n gynt.'

Dyma fo'n edrych arni:

'Mae'n ddrwg gen i, ond fedra i wneud dim rŵan.' Aeth y gwaed yn ôl i'm traed. 'Ond os ddoi di'n ôl am hanner awr wedi un, mi fydda i wedi cael y wraig i'w harwyddo, achos yn ei henw hi y mae'r tŷ.'

Doedd dim pwrpas i mi fynd adre'n ôl, felly es i weld Mrs Davies Hughes, Medical Hall, i ladd amser. Es i mewn drwy'r drws ac roedd hi'n fy ngwynebu. Roedd hi'n gyfnither gyfan i Cynan, a gofynnodd i mi a oeddwn wedi dod â'r bil am wneud blaen y siop. Atebais nad oeddwn, ond y byddai yno ddydd Llun. Os cofia i'n iawn, roedd y bil tua phum mil o bunnau. Mi ges baned o goffi efo hi a dyma hi'n gofyn ai hogia oedd gennyf, a finnau'n dweud mai dyna oedd gennyf.

'*Do you want a tip from me?*' (roedd hi'n tueddu i droi i'r Saesneg yn aml). '*Never leave your children money, but leave the means to make money,*' a dyna wnaethom efo'r hogia hyd heddiw. Mae llawer wedi gadael pres i'w plant a'r rheiny wedi eu gwastraffu'n ofer wedyn.

Am hanner awr wedi un, es drosodd at Mr Davies yr Eifion a chael siec am £5,300 ac mi es yn syth i'r banc. Roedd yr un eneth yn dal i fod yno, ac yn dal yn llawn piti:

'Eisiau Mr Williams ydach chi? Mae gen i ofn nad ydi o'n dod yn ôl o'i ginio tan ddau o'r gloch.'

Es yn ôl at Mrs Davies Hughes. Bum munud i ddau, gwelais y rheolwr yn dod mewn *Mini Minor* gwyn. Rhoddais bum munud iddo, ac yna es yn f'ôl. Gyrrodd yr eneth fi'n syth ato. Roedd yn sefyll y tu ôl i'r ddesg yn smocio cetyn.

'Dod yma i chwilio am bres ydach chi eto?'

'Ia, ydach chi wedi'n ffeindio fi'n dweud clwydda?'

'Naddo.'

'Os 'dw i'n deud fod gen i bymtheg mil allan, gallwch fentro fod yna ddeg mil ar hugain i ddod yn ôl.'

''Dw i'n gwybod hynny, ond chewch chi ddim dimai heddiw.'

Dyma fi'n taflu'r siec ar y ddesg. Cafodd dipyn o sioc.

'Mi gewch chi roi'r pres i mi, a chaewch fy nghyfrif yn y banc yma,' ac allan â fi drwy'r drws. Roedd y piti yn dal yng ngwyneb y ferch y tu ôl i'r cownter.

'Cerwch i ofyn i'r blydi ffŵl gwirion am bres,' meddwn.

Mi ddoth y rheolwr allan yn wên o glust i glust ac allan â fi efo'r pres, i wneud y cyflogau.

Ar ôl gorffen fy ngwaith, gyrrodd Linor fi i'r Medical Hall i nôl ffisig. Wrth fynd am y gornel, mi ddois wyneb yn wyneb â rheolwr y banc.

'Harri,' medda fo, 'mae gin i newydd da; 'dw i 'di codi'r *limit* i fil a hanner.'

'Stwffiwch eich blydi *limit*,' meddwn, ac i ffwrdd â fi.

Bob bore Sadwrn, byddai Peredur Williams y banc a'i wraig yn dod acw i'r tŷ, ac yntau'n cael torri coed tân o'r hen ddarnau oedd ar ôl yn y gweithdy. Saer oeddwn i, yn gwybod dim byd am fancio a dim syniad sut i newid banc! Ar ôl hynny, deuthum i sylweddoli fod yn rhaid bod yn fwy trefnus efo'r biliau a'r penwythnos hwnnw, mi wnes drefn ar y biliau. Roeddwn wedi dysgu fy ngwers ac mi ges filoedd i mewn yn ystod yr wythnos nesaf. Doedd yr hyn a wnaeth y rheolwr ddim mor ddrwg â hynny achos mi ddysgais wers werthfawr a gweld mai arna i oedd y bai.

Ar ôl i'r cyfnod hwn fynd heibio, yr oeddwn yn prisio am floc o fflatiau henoed i Gyngor Cricieth, sef Llys Perlysiau, fflatiau ac ystafell gymdeithasol. Y pris a roddais oedd £36,000. Collais y gwaith gan i Watkin Jones ei phrisio ddau gan punt yn rhatach. Ymhen rhyw bythefnos, gofynnodd clerc y cyngor i mi fynd yno i'w weld.

'Ydach chi'n dal efo diddordeb?'

''Dw i 'di'i cholli hi.'

'Wel, mae Watkin Jones isio dau gant yn fwy am fod pris petrol wedi codi.' Roedd hyn yn ystod y Rhyfel Saith Diwrnod rhwng Israel a'r Arabiaid yn 1967, pan oedd Camlas Suez wedi'i chau. Felly, fi gafodd y gwaith.

Dechreuais ar y gwaith a gwelwn fod llawer o waith tyllu i'w wneud. Roedd peiriant newydd ar y farchnad – y JCB, neu'r Jac Codi Baw fel y cafodd ei alw wedyn, a theimlais fod angen cael un ar gyfer y gwaith. O dan gynllun y llywodraeth Lafur oedd mewn grym, byddai unrhyw un a brynai beiriant a'i gadw ar waith am naw mis, yn cael 50 y cant o grant tuag at bris y peiriant. Tair mil oedd y pris y byddwn yn gorfod ei dalu am JCB. heb y cynllun hwnnw. Es at reolwr y banc a dweud:

'Mae gen i ddigon o waith i *JCB*, ac mi gawn un am fil a hanner. Be 'da chi'n 'i feddwl?'

'Mi fedra i wneud ail gyfrif i chi ar hwn,' meddai.

Doeddwn i ddim wedi penderfynu, a ddywedais i ddim wrtho. Yn y cyfamser, roedd Peredur Williams wedi ymddeol o'r banc a Mr Buckingham wedi dod yn ei le. Daeth caniad i'r tŷ a dywedodd Linor fod y rheolwr am fy ngweld. Es i lawr i'r banc ac i weld y rheolwr yn ei ystafell.

"Dw i'n gweld o'r nodiadau eich bod wedi gwneud cais i brynu *JCB*. Pam 'da chi wedi tynnu'n ôl?'

"Dw i ddim 'di tynnu'n ôl, dim ond 'mod i ddim yn saff fy hun. Be 'da chi'n feddwl o'r syniad?'

'Gwrandwch,' medda fo, 'mae gen i ddigon o ffydd ynddoch chi.'

'Iawn. Ga' i fenthyg y ffôn am funud?'

Mi ffoniais y cwmni a phrynu *JCB* newydd sbon dros y ffôn y munud hwnnw.

Meddai'r rheolwr:

"Dw i am ddeud wrthych chi mai chi ydi'r cwsmer gorau yn y banc ac wedi cael testimonial gan Mr Williams.'

Yr hen reolwr oedd yn iawn yn y diwedd.

Datblygu a Rhedeg y Busnes

O'r cychwyn, fi oedd yn rhedeg y busnes ac yn gwneud y cwbl – prisio, gwaith coed, trefnu a thalu biliau, a phob dim arall. Yn ystod y cyfnod wedi i mi ddod adra o'r ysbyty ym Machynlleth roedd gen i lorri fechan i gario pob dim ar gyfer y gwaith ac fe dorrodd honno. Gan fod John fy mrawd yn fecanic ac yn dal i fyw yn y De, dyma fi'n ei ffonio a gofyn iddo chwilio am un ail-law go lew.

'Mi wn am un,' medda fo, 'Mi pryna i hi i ti a dod â hi i fyny.' Cyrhaeddodd yn y lorri a phan welais i John, roeddwn wedi dychryn am fy mywyd – doedd yna ddim ohono, bron. Gofynnais iddo a oedd yn wael.

'Ydw braidd, 'dw i 'di cael helynt efo'r wraig.' Roedd y briodas wedi chwalu a'u bachgen pump oed yn cael ei ddynnu'n rhacs rhwng y ddau. 'Dw i am ddod adra,' medda fo.

'Yli,' meddwn, 'mi helpa i di ym mhob ffordd ac mi gei di ddod i weithio efo fi.'

Ac felly y bu. Mi newidiodd fy mywyd yn llwyr ar ôl iddo ddod ataf. Dim ond hanner y baich oedd ar fy 'sgwydda i wedyn gan ei fod yn cymryd hanner y gwaith. Roedd pwysau trwm wedi'i godi oddi arnaf. Ar y cychwyn, gweithio i mi oedd o, er, yn ddiweddarach, daeth yn bartner yn y busnes. Roeddwn wedi cael mecanic a dyn i weithio yn y swyddfa felly doedd dim cymaint o straen ac fe gawn fwy o amser i brisio jobsys.

O gwmpas 1973, pan oedd llywodraeth leol ar fin cael ei had-drefnu, roedd llawer o'r hen gynghorau'n gwario'r pres oedd wrth gefn yn y coffrau. Enillais gytundeb gwerth £320,000 gan Gyngor Porthmadog i ail-wneud 118 o dai cyngor ym Mhensyflog, Porthmadog – gosod boeleri, gwres canolog, ceginau ac ati ym mhob un. Hefyd, llwyddais i ennill cytundeb i adeiladu bloc o fflatiau ym Mryn Llywelyn, Penrhyndeudraeth. Ar yr un pryd, roeddwn wedi cael gwaith i godi tua deuddeg o geginau croes neu estyniadau yng nghefn tai; hyn i gyd ar ben digon o waith arall yn cynnal a chadw i'r Cyngor Sir. Roedd tua hanner cant yn gweithio i'r cwmni erbyn hyn, gan gynnwys pedwar plymar ym Mhensyflog yn unig. Yr unig broblem oedd bod chwyddiant yn cynyddu'n aruthrol ac fe allai hynny fod yn beryg gan fod y cytundebau wedi eu rhoi cyn y chwyddiant mawr. Er bod yr undebau wedi cytuno nad oedd codiad cyflog i fod am flwyddyn, roedd cynnydd yn y chwyddiant yn golygu fod pris y nwyddau'n codi. Felly, dyma John a minnau'n dod i benderfyniad i brynu'r nwyddau i gyd cyn i'r prisiau godi'n uwch. Rhaid oedd cael 118 boeler nwy, celfi'r ystafell ymolchi, ceginau a drysau, ac fe gefais bris da am fy mod yn prynu cymaint gyda'i gilydd. O ganlyniad, bu'n rhaid cael gafael ar lefydd i gadw'r holl nwyddau, felly mi rentiais adeiladau yng Nghricieth a Phorthmadog. Ymhen y mis, roeddwn yn cael 90 y cant o bris y nwyddau gan y Cyngor.

Rhaid oedd gorffen y gwaith yn ystod y flwyddyn cyn yr ad-drefnu. Cyn belled ag yr oedd Bryn Llywelyn yn y cwestiwn, roeddwn wedi rhoi pris am y gwaith flwyddyn ynghynt ond fe'i collais i gwmni o Ganolbarth Cymru. Yn ystod y flwyddyn, aeth y cwmni hwnnw i'r wal, felly roedd yn rhaid ail-brisio'r gwaith. Cyn mynd yn fethdalwr, roedd y cwmni wedi gwneud y sylfeini ond roedd y safle wedi mynd yn wyllt a gwair tal wedi tyfu ymhob man ar ôl bod yn sefyll am fisoedd. Felly, rhaid oedd rhoi dau bris – un am y deunyddiau oedd eisoes ar y safle a phris am y gwaith adeiladu. Roedd gan bob cwmni ofn mentro gan fod un cwmni wedi mynd i'r wal yn barod. Beth bynnag, mi gefais y gwaith, a phan aed i gychwyn, roedd y gwair wedi marw a gwelwn fod llawer mwy o ddeunyddiau yno nag yr oeddwn wedi eu prisio.

Cefais flwyddyn i orffen y cytundebau yma i gyd. Y gwaith anoddaf oedd hwnnw ym Mhensyflog gan fod pobl yn byw yn y tai. Rhoddais hynny yng ngofal John ac aeth pob dim yn hwylus a llwyddwyd i wneud i'r gwaith dalu. Petawn heb wneud yr hyn a wnes, byddai graddfa'r chwyddiant wedi golygu colled ariannol.

Ar ôl gorffen ym Mhensyflog, y joban nesaf oedd adeiladu cartref i'r henoed ym Mhlas y Don, Pwllheli. Roedd y gwaith bron â bod yn gan mil o gontract ac roedd gennyf union flwyddyn i'w chwblhau. Gŵr o'r enw Arfon Hughes (y diweddar erbyn hyn), pensaer i hen Gyngor Sir Gaernarfon, a'i cynlluniodd, a chofiaf i lond bws o benseiri o Loegr ddod i weld y gwaith gan fod yr adeilad yn un arloesol ac yn gynllun newydd sbon. Ynddo, roedd un adeilad hir ac yn y cefn, nifer o unedau cartref yn dod oddi ar y prif adeilad, a phob uned yn cynnwys deg fflat i unigolion ac un fflat dwbl. Y syniad oedd gosod pobl yn yr unedau, gweld sut yr oeddynt yn gallu cyd-fyw, ac wedyn symud rhai o gwmpas hyd nes yr oedd pawb yn gytûn mewn un uned. Trefn newydd oedd hyn, gydag un ystafell fwyta fawr yn y prif adeilad ac ystafell fwyta fach ymhob uned.

Wrth wneud y sylfeini, rhaid oedd gosod pibellau (*ducts*) gwres o dan y lloriau a byddai'r gwres yn dod i fyny drwy dyllau bach yn y llawr ymhob fflat. Yna, byddai ffaniau mawr yn chwythu gwynt cynnes drwy'r pibellau, a oedd wedi eu gwneud o sinc ac wedi eu claddu mewn concrid.

Rhaid oedd gorffen y gwaith i gyd erbyn y Nadolig a byddai'r cartref yn cael ei drosglwyddo i'r Cyngor ar ddiwrnod cyntaf y flwyddyn newydd. Daeth peiriannydd o Lundain i osod y system wresogi ac erbyn iddo gyrraedd, yr oeddem wedi gorffen y gwaith. Am ddeg y bore cyn y Nadolig, daeth y peiriannydd i brofi'r system a minnau ar y safle i'w gyfarfod. Gweithiai pob dim yn iawn heblaw am fflat y metron a'r is-fetron.

'*I'm afraid you are in trouble,*' medda fo, '*your ducts have collapsed here.*'

Golygai hynny dyllu'r cwbl unwaith eto a chredwn y byddai'n costio tua deng mil i ail-wneud y gwaith. Es am baned i ganol Pwllheli – a dweud y gwir, doeddwn i ddim yn siŵr beth i'w wneud. Dychwelais i'r safle ymhen rhyw awr. Fedrwn i ddim credu ei bod hi'n bosib fod pob un o'r pibellau wedi malu. Agorais ddrws i un uned a dyma aer poeth yn dod i 'ngwyneb. Rhaid bod rhywbeth wedi symud ac es yn ôl at y peiriannydd a gofyn:

'*Come here, you've just told me that the ducts have collapsed in this block and now I can feel the warm air everywhere. Tell me the truth and don't lie.*'

'*Yes,*' medda fo, '*the belt of the fan has broken.*'

Doedd y peiriant ddim yn chwythu aer drwy'r pibellau ac mi gyfaddefodd mai fo oedd wedi gwneud camgymeriad. Y newydd hwn oedd yr anrheg Nadolig orau a gefais erioed!

Wedyn, cefais waith i godi deg bynglo i Gyngor Tref Pwllheli y drws nesaf i Blas y Don. Wrth i ni eu codi, daeth llond bws o ddynion o ochrau Caer i bicedu'r safle fel rhan o streic adeiladu oedd yn digwydd ar y pryd, a bu'n rhaid cau'r safle am bythefnos. Yr oeddwn wrthi'n gwneud gwaith adeiladu yn ffarm Beudy Glas, Cricieth, pan ddaeth galwad i mi fynd ar frys i'r safle ym Mhwllheli gan fod y bysiad o bicedwyr wedi cyrraedd yno. Doedd gen i ddim dewis ond cau a dweud y gwir.

Pan gyrhaeddodd y bws, roedd un o'r gweithwyr, Robin Parry, a oedd yn dipyn o gymeriad, wrthi'n toi ar un o'r tai. Be' wnaeth o ond mynd y tu ôl i'r corn a chuddio yno i gael smoc. Yn anffodus, gwelodd y picedwyr fwg y sigarét yn codi o'r tu ôl i'r corn a dyma un yn gweiddi:

'*If you don't come down, we'll come up and get you.*'

Doedd Robin yn poeni dim, ond fe ddaeth i lawr oddi ar y to.

Tra'n sôn am Robin Parry, yn ystod gaeaf caled 1963 yr oeddwn wedi cael y gwaith o ail-wneud seler y Medical Hall yma yng Nghricieth ar gyfer ei droi yn gaffi. Golygai'r gwaith ostwng llawr y seler rhyw lathen. Gan fod storm o eira newydd fod, yr oedd pob contractor arall wedi stopio'u dynion, ond gan fod y gwaith hwn dan do, yr oedd yn bosib i ni gario 'mlaen. Gan fod y gwaith o ostwng y llawr yn digwydd y tu mewn i'r seler, roedd yn rhaid ei wneud efo llaw gan nad oedd lle i fynd â pheiriant i mewn. Pan es i lawr yno, yr hyn a welwn oedd anferth o garreg fawr yng nghanol y llawr. Wrth dyllu, roedd y gweithwyr wedi dod ar ei thraws a doedd dim modd mynd â hi drwy'r drws na rhoi clec iddi efo powdwr a hithau o dan y siop.

'Be' ti am neud efo hon?' holodd Robin Parry.

'Rwyt ti'n gwybod yn iawn be i'w neud,' atebais. 'Caria mlaen.'

Doedd gen i ddim syniad a dweud y gwir. Es oddi yno gan bendroni beth i'w wneud efo'r garreg. Bûm yn troi a throsi drwy'r nos wrth feddwl am ateb i'r broblem. Y prynhawn wedyn, es i'r safle ond doedd dim golwg o'r garreg yn unman. Yr oedd Robin Parry wedi canfod yr ateb i'r broblem – tyllu anferth o dwll a rowlio'r garreg iddo. Roeddwn yn rhy ddwl i weld yr ateb. Fedrai Robin Parry ddim sgwennu na darllen ond roedd yn ddyn clyfar iawn ac yn glyfrach na fi o'r hanner.

Un tro, yr oedd Robin adre'n sâl ac mi es â'i gyflog iddo fo. Curais y drws a chefais fynd i mewn. Eisteddais wrth y ffenest a dechrau sgwrsio gyda Robin a'i dad; Robin Parry oedd ei enw yntau hefyd. Yr oedd y cyfan yn y tŷ yn rhedeg ar drydan a dim tân glo. Wrth i ni sgwrsio, sylwais fod y prif swits trydan wrth fy ymyl. Diffoddais y swits, a chan ei bod hi'n dal yn olau dydd ni sylwodd yr un o'r ddau. Yr oedd hi'n fwriad gennyf ei droi yn ôl cyn mynd oddi yno ond, cyn i mi gael cyfle, dyma'r mab yn dweud:

'Be ma *MANWEB* yn 'i wneud yn ben y stryd?'

'Tria'r letric,' medda'r tad. Wrth gwrs, doedd dim byd yn gweithio a'r ddau'n cymryd fod yna doriad yn y cyflenwad.

Wrth sgwrsio, anghofiais y cwbl am y swits, ac roedd hi'n wyth o'r gloch arna i yn cofio. Es i lawr i'r tŷ a gwelwn olau cannwyll a thân yn y grât am y tro cyntaf ers rhyw ugain mlynedd. Doedd gen i ddim calon i fynd at y drws achos mi wyddwn y byddai yna andros o le petawn i'n cyfaddef i'r hyn a wnes.

Bob nos, byddai Robin, y tad, yn mynd i ben y drws ac yn edrych i fyny ac i lawr y stryd. Daeth allan y noson honno a gweld fod golau yn nhŷ pawb arall. I mewn â fo i'r tŷ a'r peth nesaf a welais oedd pob golau yn y tŷ yn dod ymlaen.

Y diwrnod wedyn, yr oeddwn yn gweithio yn siop y groser ar y Stryd Fawr. Pwy ddaeth i mewn ond Robin, y tad. Pan welodd fi, gwaeddodd:

'Mi ladda i di'r diawl,' a dod amdanaf gan godi ei ffon. Cael a chael wnes i ddianc o'r siop o'i flaen!

Ar y cychwyn, a minnau'n gwneud gwaith saer, yr oedd angen rhywun i blastro ar ôl i mi osod ffrâm drws neu ffenest. Yr oedd hi'n anodd cael gafael ar blastrwr gan fod y rhan fwyaf yn gweithio i adeiladwyr eraill. Dyna pryd y cefais afael ar Robin Parry – dipyn o gymeriad oedd yn gallu toi yn ogystal â phlastro. Welais i erioed neb cystal am allu dringo'n uchel i weithio – doedd ganddo ddim tamaid o ofn uchder. Un tro, yr oedd pot corn wedi malu ar do banc y Midland yng Nghricieth. Roedd o'n anferth o gorn, yn codi tua deuddeg troedfedd uwchben y to. Dywedais wrth Robin Parry fod gen i ddigon o sgaffaldiau yn yr iard i'w ail-wneud. Ymhen rhyw dair awr, yr oeddwn yn pasio heibio'r banc, a'r hyn welais oedd Robin Parry yn sefyll ar y corn wrthi'n rowlio sigarét yn braf a dim golwg o sgaffold yn unlle. Aeth i ben y corn drwy ddefnyddio ystol o ben y to. Er fy mod i'n poeni amdano, doedd ganddo ddim ofn.

Cefais gynnig prisio'r gwaith o dynnu anferth o gorn oddi ar do gwesty Caerwylan, Cricieth, oedd ag ugain o botiau arno. Llwyddais i gael y joban a rhoddais Robin Parry a thri arall yr oeddwn wedi dechrau eu cyflogi ar y gwaith.

'Gwranda rŵan,' meddwn wrth Robin, ''dw i isio tynnu'r corn i lawr ac mae 'na ddigon o sgaffold. Gei di lorri a dyn i'w cario. 'Dw i ddim isio i neb frifo. Fydda i ddim yma heddiw.'

Yr oeddwn yn mynd i Lerpwl bob mis i brynu coed, ac wrth fynd y diwrnod hwnnw, dywedais wrth Linor 'mod i'n siŵr y byddai'r gwaith wedi ei wneud heb sgaffold. Pan gyrhaeddais yn ôl y noson honno, roedd y corn i lawr. Pan es i lawr yn y bore, mi godais uffarn o dwrw:

'Pam ddiawl na fasach chi 'di gosod sgaffold ar hwnna?'

'Gwranda,' medda' Robin, 'roedd y brics mor rhydd, dim ond eu pasio o law i law fesul un allen ni ei wneud, a rhoi ystol nid sgaffold oedd y ffordd saffa.'

'Wel, paid â gneud hynny eto.'

Y diwrnod wedyn, yr oeddan nhw'n ail-doi'r rhan lle bu'r corn a gorffennwyd y gwaith i gyd o fewn llai nag wythnos. Gan i ni wneud y gwaith mor sydyn, yr oedd y perchennog yn meddwl ei fod wedi cael cam, felly bu'n rhaid tynnu pres oddi ar y cytundeb!

Cytunaf fod rheolau iechyd a diogelwch yn bwysig, ond yn fy marn i, maen nhw'n cael eu gor-wneud ac wedi mynd yn wirion bost. Does dim synnwyr cyffredin ac ambell dro, mae cydymffurfio â'r rheolau yn costio mwy na'r gwaith, bron. Yn ystod fy oes i, ystol fyddai paentwyr yn ei defnyddio – un yn paentio a'r llall wrth draed yr ystol, yna newid drosodd bob yn ail. Er mor uchel yr âi'r ystolion weithiau, chlÿwais i erioed sôn am ddamwain wrth baentio y tu allan i dŷ yn yr ardal hon. Heddiw, mae'n rhaid cael sgaffold i wneud y gwaith, ac mae hynny'n dyblu'r gost. Wrth godi tŷ ers talwm, byddai'r sylfeini a'r gwaith codi'n cael ei wneud o'r tu fewn, ac wedi cyrraedd y distiau, rhoi

Agoriad swyddogol Swyddfeydd Dwyfor.
Y fi yw'r ail o'r chwith yn y cefn.

planciau arnynt er mwyn toi. Yr unig adeg y câi sgaffold ei ddefnyddio oedd wrth blastro y tu allan. Erbyn heddiw, mae sgaffold yn gallu bod i fyny am naw mis wrth godi tŷ.

Ar un adeg, yr oedd cwmni mawr o Loegr o'r enw Condor yn arbenigo ar godi fframweithiau dur. Y cwmni hwn enillodd y cytundeb i godi adeilad newydd i Gyngor Dwyfor ym Mhwllheli yn 1974 gan ei fod yn arbenigo yn y math hwn o gynllun. Gwnaed y cynllun am ddim a'i gynnig i'r Cyngor. Gwelodd y Cyngor ei fod yn gynllun addas ac aed ati i gael prisiau am y gwaith adeiladu. Ymysg eraill, cefais y fraint o gynnig pris am wneud y gwaith a fi roddodd y cynnig isaf – rhwng £900,000 a £1,000,000. Golygai hynny mai fy nghwmni i fyddai'n gwneud y gwaith adeiladu ond Condor fyddai'n gwneud y ffrâm ddur, y to, y gwaith plymio a'r gwaith trydan.

Gan fod chwyddiant yn rhedeg ar tua 15 y cant yr adeg honno, a neb yn gwybod beth fyddai'r lefel yn y dyfodol, cyflwynodd y llywodraeth gynllun y *Nado Formula*, a olygai y byddai'r llywodraeth yn cyflwyno ffigurau misol i ddangos lefel chwyddiant ac yn rhoi arian ychwanegol ar ben y pris gwreiddiol i wneud iawn am y cynnydd hwn.

Er i'r Cyngor dderbyn fy mhris o fewn tri diwrnod, nid oedd am dderbyn y *Nado Formula* – rhaid oedd cael un pris a gofyn i mi edrych arno ac ystyried faint y byddwn ei angen ar ei ben ar gyfer y chwyddiant. Cefais ar ddeall fod pwysau ar y Cyngor gan y Swyddfa Gymreig i osod y cytundeb.

Cynhaliwyd cyfarfod gyda chynrychiolwyr cwmni Condor. Eglurwyd nad oedd Cyngor Dwyfor am dderbyn y *Nado Formula* a bod rhaid cynnig un ffigwr am y chwyddiant. Dywedais fy mod angen mynd i'r 'lle chwech', ond angen munud i feddwl oeddwn i. Pan ddeuthum yn ôl, dywedais fod yn rhaid cael 15 y cant ar ben y pris gwreiddiol. Ffoniwyd y swyddog perthnasol yn y Cyngor gyda'r pris ac fe'i derbyniwyd yn y fan a'r lle.

Dechreuodd yr hogia glirio'r safle a gwelsom fod angen cryn dipyn o lenwi arno gan fod y tir yn wlyb ac o dan lefel y môr. Rhaid oedd llenwi hyd at wyth troedfedd a chariwyd miloedd o dunelli o ddeunydd yno o Chwarel Nanhoron ar gyfer y gwaith. Gan fod cryn ansicrwydd ynglŷn â chwyddiant a phrisiau'r deunyddiau, rhaid oedd rhentu adeiladau o gwmpas Pwllheli a phrynu'r deunyddiau ymlaen llaw i'w storio rhag ofn y codai'r prisiau'n sylweddol.

Mi fues ar y joban hon am un mis ar ddeg. Yr oeddwn y cyntaf ar y safle yn y bore a'r olaf i adael yn y nos. Gadewais y cyfrifoldeb am redeg gweddill gwaith y cwmni yn nwylo John, fy mrawd, tra oeddwn i ar y safle. Er cael ambell broblem wrth wneud y gwaith, daeth y cwbl i ben bythefnos yn gynnar. Bu o leiaf hanner cant o ddynion wrthi'n gweithio'n rheolaidd ar y safle ac fe gafwyd canmoliaeth gan Condor. Ond er ei fod yn gwmni rhyngwladol mawr, aeth Condor yn fethdalwr yn ddiweddarach yn dilyn problemau â chytundebau yn y Dwyrain Canol.

Yn ddiweddar, gwelais yn y papur dyddiol fod cwmni

Watkin Jones wedi cael siom wrth ddeall fod amryw o gynghorau lleol wedi dewis cael pedwar cwmni adeiladu mawr o Loegr i wneud eu holl waith, sef adeiladu ysgolion, cartrefi henoed a chontractau eraill. Os yw hyn yn parhau, fydd yna ddim gobaith i adeiladwyr lleol gyflogi dynion lleol a phrentisio hogia lleol. Ers i mi ddechrau'r cwmni, mi brentisiais gannoedd o hogia lleol ac, erbyn hyn, mae'r rhai sy'n cynnig am waith yn erbyn y cwmni yn rai yr ydw i wedi eu prentisio!

Pan ddaeth y gwaith ar Swyddfeydd Cyngor Dwyfor i ben, yr oedd Cyngor Sir Gwynedd am adeiladu swyddfeydd newydd yng Nghaernarfon ond gan nad oedd yna'r un cwmni'n ddigon mawr i wneud y cyfan o'r gwaith, yr hyn a benderfynwyd gan y cynghorwyr oedd cyflogi Cwmni Rheoli Laing i redeg y prosiect fel y gallent roi'r gwaith i gwmnïau lleol mewn darnau bach. Penseiri'r Cyngor fyddai'n cynllunio sut i wneud pob rhan o'r gwaith.

Rhannwyd y cynllun yn rhannau A, B, C ac yn y blaen, gyda phob cwmni'n cael cynnig yn gyntaf am ran A, oedd yn cael ei gynllunio ar gyfer Adran Addysg y Cyngor. Watkin Jones gafodd y gwaith o wneud y sylfeini a finna gafodd y gwaith o wneud pob dim arall – codi waliau, toi, plastro ac yn y blaen. Wedyn, pan oedd y gwaith wedi dechrau ar ran A, roedd cyfle i brisio ar gyfer rhan B, sef y prif adeilad. Watkin Jones gafodd y rhan fwyaf o'r gwaith hwnnw a finna'n cael y gwaith coed a llechi i gyd. A dweud y gwir, mi weithiodd pob dim yn iawn ar gyfer rhan A, a pan oeddwn i'n dechrau ar y gwaith toi, daeth un o reolwyr Laing yno a dweud:

'I know nothing about slates.'

'You don't have to,' medda fi, 'I'll show you and tell you all about them,' ac mi ddysgais iddo bopeth am lechi hyd nes ei fod yn gwybod yn o lew. Deuthum yn dipyn o ffrindiau efo fo am ei fod yn foi iawn. Tom Brodie oedd ei enw, a dyma ofyn iddo un diwrnod o ble yr oedd o'n dod.

'*I was brought up in Carlisle,*' medda fo.

'*The only man I know from Carlisle is a fellow called Alistair Leslie. I was with him at sea. He was a young lad when I first met him and we got on very well. The only thing I know about him was that his father was a station master in Carlisle.*'

'*He's my cousin,*' medda fo.

Dyna beth oedd cyd-ddigwyddiad. Ar ôl hynny, daethom yn fwy o ffrindiau.

Gorffennwyd rhan A mewn da bryd, ac roeddem wedi rhoi llechi ar do rhan B pan ddechreuodd pethau fynd o chwith. Roedd y drysau yn y rhan honno i gyd yn saith troedfedd o uchder, yn llathen o led ac wedi eu gwneud yn arbennig. Rhoddais bris o tua mil o bunnau yr un ar y drysau yma gan fod clo arbennig arnynt, a'r fframiau wedi eu gwneud o goedyn Iroco – coedyn drud iawn, rhyw fath o fahogani. Wrth i'r gwaith fynd yn ei flaen, yr oeddynt yn gofyn am osod drysau ychwanegol, ugain ohonynt. Yn y cyfamser, rhaid oedd cael yr hyn a elwir yn 'Architect Instruction' (A.I.) er mwyn gwneud y gwaith ychwanegol, oedd hefyd yn cynnwys mwy o ffenestri. Dyma Mr Jones yn y swyddfa'n dweud:

'Mae rhywbeth o'i le yng Nghaernarfon 'na, mae 'na fwy yn mynd allan nag sy'n dod i mewn.'

Roedd gen i Quantity Surveyor (Q.S.) o'r enw Geraint Williams yn gweithio i mi ond, yn ystod y gwaith, fe adawodd er mwyn mynd i weithio i ffwrdd. Felly, mi fûm i heb Q.S. am gyfnod, ond roedd y gwaith papur yn iawn. Laing's oedd i wneud y cyfrifon ac i dalu am y gwaith. Es ar eu holau i ddweud nad oeddwn wedi cael digon o bres i dalu am yr A.I., ond nid oeddynt yn cymryd unrhyw sylw. Beth wnes i oedd cyflogi Q.S. arall, dyn o'r enw John Gruffydd o Nefyn, i ddod â'r pethau at ei gilydd. Deuthum yn ffrindiau efo fo, ac wedyn byddwn yn ei gael i brisio ambell joban. Mi ddysgais lawer iawn ganddo am gyfrifoldebau Q.S., y canllawiau a'r rheolau cyfreithiol, a dod i gael crap go lew ar y gwaith. Yr oedd John Gruffydd, hefyd, wedi pasio fel pensaer ac yr oedd yn ddyn mor glyfar fel bod mynd i'r coleg a phasio arholiad yn ddim byd iddo. Fo ydi'r unig un y gwn amdano yn yr ardal hon sy'n arbenigwr ar yr hyn a elwir yn *Party Wall Act*, sef y problemau a all godi wrth i gymdogion rannu wal derfyn, corn ac yn y blaen. Rydw i yn dal yn ffrindiau efo fo, ac mae gen i barch mawr tuag ato fel un o'r dynion clyfraf yn Llŷn.

Yn y cyfamser, yr oedd llawer o ddiweithdra gan fod chwech o gwmnïau adeiladu wedi mynd i'r wal ar y joban hon gan iddynt brisio'r gwaith yn rhy isel. Mi fûm i a John Gruffydd yn mynd drwy'r pethau a lluniwyd dogfen tua mil a hanner o dudalennau yn rhestru pob peth yr oeddwn wedi ei wneud o'r dechrau i'r diwedd ar y gwaith. Doedd Pensaer y Cyngor Sir ddim eisiau gwybod am y broblem, felly es i Nantwich i weld James R. Knowles a mynd â'r ddogfen iddo. Q.S. oedd hwn, a oedd hefyd yn Q.C., ac yn un o'r arbenigwyr mwyaf yn y maes. Aeth drwyddi a dweud:

'*These people owe you a lot of money.*'

Gofynnais iddo weithio ar fy rhan, a lluniodd andros o fil i hawlio'r pres ganddynt. Credwn ei fod yn werth ei wneud er fy mod yn gorfod talu biliau'r dyn. Doedd Laing's yn cymryd dim sylw, na'r Cyngor Sir chwaith gan iddynt gyflogi Laing's i reoli'r gwaith.

Gorffennwyd y gwaith ar ran B a gofynnwyd i mi brisio gwaith ar ran C. Gwrthodais, gan ddweud nad oeddwn am brisio dim mwy iddyn nhw gan fod y papurau wedi mynd i'r Uchel Lys. Yn rhan C oedd yr hen garchar, ac mae'n debyg fod yno ysbryd. Holais Tom Brodie sut oedd pethau'n mynd:

'*I miss you, Harry. One contractor has gone bust and, to top it all, the spirit of Murphy is there and no one will go down to the cells.'* Mae'n debyg mai ysbryd rhywun a gafodd ei grogi ar gam oedd yn eu poeni.

Cefais gyfweliad efo un o brif ddynion Laing's i drafod y broblem, a phwyllgor wedyn oedd yn mynd i nunlle, dim ond malu cachu a dweud y gwir. Aeth y dyn yn ôl i Lundain. Yn ystod y cyfnod hwn, yr oedd John, fy mrawd, o dan straen ofnadwy. Roedd James R. Knowles wedi rhoi rhybudd i Laing's ei fod yn mynd â hwy i'r llys i hawlio £80,000 o iawndal. Cefais ganiad ffôn o Lundain gan y dyn o Laing's a fu yn y pwyllgor, yn cynnig talu rhwng £50,00 a £60,000 y tu allan i'r llys.

'Wel, I've got a partner and I have to talk to him first, but if it was up to me, I'd rather go to court.'

Rhoddais y ffôn i lawr ac edrych ar John.

'Cymra fo,' meddai, 'fedra i ddim dal dim mwy o straen.'

Gwelwn ar ei wyneb ei fod yn dweud y gwir, ac felly derbyniais y cynnig.

'I'll put a cheque in the post for you,' meddai'r dyn. Ac felly'n union y bu hi. Cefais y pres i dalu am bob dim. Yr oedd y rheolwr banc wedi bod yn pwyso arnom i dalu dyledion ac roedd yntau'n hapus wedi i'r siec ddod i mewn. O ganlyniad, doedd dim dyled ar ôl am gyfnod.

Cafodd Emlyn, y mab hynaf, ei dderbyn i Bolytechnic (Prifysgol heddiw) y South Bank yn Llundain yn 1984 i wneud gradd mewn *Quantity Surveying*. Cwrs tair blynedd oedd o, ond fod yn rhaid cymryd blwyddyn allan i gael profiad gwaith cyn y flwyddyn olaf.

'Dwyt ti ddim haws o ddod yma i gael profiad,' meddwn, 'mi fyddai'n well i ti fynd i rywle arall.'

''Dw i wedi edrych drwy'r llyfr,' medda fo, 'a'r joban fwyaf yn Llundain ar hyn o bryd yw'r Llyfrgell Brydeinig. 'Dw i'n ffansïo honno.'

Felly y bu hi. Yn y cyfamser, daeth caniad oddi wrth Tom Brodie:

'*I'm in a bit of a fix,*' medda fo.

'*I'm in charge of a big project near King's Cross, London, and I've ordered so many thousands of slates to roof this place from Penrhyn Quarry, the same place that supplied the Caernarfon job, and the architect has condemned them all because they have green streaks on them. I've got a meeting with the architect tomorrow and have to explain these green streaks. You're the only one I can turn to.*'

'*Have you a pen and paper? The Dinorwig slate is the best slate in the world, and if you see that green streak, it is harder than the actual slate and it is not a weakness but strength.*' Eglurais lawer o bethau eraill am nodweddion y lechen, a dymunais lwc dda iddo fo. Y noson wedyn, dyma fo'n ffonio i ddiolch am y wybodaeth a gafodd am y llechi a bod hynny wedi pasio'r prawf.

'*How are the boys?*' medda fo.

Soniais am Emlyn, gan ddweud fod ganddo flwyddyn allan a'i fod yn chwilio am le.

'*Tell him to phone me,*' medda fo. Dyma Linor yn ffonio Emlyn a rhoi'r neges iddo. Aeth Emlyn i weld Tom Brodie a chafodd ffurflen ganddo i gynnig am y gwaith. Daeth ateb yn cynnig cyfweliad iddo ar y safle ac yno yr aeth, ac i mewn at ryw ddyn – pennaeth cwmni Laing's oedd o erbyn deall.

'*Is your dad called Henry Jones?*' medda fo.

'*Yes,*' atebodd Emlyn. Roedd Emlyn yn gwybod hanes Caernarfon.

'*Well, he's a tough bugger. You've got the job,*' ac mi gafodd y gwaith gyda chyflog da. Ddiwedd y flwyddyn, cafodd gynnig gwaith ar staff Laing's ond roedd am ddod yn ôl i'r pen yma. Cafodd waith gyda nhw ar ffordd yr A55 am gyfnod ac wedyn gyda chwmni arall. Pan oedd yn y fan honno, penderfynais ei bod hi'n bryd iddo ddod adra i weithio gyda'r cwmni ac felly y bu. Un o'r jobsys mwyaf y dechreuodd arni oedd ail-wneud Neuadd y Dref, Pwllheli.

Cwmni o Gaerdydd oedd y penseiri a gafodd y gwaith o droi'r hen Neuadd y Dref yn Neuadd Dwyfor. Emlyn fu'n prisio'r gwaith ac fe gredwn mai i'r Cyngor Sir roedd y pris i fynd ond, erbyn deall, Q.S. y cwmni hwn yng Nghaerdydd oedd i'w dderbyn. Yr oedd hi'n hanner awr wedi wyth fore Llun a'r pris i fod i mewn erbyn hanner dydd y diwrnod hwnnw.

''Dw i 'di gwastio oriau ar brisio'r joban yma,' medda Emlyn, 'a rŵan chawn ni byth mo'r pris 'ma i Gaerdydd erbyn hanner dydd.'

Cofiais fod yna un o Gricieth oedd yn *courier* yn Llundain, yn danfon negeseuon ar gefn motobeic drwy'r wythnos ac yn dod adra bob penwythnos. Yr oedd ar fin cychwyn am Lundain ar ei fotobeic. Eglurais y broblem iddo a'r angen i fynd â'r ddogfen i'r swyddfa yng Nghaerdydd erbyn hanner dydd.

Dywedodd y byddai'n galw yng Nghaerdydd ar ei ffordd i Lundain am £70 a dyna fu. Ffoniodd tua chwarter i hanner dydd yn dweud ei fod wedi danfon y ddogfen ac wedi cael derbyneb gan y Cwmni. Daeth galwad ffôn i Emlyn cyn diwedd y dydd i ddweud ei fod wedi cael y gwaith. Roedd hi'n gontract o ryw filiwn o bunnoedd, yn cynnwys rhoi dau lifft i mewn – un ar gyfer y llwyfan ac un i'r gynulleidfa. Cwblhawyd y gwaith a phlesiwyd y Cyngor Sir. Agorwyd Neuadd Dwyfor yn swyddogol ym Mai 1995, a dangoswyd ffilm ar Lloyd George yno ychydig wedyn.

Yn ystod y cyfnod pan oeddwn yn gwneud gwaith i'r Cyngor, rhoddodd rhywun ysgol Talysarn ar dân, a llosgwyd yr holl waith coed pîn a'r tu mewn i'r adeilad yn llwyr. Bûm yn lwcus i gael y gwaith o'i hatgyweirio a bu'n rhaid gwneud pob dim yn union fel ag yr oedd cynt am fod yr adeilad wedi ei gofrestru.

Rhyw flwyddyn ar ôl i mi orffen y gwaith, llosgwyd hi unwaith eto ac mi fûm yn gweithio arni am yr eildro. Yr oedd stori wedi mynd o gwmpas yr ardal mai fi oedd wedi ei llosgi wedyn er mwyn creu gwaith i'r cwmni, ond mi ddaliwyd rhyw fachgen ifanc oedd yn gyfrifol ar ôl iddo roi sinema'r Majestic yng Nghaernarfon ar dân.

Wrth gwrs, bûm yn adeiladu llawer o bethau eraill dros y blynyddoedd, ac wedi cyfnod hir wrth y llyw, daeth yn adeg trosglwyddo'r awenau i'r hogia. Emlyn, sydd yn Q.S., sy'n rhedeg y gwaith adeiladu, gydag Alwyn yn saer coed. Mae'r busnes claddu yn cael ei redeg gan Bryn, gyda Rhodri yn y swyddfa. Mae pob dim i'w weld yn gweithio'n dda yn eu dwylo.

Dathlu'r Nadolig yn y Gwaith

Yr oedd hi'n arferiad i mi brynu cinio i'r gweithwyr cyn y Nadolig, a hynny mewn gwahanol westai o flwyddyn i flwyddyn. Ar un adeg, yr oedd gennyf nifer fawr o ddynion yn gweithio i mi, hyd at gant, a byddai'n rhaid llogi bws i fynd â nifer ohonynt adra am Nefyn tra byddai John a minnau'n danfon y gweddill oedd yn byw yn lleol. Un 'Dolig, a ninnau yng Ngwesty'r Marine, dyma rhai ohonynt yn dechrau cwffio. Wrth weld hynny'n digwydd, penderfynais roi'r gorau i'r arferiad os oedd y lol cwffio yma'n digwydd.

Y 'Dolig wedyn, gosodwyd bwrdd yn y gweithdy, cael dwy gasgen o gwrw a photeli wisgi, jin, gwin a diodydd eraill yn ogystal â rhoi pres yn eu pocedi gan feddwl y byddai pethau'n gweithio allan yn well. Unwaith eto, John a minnau oedd yn eu danfon adra. Ymhen sbel, yr oedd y gweithwyr wedi yfed cymaint nes yr oeddynt yn disgyn fel pys i ganol y siafins ar lawr y gweithdy. Y cyntaf i syrthio oedd hogyn o Roslan, a gorweddai ar wastad ei gefn yn y siafins. Rhoddwyd ef yn y fan ac es â fo adra. Cefais lond ceg gan ei fam yn y modd mwyaf diawledig a fuo hi ddim yn siarad efo fi am ryw ddwy flynedd ar ôl hynny. Erbyn i mi gyrraedd yn ôl i'r gweithdy, roedd un arall yn llonydd yn y siafins. Rhoddwyd ef yng nghefn y fan ac es â hwnnw adra hefyd. Daeth ei fam-yng-nghyfraith at y drws ac eglurais beth oedd wedi digwydd.

'Argol fawr, galwch yr ambiwlans y funud yma!'

Erbyn deall, roedd ganddo salwch oedd yn achosi iddo chwydu a thagu, felly rhaid oedd ei ruthro i'r ysbyty.

Pan gyrhaeddais yn ôl i'r gweithdy, yr oedd un arall ar ei gefn yn y siafins, a chan fod John wedi mynd â rhywun arall adra, cefais gymorth gan un o'r lleill i roi hwn yn y fan. I

Rhai o weithwyr y cwmni yn 2004.
O'r chwith yn y cefn: Alan, Eifion, Robin, Rhys, Alwyn
Blaen: Anthony a Jason

ffwrdd â ni am ei gartref ger Pwllheli. Yr oedd yn byw mewn bynglo ond doedd neb adra i agor y drws – a'r hogyn yn chwyrnu'n braf yng nghefn y fan. Sylwais fod un ffenest yn agored, felly cariwyd yr hogyn o'r fan, dringais i mewn ac fe'i codwyd drwy'r ffenest a'i roi ar y gwely. Fel yr oeddwn yn dod allan drwy'r ffenest, dyma gar heddlu yn cyrraedd. Yr oedd y wraig drws nesaf wedi fy ngweld yn mynd drwy'r ffenest ac yn meddwl mai byrglar oeddwn. Ond diolch i'r drefn, yr oedd popeth yn iawn – *false alarm*!

Wedi hynny, daeth yn amser i mi drosglwyddo'r busnes i ddwylo Emlyn y mab – ac erbyn hyn fo sy'n gorfod delio efo'r hogia!

Wynebu Her Gyfreithiol

Wrth i'r gwaith gynyddu ac i'r cwmni dyfu, deuthum i ddeall pa mor bwysig oedd rhedeg y cwmni'n iawn a chadw y tu mewn i ganllawiau cyfraith gwlad.

Yn ystod y chwedegau, daeth deddf i rym yn ymwneud â thâl diswyddo, neu *Redundancy Pay*. Os nad oedd gennych waith i ddyn ac felly'n gorfod ei ddiswyddo, yna byddai'r wlad yn talu dwy ran o dair a'r cyflogwr yn talu un rhan o dair o'r tâl diswyddo, ond roedd yna reidrwydd i chi brofi nad oedd gwaith ar gael. Roedd dyn yn gweithio i mi a oedd wedi camddeall y ddeddf hon ac, yn achlysurol, byddai'n fy herio, gan chwilio am bob math o esgusodion i gael y tâl diswyddo. Er bod cymaint o ddŵr wedi mynd o dan y bont ers hynny, dydw i ddim am ei enwi.

Un diwrnod aeth yn rhy bell a bu'n rhaid i mi ddweud wrtho fy mod yn dechrau cael llond bol ar ei gwyno di-ben-draw, a rhoddais rybudd iddo fihafio. Yr wythnos wedyn, dyma fi'n mynd â fo a gweithiwr arall i Borthmadog i weithio ar dŷ ac egluro iddynt beth oedd angen ei wneud. Ar drydydd llawr y tŷ oeddem, ac roedd angen mesur ffenestri newydd. Es i lawr i'r gwaelod cyn sylweddoli fy mod wedi gadael y 'ddwy droedfedd', neu'r pren mesur, ar sil y ffenest a dyma fynd i fyny i'w nôl. Wrth fynd drwy ddrws yr ystafell, clywn y dyn hwn yn rhedeg arnaf yn ffiaidd ac yn fy ngalw'n bob enw o dan haul. Fedrwn i ddim cymryd arnaf nad oeddwn wedi clywed, a dyma edrych ar y ddau a dweud wrth y dyn o dan sylw:

'Gwranda, rwyt ti wedi trio codi twrw am y *redundancy pay* yma ers wythnosau. Chei di ddim tâl diswyddo, dim ond pan fydd gen i ddim gwaith i ti, ond gan dy fod mor bengaled, 'dw i'n rhoi notis i ti heddiw.'

Ers talwm, wythnos o notis yr oedd angen ei roi, ond gan

fod y gyfraith wedi newid, roedd angen rhoi mwy. Dywedais wrth Mr Jones (tad y nofelydd Geraint Vaughan Jones) oedd yn gweithio yn y swyddfa, fy mod wedi rhoi notis i'r dyn, a phythefnos oedd y cyfnod ond nad oedd y dyn wedi deall hynny.

Aeth wythnos heibio ac mae'n rhaid ei fod yn meddwl ei fod wedi cael maddeuant. Bu'n bihafio ei hun am wythnos wedyn heb ddweud gair cas o'i ben. Pan ddaeth y penwythnos, daeth i nôl ei gyflog fel arfer a rhoddodd Mr Jones ei gardiau iddo hefyd. Mi gafodd dipyn o sioc a dyma fo'n gofyn:

'Faint o dyndans wyt ti am dalu i mi?'

''Dw i'n gwybod dim, rhaid i ti ofyn i Harri Jones am hynny.'

Daeth ataf a gofyn yr un peth. ('Dyndans' oedd ei ffordd o ddweud *redundancy*.)

'Dim dima,' meddwn. 'Dydw i ddim yn dy sacio di am 'mod i heb waith. Cambyhafio oeddat ti. Os oes gen ti unrhyw gŵyn ac angen arweiniad, cer i'r *Labour Exchange* yn Port ac mi wna nhw wneud dy bethau i ti.'

Felly y bu. Ymhen pythefnos, mi dderbyniais lythyr gan y *Redundancy Pay Tribunal* ym Manceinion – copi o lythyr roedd y dyn wedi ei yrru iddynt. A dweud y gwir, digalon iawn oedd y llythyr. Roedd hi'n amlwg fod y dyn wedi ei sgwennu heb dderbyn unrhyw gymorth. Sgwennais innau atyn nhw a dweud fy mod wedi rhoi ei gardiau iddo am gambyhafio, a'i fod wedi chwilio am unrhyw esgus i mi ei ddiswyddo gyda thâl er bod digon o waith gen i iddo.

Ymhen sbel, daeth llythyr yn dweud fod tribiwnlys i'w gynnal ym Mae Colwyn yn adeiladau'r llywodraeth, ac y dylai pawb fod yno erbyn dau o'r gloch y prynhawn – sef fi, y dyn roeddwn wedi ei sacio a dau dyst iddo. Methwn yn glir â deall sut fod dau dyst pan nad oedd ond un yn gweithio efo fo. Roedd y llall yn gweithio i mi hefyd, ond yn digwydd bod yn gweithio ar fflatiau Llys Perlysiau yng Nghricieth ac nid yn y tŷ ym Mhorthmadog.

Wythnos cyn y tribiwnlys, daeth yr ail dyst ataf:

'Gwranda, 'dw i'n mynd i gwrt yn *Colwyn Bay* efo'r dyn arall.'

'Iawn,' medda fi. 'Cer di yno i ddweud clwydda ac mi fydda i'n gwneud yn siŵr y bydd hi'n ddrwg arnat – a 'dw i ddim eisiau trafod mwy ar y mater.'

Daeth diwrnod y tribiwnlys. Dywedais wrth Linor 'mod i'n mynd yno ac y byddai'n beth da iddi hi a'r plant ddod hefyd gan ei bod hi'n wyliau ysgol, a gallem fynd i'r sŵ ym Mae Colwyn wedyn. Y bore hwnnw, mi welwn y ddau oedd yn y tŷ ym Mhorthmadog yn disgwyl bws wyth i Fae Colwyn. Tua un ar ddeg, pwy landiodd acw ond yr ail dyst.

'Faint o'r gloch wyt ti'n mynd, i mi gael lifft?' – a hwnnw'n tystio yn fy erbyn!

'Gwranda, ti'n uffarn powld a tithau'n tystio yn fy erbyn. Mi gei di lifft ond 'dw i ddim isio clywed yr un gair am yr achos drwy'r siwrne.' Ni fyddai wedi gallu mynd yno heb gael lifft.

Dyma gyrraedd Bae Colwyn a Linor a'r plant yn aros yn y car. I mewn â mi i'r swyddfa a chael fy hebrwng i ystafell ar fy mhen fy hun. Roedd y tri arall mewn ystafell wahanol. Mi fues am dros awr a dim byd yn yr ystafell ond bwrdd a phedair cadair. Dim papur na llyfr na ffenest, lle digon digalon a dweud y gwir. Yr oeddwn wedi mynd yn ddigon crynedig yn y tawelwch hir. O'r diwedd, daeth y clerc yno a mynd â fi i'r llys. Y fi ar un ochr a'r tri arall ar y llall. Yn y cyfnod hwnnw, doedd dim sôn am wrandawiad Cymraeg, ond mae pethau wedi gwella erbyn heddiw.

Dyma'r cadeirydd yn dweud:

'Mae'r achos hwn rhwng Henry Jones a (gan enwi'r dyn). Oes gennych rywun i'ch cynrychioli?'

'Nag oes, syr,' meddwn, ''dw i'n cynrychioli fy hun.'

Gofynnwyd yr un peth i'r llall a chyn cael ateb, dyma fo'n gweiddi:

'Mae gen i rywbeth i chi, syr,' a rhoi amlen i'r Cadeirydd. Hwnnw'n gofyn a oedd yn rhywbeth yn ymwneud â'r achos.

Yr hyn oedd yn y llythyr oedd tystiolaeth fforman o'r Cyngor Sir i gymeriad da y dyn.

'Does gan hyn ddim i'w wneud â'r achos,' meddai, a gofynnodd i mi a oeddwn eisiau darllen y llythyr. Gwrthodais, gan ddweud fy mod i'n gwybod am gymeriad y dyn.

Wedi i mi ateb y Cadeirydd, roedd y nerfusrwydd wedi mynd ac mi fûm fel craig wedyn. Galwyd ar y dyn a rhoddodd y clerc Feibl yn ei law i dyngu llw arno. Gofynnodd y Cadeirydd i'r dyn egluro ei achos.

'*This incident happened in Porthmadog, yes?*' holodd y Cadeirydd.

'*Yes,*' atebodd y dyn.

'*You did quarrel with Mr Jones?*'

'*Yes, sir.*'

'*Why?*'

'*Wel me and another man were talking about Mr Jones when he came in.*'

'*You were running him down?*'

'*Yes.*'

'*Anything else to say?*'

'*Only I want dyndans pay,*' medda fo.

Dywedodd y Cadeirydd wrtho am eistedd ac yna galw'r ail ddyn. Tyngodd yntau lw ar y Beibl.

'*You were a witness to the incident?*'

'*Yes.*'

'*What were they quarrelling about?*'

Doedd ganddo ddim syniad, dywedodd nad oedd yn cofio gan fod cymaint o amser wedi mynd heibio.

'*What were they saying?*'

'*I wouldn't like to repeat it in court.*'

'*It's all right, but you definitely heard them quarrelling?*'

'*Yes.*'

Galwyd ar y trydydd tyst a thyngodd yntau lw ar y Beibl.

'*Now, what can you contribute to this case?*' holodd y Cadeirydd.

'*Nothing, sir,*' medda fo.

'*Why are you here then?*'

'*I had a letter from Manchester to tell me to come here and at the bottom it said that I would be liable for a fine or jail if I did not turn up.*'

'*Sit down,*' meddai'r Cadeirydd.

Cefais fy nghroesholi wedyn ganddo a gofynnodd bob math o gwestiynau. Dywedais fy mod wedi cyflogi naw o ddynion ers y digwyddiad.

'*Are you definitely sure you did not stop this man because you had no work for him?*'

'*I sacked him because he wasn't behaving himself on several occasions and I was not making him redundant. I had a £36,000 job building a block of flats for the local council at the time and the week after, I was employing nine men to do this job.*'

Gyrrwyd pawb allan gan y Cadeirydd ac ymhen hanner awr, cafwyd galwad i fynd yn ôl. Dyma'r Cadeirydd yn dweud:

'*We have come to an unanimous decision that Mr Henry Jones has not made this man redundant because there was no work for him. This tribunal is for redundancy pay alone,*' ac yna, wrth y dyn, '*but if you feel you have been wrongly sacked, there is another tribunal for that.*'

Enillais yr achos ac es â'r teulu i'r sw. Bu'n rhaid i'r trydydd dyn fynd yn ôl ar y bws ac eglurodd nad oedd wedi cytuno i fod yn dyst, dim ond fod y llall wedi rhoi ei enw i lawr.

Wedi hynny, deuthum i ddeall fod y dyn yn cyfaddef ei fod wedi camddeall yr holl beth, a wnaeth o ddim dal dig, mwy na wnes innau tuag ato fo. Ond ches i ddim mo'r gwaith o'i gladdu, chwaith!

Yn ystod fy nghyfnod yn rhedeg y busnes, bu achos arall; ond John fy mrawd oedd yn mynd i'r llys y tro hwn ac nid fi.

Roeddwn yn ail-wneud tŷ yng Nghricieth a nifer o ddynion yn gweithio yno. Es yno ryw fore a gwelwn fod pawb yn gweithio'n iawn ond fod llanast ym mhob man – darnau o frics a mortar a choed a sbwriel ar hyd y lloriau a'r grisiau. Dyma fi'n dweud wrth bawb:

'Stopiwch weithio rŵan a chliriwch y llanast neu mi fydd rhywun wedi brifo yma.'

Aeth pawb ati i glirio a glanhau nes oedd y lle'n berffaith lân. Es i lawr i'r swyddfa. Roedd John fy mrawd yno. Erbyn hynny, roedd ganddo un rhan o dair o siâr yn y busnes.

'Gwranda, 'dw i newydd fod yn y tŷ a llanast diawledig yno. Cer i fyny efo'r lorri, cer â dyn efo chdi a gwylia fod y lle'n iawn.'

Daeth yn ôl amser cinio a dweud eu bod nhw wedi llenwi'r lorri efo rwbel, a bod y lle'n berffaith glir.

Es i fyny wedyn a gweld y lle fel pìn mewn papur, a rhybuddiais yr hogia i beidio â gwneud yr un peth eto neu mi fyddai rhywun yn siŵr o frifo.

Tua dau o'r gloch y prynhawn hwnnw, daeth gweithiwr acw i ddweud ei fod wedi gorffen joban mewn lle arall a gyrrais ef i fyny i'r tŷ i wneud gwaith o gwmpas y lle tân. Ar ôl gorffen yn y fan honno, aeth ar job arall a bu'n ei gwneud am bythefnos. Ar ddiwedd y pythefnos, aeth adra yn sâl ac mi fu adra o'i waith am wythnosau. Ymhen y mis, cefais lythyr gan dwrnai ym Mhwllheli yn dweud fod y dyn yn hawlio £19,000 o iawndal am ei fod wedi brifo wrth weithio yn y tŷ cyn mynd ar y joban arall – ei fod wedi baglu ar y grisiau am fod cymaint o rwbel a 'nialwch ym mhob man.

Dywedodd fy nhwrnai wrtha i am gysylltu â'm cwmni yswiriant ac mi sgwennais at y cwmni gan gynnwys llythyr twrnai'r dyn a hawliai'r iawndal. Daeth twrnai'r cwmni o Lerpwl i'm gweld. Yn y cyfamser, yr oedd pen-glin y dyn oedd yn hawlio'r iawndal yn ddrwg ac fe fu'n cael triniaeth yn Lerpwl o dan law Robert Owen (Glanllynnau, Afonwen) oedd yn llawfeddyg esgyrn yno. Wrth eistedd yn y swyddfa gyda'r twrnai a John fy mrawd, mi gofiais fod y dyn wedi cael damwain o'r blaen:

'Gwrandwch, mae gen i go' fod hwn wedi disgyn o ben to a brifo'i bengliniau. 'Dw i ddim yn meddwl ei fod wedi brifo yn y fan hyn.' Euthum ymlaen i adrodd hanes y cynnwrf ynglŷn â'r llanast ac nad oedd brics na dim ar lawr erbyn i'r dyn gychwyn gweithio yn y tŷ. 'Taswn i'n y'ch lle chi, mi fyswn yn edrych ar ei hanes meddygol yn y Ganolfan Iechyd yma yng Nghricieth i brofi nad ydi o'n dweud y gwir.'

Felly y bu pethau. Aeth twrnai'r dyn â'r achos i'r llys yng Nghaernarfon. Roedd yn rhaid i'r cwmni yswiriant gael adroddiad orthopaedig gan arbenigwr ac fe gafodd y dyn Robert Owen i siarad ar ei ran. Gan fod yr achos yn y llys mawr bu'n rhaid i ni gael Q.C. bob un, ac fe fu'n rhaid i'r dynion eraill oedd yn gweithio yn y tŷ fynychu'r achos hefyd. Un arall a gafodd orchymyn i fynd oedd Mr Jones, gan ei fod yn gweithio yn swyddfa'r cwmni ac mai wrtho ef y dywedodd y dyn ei fod wedi syrthio – ond ar ôl gorffen y job arall. Roedd y rhain i gyd yn dystion i'r cwmni a'r dyn heb yr un.

Daeth diwrnod yr achos. Doeddwn i ddim yn tystio, ond gan mai John fy mrawd oedd wedi bod yn clirio'r llanast, roedd yn gorfod mynd fel tyst. Aeth y dyn i'r bocs a dweud ar lw ei fod wedi disgyn dros y llanast. Y nesaf i siarad oedd

Robert Owen a gofynnodd y Q.C. ai ef oedd wedi trin pen-glin y dyn.

'Ie,' meddai.

'Pa bryd wnaethoch chi drin y ben-glin arall?'

'Dair blynedd cyn hynny.'

'A wnaethoch hefyd ddweud y byddai'n rhaid trin y ben-glin arall ymhen tair neu bedair blynedd gan ei bod wedi mynd mor ddrwg?'

Doedd dim cyhuddiad i'w ateb – doedd gan y dyn ddim coes i sefyll arni (dim pen-glin, efallai!). Taflwyd yr achos allan ac roedd Q.C. y dyn yn lloerig am nad oedd wedi cael y ffeithiau cywir. Ni ddaru ennill ac ni fu'n rhaid talu yr un ddimai.

Ni fu unrhyw achos tebyg wedyn, ond fe brofodd y ddau achos fod angen bod yn ofalus iawn wrth redeg busnes fel hwn. Wedi deud hynny, cefais brofiad tra gwahanol wrth redeg y siop sglodion oedd gennyf am rai blynyddoedd yma yng Nghricieth.

Ar un adeg, yn ystod mis Awst, yr oedd gennyf chwech yn gweithio i mi yn y siop sglodion. Roedd hi'n brysur gyda'r nos ac ar y noson o dan sylw roedd tua hanner cant yn eistedd a rhyw ugain neu fwy yn sefyll yn disgwyl am fwyd i fynd allan. Fi oedd yn coginio'r bwyd i gyd a doedd dim munud i'w sbario. Daeth un o'r genod ataf a dweud:

'Harri, mae yna gamgymeriad ar y siec yma.'

'Ydi o 'di ei seinio hi?' holais.

'Do, ond 'dw i'n siŵr ei fod wedi talu gormod.'

'Lle mae o?'

'Mae o wedi mynd.'

'Fedra i wneud dim rŵan. Dyro hi yn y til ac os daw'r dyn yn ôl mi wna i rywbeth am y peth.'

Ar ddiwedd y nos, a hitha tua hanner nos a phawb wedi blino, cyfrais y pres, ei roi mewn bag a mynd â fo i'r swyddfa. Ymhen tri mis, daeth yr heddlu i'r tŷ a dweud fod gŵr o

Loegr wedi gwneud cyhuddiad o dwyll yn fy erbyn, a hynny ar sail y siec. Honnodd y plismon y byddai'r staff i gyd yn elwa o'r twyll.

'Na, fi'n unig fasa'n elwa petai'r ffasiwn beth wedi digwydd am mai fi oedd yn cael y pres.'

Yr oedd eisiau enwau pawb a fu'n gweithio yn y siop y noson honno gan fod y dyn wedi fy nghyhuddo o dwyll. Ond fe wyddwn nad oedd sail i'r cyhuddiad oherwydd rhoddwyd y siec yn saff yn y til heb i neb amharu arni.

Bu'n rhaid i bob un o'r chwech, yn ogystal â mi, fynd i wneud datganiad yn swyddfa'r heddlu. Fi oedd yr olaf i gael fy holi a dyma fi'n gofyn i'r plismon a oedd y siec ganddo.

'Yli, dyma hi,' a'r plismon yn ei dangos i mi. Siec am £69 oedd hi ac wedi ei llenwi â beiro las. Bûm yno am ddwy awr yn ateb pob math o gwestiynau a dyma ddweud:

'Gwrandwch, ydi hi'n bosib cael arbenigwr ar lawysgrifen i edrych os ydi'r siec yn iawn? Mi wna i dalu am un os oes angen.'

'Na, mi wnawn ni hynny.'

Roeddwn ar ddeall mai gŵr a gwraig oedd wedi cael sgodyn a sglodion a'r pris i fod yn £6 a 9 ceiniog ond i'r dyn wneud camgymeriad rhywsut a thalu £69. Ar ddiwedd noson brysur, doeddwn heb sylwi ar y swm a gwyddwn y byddai wedi ei gael yn ôl y bore wedyn petai wedi galw heibio.

Aeth pythefnos heibio. Yna daeth y plismon i 'ngweld a dweud nad oedd neb wedi amharu ar y siec ac mai'r dyn ei hun oedd wedi gwneud camgymeriad. Yr wythnos ar ôl iddo fod yn y siop, aeth y dyn i Awstralia am fis a phan ddaeth yn ôl a gweld ei gyfrif banc, fe gymerodd yn ei ben fod un ohonom ni wedi newid y siec a'n cyhuddo o wneud hynny. Doedd gan yr arbenigwr llawysgrifen ddim amheuaeth mai fo oedd wedi ei sgwennu hi ac fe dynnodd y cyhuddiad yn ôl. Heblaw i mi bwyso am arbenigwr llawysgrifen, mi fuaswn mewn llanast ac mi achosodd y broblem boendod mawr i bob un ohonom. Gwyddwn mai camgymeriad oedd o, gan fod gennyf ffydd yn y chwech a weithiai yn y siop.

Ffarmio

Yn ystod cyfnodau prysur iawn byddai llawer o straen arnaf am nad oeddwn yn *quantity surveyor* proffesiynol ond yn gorfod gwneud gwaith felly wrth brisio. Teimlais un noson fy mod wedi'i gor-wneud hi, a theimlwn fod yn rhaid mynd i rywle am newid. Daeth Mrs Thomas, mam Linor, i warchod yr hogia ac aethom ein dau i Landudno i westy am benwythnos. Deuthum adra wedi mendio'n iawn a gwyddwn ar ôl hynny fod yn rhaid i mi newid fy ffordd neu golli iechyd.

Prynais fagiad o glybiau golff a dechrau chwarae'r gêm honno. Roeddwn yn mwynhau ei chwarae ond yn anobeithiol fel golffiwr. Byddwn yn mynd i'r Clwb ar brynhawniau Sadwrn a Sul. Gan nad oeddwn yn olffiwr, na'r teip i fod yno, rhoddais y gorau iddi, ond gwyddwn fod yn rhaid cael rhywbeth i dynnu fy sylw oddi ar y gwaith.

Gwelais yn y papur fod ocsiwn ym Mhwllheli a thir Ty'n Lôn Plas Hen, Chwilog, ar werth ynddi – rhyw ddeunaw acer ac ychydig o adeiladau. Wnes i ddim dweud gair wrth neb fod gen i ddiddordeb. Yn y Tŵr, neu'r Tower Hotel, ym Mhwllheli oedd yr arwerthiant, ac roedd tipyn o bobl yno. Dechreuwyd ar y bidio, gyda dau neu dri wrthi, ond sefais yn ôl cyn dod i mewn ar bedair mil. Wrth i'r bidio fynd yn ei flaen, doedd ond fi ac un arall ar ôl. Cynigiais bum mil a thri chant o bunnoedd a fi oedd yr uchaf. Er bod y bidio wedi stopio, dyma'r arwerthwr yn dweud nad oedd wedi cyrraedd y pris angenrheidiol ac na fedrai ei werthu i mi.

Ar ôl yr ocsiwn, digwyddwn fod yn siarad wrth ddrws y Tŵr efo rhyw Mr Rowlands (cefnder i William Rowlands a fu'n brifathro ym Mhorthmadog). Gwelai hwnnw fi'n anlwcus heb gael y lle ac yn cydymdeimlo â mi. Wrth i ni siarad, daeth yr arwerthwr i lawr a gofyn i mi ddod i fyny i gael sgwrs efo'r twrnai a'r Sais oedd piau'r tir. Dyma hwnnw'n gofyn a fyddwn i'n rhoi dipyn bach mwy am y lle am fod y pris a gynigiais yn rhy rhad. Minnau'n dweud na fedrwn fforddio mwy na hynny. Dyma fo'n cael gair efo'r twrnai ac yn troi ataf gan ddweud y cawn y lle am y pris hwnnw.

Ddywedais i'r un gair wrth neb ac ar y dydd Sadwrn canlynol aeth Linor i siopa a 'ngadael innau'n gwarchod y plant. Ymhen awr, dyma hi yn ôl:

'Be ar y ddaear 'ma ti 'di bod yn 'i neud? Wedi bod yn ffŵl yn rhoi'r ffasiwn bris am dir.'

'Sut wyt ti'n gwybod a pam 'ti fel hyn?'

'Ti 'di gneud ffŵl ohonat dy hun.'

Roedd hi wedi mynd i'r siop ffrwythau a chyfarfod rhyw ddyn yno:

'Dyma wraig yr adeiladwr a'r ymgymerwr lleol,' meddai'r siopwr.

'O,' meddai'r dyn, 'hwnnw sydd hefo mwy o bres na sens, wedi rhoi rhyw ddiawl o bris gwirion am dir yn Plas Hen 'na.'

Tad Dic Gwindy, a fu yn yr ocsiwn, oedd y dyn, ac yn tynnu coes Linor a hithau wedi ei gymryd o ddifrif. Yn lle hynny, wedi cael andros o fargen oeddwn i.

Dyma fi'n dweud mai'n siŵr mai tynnu ei choes hi roedd y dyn, ac '*over my dead body*' y byddai hi'n fy stopio fi rhag mynd yno.

A dyna ddechrau ar fy ngyrfa fel ffarmwr drama! Mi ddywedais wrth fy nhad ac es â fo rownd y tir. Roedd y lle'n frwgaets ac yn ddrain i gyd. Bu'n rhaid ei glirio efo lli a siswrn nes ei fod yn ddigon del. Codais dŷ gwair i ychwanegu at yr adeiladau eraill, ac mi fyddwn yn mynd yno bob cyfle a gawn er mwyn cael rhyddhad o'r gwaith.

Prynais wyth o heffrod pen gwyn gan Edwyn Cefn Isa ond teimlwn y dylid cael mwy o le ac mi gymris i'r corsydd gerllaw'r tir ar rent gan Wmffra Gruffydd, Beudy Newydd, er mwyn i'r gwartheg fynd yno a gadael y caeau eraill i dyfu gwair ynddynt.

Un prynhawn Sadwrn ar ôl cinio, ro'n i'n teimlo fy mod wedi'i gor-wneud hi'n feddyliol ac yn gorfforol, ac mi es i Dy'n Lôn a cherdded trwodd i'r corsydd lle'r oedd yr heffrod yn pori. Teimlwn yn ddigon digalon. Mi welwn yr heffrod yn pori'n braf a dyma fi'n eistedd ar garreg ar lan yr afon. Clywn yr heffrod yn slashio bwyta a rhyw dderyn bach yn mynd yn ôl ac ymlaen o ben carreg. Roeddwn innau'n symud wrth i'r heffrod fynd yn eu blaenau. Wrth symud fel hyn, teimlwn fy hun yn gwella bob munud. Erbyn i mi gyrraedd y terfyn roedd hi'n amser te, a dyma fi'n cychwyn yn ôl drwy'r gors. Clywn lais yn gweiddi, 'Harri Jôs!' a phwy oedd yn pwyso ar y giât ond Wmffra Gruffydd, Beudy Newydd.

'Be 'da chi'n neud? 'Dw i 'di bod yn eich gwylio ers oriau yn symud i fyny'r afon.'

'W'ch chi be 'dw i'n neud, Wmffra Gruffydd? Ymlacio, a 'dw i 'di mendio'n llwyr ar ôl bod yma'n gwrando ar y gwartheg a'r adar.'

''Da chi am ddod i fyny i weld y musus?' gofynnodd. Jên Gruffydd oedd y 'musus'.

'Mae'n hwyr,' meddwn innau.

'Wel diawl, mi bechwch os na ddowch chi.'

'Iawn, ta. Mi ddo' i am ryw bum munud,' ac i fyny â ni i'r tŷ ac i mewn. Roeddan nhw'n gosod y tŷ i fisitors yn yr haf ac yn byw yn y gegin fach. Be welwn i ond bwrdd derw hen ffasiwn, tair cadair, tair cwpan de, tri jeli a blymonj, bara menyn a bara brith. Yr oedd o wedi bwriadu i mi fynd yno i nôl te ac mi fûm yno tan tua wyth o'r gloch, wedi ymlacio'n llwyr rhwng pob peth. A dyna oedd holl bwrpas mynd i ffarmio. Ond hwyrach na fyddai Linor yn gweld pethau felly'n union!

Pan fyddwn i'n prynu tir, fyddwn i ddim yn dweud wrth neb am fy mwriad ac yn dweud wrth y twrnai a'r gwerthwr nad oeddwn eisiau i neb gael gwybod. Mi adroddodd rhyw hen wreigan, Mrs Laura Williams (Povey gynt), Llangybi, y stori hon wrthyf.

Ym Mryncir, roedd gweinidog gyda'r Methodistiaid o'r enw Henry Hughes. Un diwrnod, cafodd lythyr dienw. Darllenodd y llythyr, ei roi yn ei boced a dweud yr un gair wrth neb amdano. Ymhen blwyddyn, yn nhe parti'r ysgol Sul, yr oedd Henry Hughes yn eistedd gyferbyn â rhyw ddynes fach, a honno'n siarad bymtheg i'r dwsin. Dyma hi'n gofyn:

'Dudwch i mi, Henry Hughes, neuthoch chi ffeindio pwy oedd wedi gyrru'r llythyr dienw yna i chi?'

'Naddo,' medda Henry Hughes, 'tan y funud yma.'

Mae'r stori hon wedi bod yn wers werthfawr i mi. Doedd ond dau oedd yn gwybod am y llythyr – y gyrrwr a'r derbynnydd.

Byddwn yn galw ym Meudy Newydd i weld Wmffra a Jên Gruffydd yn aml. Gwyddwn y pechwn os na wnawn i hynny. Un tro, yr oedd y ddau wedi penderfynu mynd am drip i'r Almaen efo Caelloi. Es i fyny i'w gweld y noson cyn iddynt gychwyn. Roedd llond y cesys o ddillad a Jên yn cega eisiau i Wmffra wneud hyn a'r llall. Dyma fo'n gwylltio yn y diwedd, a dyna'r tro cyntaf i mi ei glywed yn rhegi:

'Pam ddiawl fasa' chi 'di cymryd y trip *Scotland* 'na, ddynas?'

Byddwn bob amser yn cael croeso ym Meudy Newydd. Un noson, es i fyny ar ôl cael galwad fod Wmffra wedi marw a fi wnaeth y trefniadau. Yr oedd gan Jên hiraeth mawr ar ei ôl.

Digwyddais alw rhyw naw mis i flwyddyn wedyn a chael dim ateb. Doedd dim golau yno ond roedd y car y tu allan. Aeth cymydog yno'r diwrnod wedyn a chlywed rhywun yn

gweiddi – Jên, wedi cael pigiad gwenyn meirch ac wedi bod
yn sâl am ddau neu dri diwrnod a neb yn gwybod dim. Aed
â hi i'r ysbyty ac mi wellodd a dod ati ei hun. Yr oedd ganddi
berthynas pell yng Nghricieth, sef Tomi Jones, *Watchmaker*,
oedd yn ffrindiau mawr efo hi. Erbyn hyn, yr oedd wedi
mynd braidd yn ofnus ym Meudy Newydd ac yn aros lawr
efo Tomi am gyfnodau. Un diwrnod, galwodd fi i mewn a
dweud:

"Da chi am brynu'r lle ma gen i, Harri? 'Dw i 'di cael ei
brisio fo.'

Yr oedd yn gofyn £43,000 am y lle a gofynnais am ddau
ddiwrnod i feddwl am y cynnig. Gwyddwn fod y pris yn rhy
uchel o lawer, ond cofiais eiriau fy nhaid mai ond unwaith
mewn oes y daw'r drws nesaf ar werth ac mi brynais y lle am
y pris. Yn fuan iawn, clywais ei bod wedi prynu bynglo y
drws nesaf i Tomi yng Nghricieth.

Gwnes dipyn o waith ar Beudy Newydd. Rhwng Ty'n
Lôn a Beudy Newydd roedd gen i bellach ryw saith deg acer
o dir a byddwn yn gosod tŷ Beudy Newydd i ymwelwyr yn
ystod yr haf. Yr oeddwn yn cael llawer o bleser wrth ffarmio
a bu'n fodd i dynnu'r meddwl oddi ar y gwaith bob dydd.

Rhyw boetsio ffarmio wnes i ar y dechrau, ond wedyn mi
es yn ffarmwr mawr – wel, es i feddwl fy mod yn ffarmwr
mawr. Es i fart Bryncir un prynhawn, ac ar ôl y sêl yr oedd
ffarm o'r enw Bryn Gwyn, Llangybi, yn cael ei gwerthu.
Ffarm 60 acer, rhyw hanner milltir o Beudy Newydd, oedd
hon ac fe'i prynais hi. Erbyn hyn, yr oedd gen i tua pedwar
cant o ddefaid a byddai Nhad wrth ei fodd yn helpu am ei
fod wedi arfer ffarmio.

Yr oeddwn yn y Lion un nos Sadwrn a dyma gymeriad o
Bentrefelin yn gofyn a oeddwn eisiau prynu gast oedd
ganddo ar werth.

'Ydi hi'n gweithio?' holais.

'Y gorau gei di.'

Erbyn deall, byr o bres roedd o'r noson honno.

'Faint 'ti isio amdani?'

'Saith bunt.'

Rhoddais saith bunt iddo.

'Mi wna i dy gyfarfod di bore fory efo'r ast a'i dangos yn gweithio.'

Bore wedyn, dyma fynd i gaeau Ystumllyn at y defaid. Doedd hi'n gwneud dim. A dweud y gwir, roedd hi'n anobeithiol, ond gan fy mod wedi talu amdani, dod â hi adra wnes i, a'i galw'n Fflei. Yn fuan iawn, daeth yr hen ast i fy adnabod yn iawn ac ymhen pythefnos, roedd yn gwybod pob dim yr oeddwn am iddi wneud, a daeth i allu trin gwartheg, defaid a cheffylau gyda'r gorau yn y fro. Daeth i adnabod y ffordd o Feudy Newydd i Fryn Gwyn ac, o ganlyniad, gallwn ddibynnu arni i fynd â defaid neu wartheg o un ffarm i'r llall – dim ond y fi a hi. Un noson, roeddwn yn symud deuddeg o wartheg ac yn mynd heibio Plas Hen pan ddechreuodd y gwartheg redeg. Rhedodd Fflei heibio iddynt, ond fe giciodd un o'r gwartheg hi nes yr oedd yr ast ar ei chefn yn y ffos. Wnaeth hi ddim byd wedyn. Mi landiodd y gwartheg yn Chwilog a bu'n rhaid i mi ffonio Elwyn Bara, fy nghefnder, i ofyn am help i'w cael yn ôl. Fe gymerodd Fflei rhyw bythefnos i ddod ati ei hun ac mi fu efo mi am flynyddoedd wedyn a welais i'r un ast gystal â hi.

Wedi iddi farw, ni fu gennyf gi am sbel, ond roedd Alwyn wedi dechrau cymryd diddordeb mewn cŵn defaid ac aeth ar gwrs i ddysgu am ddefaid. Yn fuan iawn, daeth yn gryn arbenigwr ar ddysgu cŵn defaid a rhoddodd gi yn anrheg i mi. Enw'r ci oedd Lad a daeth yntau i fy adnabod a deall beth oedd angen i'w wneud. Bu'r ci hwnnw gyda mi am flynyddoedd hefyd, hyd nes iddo farw.

Wedi ffarmio Bryn Gwyn am flynyddoedd, daeth ffarm fach ar werth yn Rhoslan o'r enw Tyddyn Crythor, oedd yn nes at Feudy Newydd na Bryn Gwyn. Rhyw ddyn llefrith o

Y ffarmwr y tu allan i Dyddyn Crythor

Birmingham o dras Cymreig oedd yn berchen arni. Nid oedd wedi ei rhoi ar y farchnad ond, yn hytrach, wedi sôn o gwmpas yr ardal ei bod ar werth gan ei fod wedi colli ei wraig. Pan es i weld y lle, gwirionais yn bot. Tŷ hynafol iawn, a fu yno ers cannoedd o flynyddoedd, gyda'r Ddwyfach yn rhedeg drwy waelod y tir. Nid oedd wedi ei chysylltu â'r prif gyflenwad dŵr, ond roedd dwy ffynnon yn y selar ac un fawr y tu allan. Rhyw ddeugain erw o dir oedd yno – cymysgedd o gaeau go dda a thipyn o ochr. Prynais hi gan ddisgwyl cael mynd yno i fyw ond gwrthod symud wnaeth Linor. Felly, bûm yn gosod y tŷ i ymwelwyr yn ystod yr haf, yr un fath â Beudy Newydd.

Yr oedd gen i Ffyrgi Bach a byddai gŵr o Roslan, John Lewis, yn dod yno i helpu weithiau. Un diwrnod, a minnau wedi gosod peiriant torri gwair ar y tractor, rhybuddiais John Lewis i beidio torri'r ochr am ei bod yn rhy wlyb ac y byddwn yn dod yno i roi help iddo.

Wrth fynd am Dyddyn Crythor gyda'r nos, stopiais i gael

sgwrs efo Meirion Parry yn Fron Olau, Rhoslan. Pan oeddwn yn y fan honno, cefais ffôn gan Linor i ddweud fod John Lewis wedi cael damwain. I ffwrdd â fi am Dyddyn Crythor a beth welwn ond dau fotobeic a dau gar plisman. I mewn â fi i'r tŷ. Yr oedd John Lewis yn anferth o ddyn tal a chryf ac eisteddai mewn cadair yn y parlwr. Ffrancwr oedd yn aros yno ar ei wyliau ar y pryd, a fo oedd wedi ffonio Linor i ddweud am y ddamwain.

'Be sy'n bod, John?' holais.

Dyma fo'n dechrau crio fel babi a dweud fod y tractor wedi rhedeg drosto. Agorodd ei grys, a gwelwn ôl teiar y tractor ar ei gorff. Yr oedd wedi prynu côt fawr hyd at ei sodlau ac wrth ymestyn am lifer bach ar ochr y tractor mi fachodd y got laes yn yr olwyn a'i dynnu drosodd nes i'r olwyn fynd dros ei frest. Cyrhaeddodd yr ambiwlans ond, drwy lwc, gan ei fod yn andros o ddyn cryf, doedd 'run asgwrn wedi'i dorri. Mi fu yn yr ysbyty am wythnos gyfan ond er bod ôl y teiar wedi mynd, roedd ei gorff yn dal yn ddu bitsh. Yn sicr, fe fyddai unrhyw un arall wedi cael ei ladd ond roedd cryfder John wedi ei arbed. Daliodd i weithio ambell ddiwrnod i mi ar ôl dod ato'i hun.

Penderfynais werthu Bryn Gwyn i ddyn lleol gan ei fod yn ormod o drafferth symud gwartheg; roedd Tyddyn Crythor yn hwylusach.

Ymhen blynyddoedd wedyn, rhoddais dwll *bore hole* 250 troedfedd yn y ddaear yn Nhyddyn Crythor er mwyn chwilio am gyflenwad dŵr. Cychwynnodd cwmni o sir Gaerfyrddin ar y gwaith ac, wrth dyllu, gwelwyd fod yno tua ugain troedfedd o raean, a hwnnw'n syrthio a chau'r twll wrth geisio tyllu. O dan y graean roedd carreg las, felly gosodwyd llawes haearn tua chwe modfedd o led i ddal y graean yn ei ôl. Wedi mynd drwy'r garreg las, daethom at ddŵr, ond dim digon i'r pwrpas, felly aethom i lawr i'r gwaelod a chael digon o ddŵr. Gosodwyd pibell blastig bedair modfedd o led i lawr i waelod y twll, gyda thyllau yn y bibell am y deg troedfedd olaf er mwyn gadael i'r dŵr fynd i mewn. Yna, gollyngwyd pwmp trydan, tair modfedd o led, yn sownd ar raff blasting, a chebl trydan. Rhoddwyd y rhaff yn sownd ar ben y twll er mwyn gallu codi'r pwmp i'w lanhau a'i drin, neu roi pwmp newydd yn lle'r hen un. Gosodwyd siambr cywasgu yn y garej ac wedyn peipio'r dŵr o hwnnw i'r tŷ. Gosodais system i buro'r dŵr ac, ar ôl gorffen, daeth y Cyngor yno i'w brofi a'i basio'n swyddogol.

Y rheswm dros wneud hyn i gyd oedd bod y gost o gael dŵr o'r prif gyflenwad mor uchel. Byddwn wedi gorfod rhedeg pibell am filltir o'r cysylltiad â'r prif gyflenwad, a hynny drwy dir tair ffarm. Byddai wedi golygu costau aruthrol, a hefyd, doeddwn ddim yn gorfod talu'r dreth ar ddŵr wrth ei dynnu o'r ddaear.

Erbyn heddiw, tenant sydd gen i yn y tŷ yn Nhyddyn Crythor ac mae Alwyn wedi cymryd y tir i ffarmio defaid a dysgu cŵn defaid. Cofiwch, 'dw i'n dal i ffarmio Beudy Newydd, ac yn dal i feddwl mai fi yw'r ffarmwr gorau ar gyrion y Lon Goed – ond yr un salaf wyf go iawn; dyma yw 'Paradwys Ffŵl'!

Gwaith yr Ymgymerwr

Gan fy mod wedi gwneud y gwaith o gladdu pobl i ddau ymgymerwr o'r blaen, i William Jones ac i Ifan Williams yng Nghricieth, peth naturiol oedd gwneud y gwaith fy hun pan fentrais i fyd busnes ar ddechrau'r chwedegau.

Pan fydd ymgymerwr yn cael ei alw i dŷ yn dilyn marwolaeth, o'r funud honno, yn ei ddwylo ef mae'r cyfrifoldeb am y trefniadau i gyd. Bydd yn gwneud y cwbl ar ran y teulu gan nad oes unrhyw syniad gan y mwyafrif sut i fynd o'i chwmpas hi. Y peth cyntaf sy'n rhaid ei holi yw a fu'r meddyg yno, rhag ofn bod angen cynnal archwiliad post mortem ar y corff. Ar y cychwyn, byddai'n rhaid cael yr heddlu yno i drefnu post mortem, gyda heddwas yn dod efo fi pan fyddwn yn mynd â'r corff i Fangor. Erbyn heddiw, yr ymgymerwr sy'n trefnu'r post mortem gyda'r crwner a does dim angen dweud dim wrth yr heddlu, oni bai bod yna ryw amheuaeth ynglŷn ag amgylchiadau'r farwolaeth. Yn y rhan hon o'r byd, rhyw bedwar diwrnod o aros sydd cyn claddu

Yr ymgymerwr a'i hers y tu allan i'r gweithdy

190

ond, yn y trefi mawr, gall fod yn fis neu fwy. Rhaid trefnu lle i gladdu neu amser ar gyfer yr amlosgfa, gofyn a oes angen gwasanaeth yn y capel neu'r eglwys, pwy sydd i weinidogaethu, yr amser a'r lle, y cludwyr a'r te cynhebrwng os oes angen hynny.

Yna, rhaid rhoi hysbysiad o fanylion y trefniadau ar dudalen neilltuol yn y papur dyddiol. Rhaid codi nodiadau a dod â'r manylion adra. Wedyn, ffonio'r *Daily Post* yn Lerpwl. Ni fyddai trafferth gyda'r Saesneg ond byddai'n rhaid, ar un adeg, sillafu pob gair yn Gymraeg ac mae'n rhaid dweud mai ychydig o gamgymeriadau a gawsom erioed. Erbyn heddiw, daeth pethau'n hwylusach drwy deipio dros y we neu ffacsio'r wybodaeth a gofyn am gopi'n ôl i wneud yn siŵr fod y manylion yn gywir. Yn aml iawn, Linor fyddai'n rhoi'r neges dros y ffôn ac ymhen rhai blynyddoedd, cafwyd siaradwr Cymraeg i dderbyn y neges. Yr ymgymerwr fyddai'n talu'r biliau i gyd, fel mai ond un bil fyddai'r teulu'n gorfod ei dalu, a hwnnw i'r ymgymerwr ar y diwedd.

Seiri coed oedd y trefnwyr angladdau gwreiddiol yng nghefn gwlad Cymru. Byddai'n cymryd rhyw chwe awr i ddau ddyn wneud arch dderw, a hynny'n golygu trin y planciau, eu plaenio a'u gosod efo'i gilydd. Wedyn eu sandio nhw a berwi pitsh poeth i selio'r arch er mwyn iddi ddal dŵr. Y rheswm am hynny oedd bod afiechyd o'r enw *dropsy* yn golygu fod yr arch yn llenwi efo dŵr corff. Heddiw, nid yw'r afiechyd hwn yn broblem, ac nid oes cymaint o ddŵr yn hel o ganlyniad i'r amrywiol feddyginiaethau sydd ar gael. I orffen y gwaith, rhaid oedd defnyddio cŵyr i roi polish ar yr arch, wedyn gwneud plât a chael paentiwr i ysgrifennu neu grafu'r enw, dyddiad geni a'r dyddiad marw ar y plât. Erbyn heddiw, mae pethau'n llawer haws gan y gellir cael eirch wedi eu gwneud yn barod.

Mi fyddai pethau'n rhedeg yn hwylus fel arfer ond, ambell dro, byddai rhywbeth yn mynd o'i le. Cofiaf yn 1963 i ddyn o'r ardal farw rhyw bythefnos cyn y Nadolig. Yr oedd wedi ei eni a'i fagu yn Lerpwl, a dymuniad ei wraig oedd iddo gael ei amlosgi yn amlosgfa Anfield yn y ddinas honno. Y drefn oedd gyrru'r manylion a gwneud y trefniadau gyda'r amlosgfa, a gyrru'r dystysgrif marwolaeth at Swyddog Iechyd Lerpwl. Ar ddiwrnod yr angladd, yr oedd pob dim i'w weld yn mynd yn iawn, ond pan gyrhaeddodd yr hers yr amlosgfa, roedd ciw mawr yn aros, a doeddem ddim yn cael claddu am ryw awr. Cefais ar ddeall gan y swyddogion yn y fan honno nad oeddynt wedi derbyn y papurau angenrheidiol gan y Swyddog Iechyd, er iddynt ddweud fel arall pan ffoniais hwy cyn cychwyn. Felly, nid oeddwn wedi cael caniatâd i losgi'r corff. Roeddwn mewn tipyn o banig, a gofynnais a gawn ffonio'r Swyddog Iechyd i ofyn beth oedd wedi digwydd. Eglurodd mai'r rheswm oedd bod prysurdeb y post cyn y Nadolig yn golygu mai'r bore hwnnw y bu iddo eu derbyn. Gan fod oedi o ryw awr yn nhrefn y claddu'r diwrnod hwnnw, llogais dacsi a mynd i'r swyddfa i godi'r ffurflen cyn dychwelyd efo'r tacsi. Er y pryder a achosodd yr helbul, bu honno'n wers i mi, a dysgais nad oeddwn i bostio dim byd pwysig i neb yn ystod y pythefnos cyn y Nadolig, ond mynd â'r dystysgrif efo'r car bob amser. Y tro hwn, erbyn imi gyrraedd yn ôl, roedd chwarter awr i'w sbario, a thrwy lwc, mi aeth pob dim yn iawn, gyda'r lle'n orlawn a llawer o bwysigion ymysg y galarwyr gan fod y dyn yn aelod amlwg o'r Seiri Rhyddion.

Y chwedegau oedd hi, ac yn ystod y cyfnod hwnnw byddai llawer o weinidogion yn dod i'r gwasanaethau angladdol, felly'r hyn a wnawn, yn enwedig yn y wlad, oedd gofyn i'r teulu pwy a ddymunent ei gael i weinidogaethu. Fel arfer byddent yn enwi'r gweinidog lleol ac, yn aml, byddai pobl y wlad hefyd yn gofyn i Doctor Jones ('Doctor Bach' Cricieth) fod yno hefyd oherwydd credent ei fod yn grefyddol iawn, ond roedd hefyd yn gymeriad doniol gyda'i

Gymraeg clapiog braidd a'i dafod tew. Yn ei waith gyda chleifion, gallai'r Doctor Bach fendio pobl efo rhyw ffisig coch, ac os byddai rhywun yn sâl, byddai'n dweud:

'Rhoi ffisig coch i chi a neith o fendio chi.'

Er y credai y byddai'r ffisig coch yn mendio pob salwch, doedd o ddim. Tipyn o seicolegydd oedd y Doctor Bach a chlywais ddweud nad oedd fawr mwy na lliw yn y ffisig!

Cyrhaeddai'r Doctor Bach y tŷ yn hwyr bob amser. Cofiaf gladdu un o'r ardal a'r Parch. Robert Roberts, y Capel Mawr, yn gweinidogaethu. Gyda phawb yn disgwyl amdano i gychwyn, cyrhaeddodd y Doctor Bach ryw chwarter awr yn hwyr.

'Mae'n ddrwg gen i, Mr Roberts, mod i'n hwyr.'

'Iawn,' meddai'r gweinidog. 'Beth ydych eisiau ei wneud, Doctor, darllen ta gweddïo?'

'Na' i gweddïo,' medda fo. A dyma oedd ei weddi ym mhob angladd:

'Diolch fawr i Ti. At bwy ond Tydi fedran ni droi ato fo heddiw. Diolch fawr, diolch fawr.'

A dyna'r cwbl, ond roedd pawb yn ei gweld hi'n weddi dda.

Gan fy mod wedi sôn am y Doctor Bach, dyma un stori o nifer y clywais amdano:

Byddai pobl Cricieth yn galw'r rhai a ddeuai o Lerpwl a Manceinion i weithio i wersyll Bytlins am yr haf yn 'garidýms' am eu bod yn cael eu hystyried yn wehilion cymdeithas. Un flwyddyn, bu merch ifanc yn gweithio fel ysgrifenyddes yno ond, yn lle mynd adra ar ddiwedd yr haf, cymerodd fflat yng Nghricieth dros y gaeaf. Roedd pobl Cricieth yn meddwl mai un o hen garidýms Bytlins oedd hi, ond cawsant eu siomi ar yr ochr orau, a hithau'n barchus, yn talu ei ffordd ac yn mynd i'r eglwys. Aeth i ganlyn dyn o'r enw William Jones, a phobl Cricieth yn dweud na fyddai hynny'n parhau'n hir iawn. Yna priododd William Jones hi a phawb yn dal i ddweud nad oedd fawr o obaith i'r briodas barhau. Wedi i ddwy flynedd fynd heibio aeth William Jones i weld y Doctor Bach yn y syrjeri.

'William Jones,' meddai'r Doctor Bach, "dw i yn y syrjeri yma ers ffifffti iyrs a rioed wedi gweld chi yma o blaen. Ddim yn dda 'da chi?'

'O na, 'dw i'n iawn.'

'Ond be 'da chi'n da yma?'

"Dw i 'di priodi ers dwy flynedd a does dim hoel teulu acw, a meddwl o'n i os oes gennych ffisig neu bilsen at y peth.'

'O, wela i. Faint 'di oed y wraig, William Jones?'

'Ma hi'n ddau ddeg wyth erbyn hyn, doctor.'

'Faint ydi'ch oed chi, William Jones?'

"Dw i'n wyth deg tri rŵan, doctor.'

'O,' medda'r Doctor Bach, 'mae'n ddrwg gen i, does 'na ddim ffisig na tablet at hyn.'

'Fedrwch chi awgrymu rhywbeth, 'ta?'

"Da chi'n byw mewn tŷ mawr, William Jones?'

'Ydw, pedair o stafelloedd cysgu acw.'

'Pam gymrwch chi lojar i mewn?'

"Da chi'n meddwl fasa hynny'n gwneud?'

'Wel, mae o wedi gweithio yn y gorffennol.'

Felly y bu. Ymhen chwe mis, roedd y Doctor Bach yn cerdded i lawr y stryd pan ddaeth wyneb yn wyneb â William Jones.

'Wel, William Jones, 'da chi'n edrych yn hapus iawn heddiw.'

'Yndw.'

'A sut mae Musus Jones?'

'Mae'n disgwyl, Doctor.'

'Da iawn,' medda'r Doctor, 'a beth am y lojar?'

'Mae honno'n disgwyl hefyd, Doctor!'

Cofiaf gladdu rhywun mewn mynwent leol pan gafodd yr agorwr beddi gryn drafferth i agor y bedd. Tir graeanog oedd yno ac, o ganlyniad i hynny, roedd yr ochr wedi rhoi. Beth wnaeth o ond gosod planciau dros yr ochr, gwair ffug dros y planciau a gosod dau bolyn a rhaff arnynt i gadw'r galarwyr i ffwrdd o'r ochr. Wrth gludo'r arch at y bedd, camodd un o'r cludwyr oedd yn gafael yng nghanol yr arch dros y rhaff ac mi lithrodd i'r bedd o dan yr arch. Roedd gan y dyn ofn ei gysgod ar y gorau a bu'n rhaid ei godi allan o'r bedd ac yntau wedi dychryn yn ddiawledig.

Dro arall, yr oeddwn yn claddu mam-yng-nghyfraith y Parch. Robin (Rogw) Williams. Ei dymuniad oedd cael ei chladdu gyda'i gŵr ym Mhonterwyd. Wedi gwneud y trefniadau, aeth fy mrawd â'r corff i'r capel y noson cynt ac aeth Linor a minnau i lawr efo'r car ar gyfer y gwasanaeth. Am un o'r gloch oedd y gwasanaeth a ninnau'n cyrraedd tua hanner dydd. Es at y bedd i wneud yn siŵr fod pob dim yn iawn, a gwelais ei fod mewn andros o le – ar lechwedd serth ofnadwy. Fedrai'r cludwyr fyth gario'r arch i fyny'r ochr yn fy nhyb i, a chredwn y byddai'n rhaid iddynt stopio am seibiant hanner ffordd.

Aethom i'r capel. Erbyn chwarter i un doedd yr un enaid byw yno ac mi ddechreuais feddwl fy mod wedi gwneud camgymeriad gyda'r amser ond, am bum munud i un, daeth criw i mewn a llenwi'r capel. Mae'n debyg fod y drefn yn wahanol i'r hyn yr oeddwn wedi arfer ag ef.

Wedi'r gwasanaeth, dyma ddechrau cerdded am y fynwent. Ymhen sbel, edrychais yn ôl gan feddwl rhoi pum munud i'r cludwyr. Yr hyn a welwn oedd pedwar dyn hollol ddieithr yn cario'r arch, ond yr oedd hynny'n rhan o'r drefn achos roeddan nhw'n deall sut i wneud ac, heb yn wybod i mi, wedi newid drosodd ar y ffordd i fyny a minnau wedi pryderu'n ofer. Aeth pob dim yn iawn, beth bynnag.

Un gyda'r nos, dyma gnoc ar y drws ffrynt. Pwy oedd

yno ond Lady Olwen Carey Evans, merch hynaf Lloyd George.

'Be 'da chi'n neud yma yr adeg yma o'r nos?' holais, a hithau'n noson oer o aeaf.

'Mae gen i broblem, Harri,' meddai, 'mae fy chwaer-yng-nghyfraith wedi marw yn Sir Benfro ac maen nhw eisiau rhoi ei llwch yng nghladdfa'r teulu yng Nghricieth. Mae'n gas gen i feddwl am agor y gladdfa, ac wedi ypsetio am y peth. Mae angen trefnu ei rhoi yn y gladdfa ddydd Sadwrn nesaf. 'Dw i wedi bod at y gweinidog i wneud trefniadau ac wedi gofyn iddo beidio dweud wrth neb am y gwasanaeth neu fe fydd y cyhoedd a'r wasg yno.'

'Gwrandwch,' medda' fi, 'be di'r blwch? Nid un pren.'

'Na, efydd.'

'Ylwch, gan eich bod chi wedi ypsetio am feddwl fod y drysau i'w hagor, mi fedra i wneud twll yn lle mae'r grisiau cerrig yn mynd i lawr at y drysau, lapio'r blwch mewn plastig a'i gladdu yn y fan honno. Y tro nesaf y bydd eisiau agor y gladdfa mi awn ni â'r llwch i mewn.'

Roedd hi'n falch fy mod am wneud hynny achos yn y gladdfa roedd ei mam, ei dwy chwaer a'i brodyr, ond doedd hi ddim yn mynd i gael ei chladdu yno ond yn hytrach gyda'i gŵr ym Mhentrefelin. Fe'm siarsiodd i beidio dweud dim wrth neb am y gwasanaeth.

Daeth bore'r angladd ac es i nôl fy nhad gan mai fo fyddai'n agor twll i roi'r llwch bob tro. Dywedais wrtho am agor twll.

'Pwy 'sgin ti heddiw?'

Minnau'n dweud mai chwaer-yng-nghyfraith Lady Olwen.

'Pam fasa' ti'n deud wrtha i ddoe?'

'Ylwch, os faswn i wedi deud wrthach chi ddoe, fasa Cricieth i gyd yn gwybod. Mi fasech chi wedi mynd am beint i'r Lion ac wedi deud wrth bawb.'

Aethom i lawr, agor y twll wrth y grisiau a rhoi brigau'r

ywen o gwmpas y twll i'w dacluso. Am ddeg o'r gloch, roedd y byddigions yn dechrau cyrraedd yno o bob man, gan gynnwys llawer o San Steffan. Cyn iddynt gyrraedd, dyma gath ddu yn dod yno ac eistedd ar y garreg uwchben y bedd. Ceisiais ei hel oddi yno ond dod yn ôl a wnâi bob tro, a digwyddai'r un peth pan geisiai fy nhad ei gyrru oddi yno.

'Waeth i chi heb â'i hel hi o' 'ma, dod yn ôl mae hi bob gafael,' meddwn wrth fy nhad.

O flaen y teulu a'r byddigions, mi osodais y blwch efydd yn y ddaear. Aeth y gweinidog, y Parch. Edwyn Parry, drwy'r gwasanaeth ac wedi iddo orffen, cododd yr hen gath ddu a mynd oddi yno. Roedd Lady Olwen wedi cael tipyn o ryddhad a dyma hi'n gweiddi ar ei nai o Sir Benfro:

'*Come and meet Harri Bach.*'

'*I'm glad to meet you,*' meddai, gan ddiolch i mi.

Dyma fi'n dweud wrtho:

'*I'm very sorry for the cat, but she insisted on staying here.*'

'*Mr Jones,*' medda fo, '*it's the most fascinating thing that ever happened to me.*'

Edrychais yn wirion arno fo.

'*My mother was the founder member of the British Cat Society.*'

Bûm yn sgwrsio ag ef am sbel go hir wedyn. Ymhen blynyddoedd, aeth drwy bethau ei dad (mab Lloyd George) ac mi ddaeth ar draws rîl ffilm a oedd yn cynnwys hanes cynnar am Lloyd George. Yn y ffilm, roeddech yn gallu gweld merched y pentref yn golchi dillad yn yr afon o dan y bont. Tua hanner awr o hyd oedd y ffilm a neb yn gwybod am ei bodolaeth. Trefnwyd i'w dangos am y tro cyntaf yn Neuadd y Dref, Pwllheli, fel y soniais ynghynt, ac fe godwyd pabell fawr yn y cae ger Amgueddfa Lloyd George yn Llanystumdwy ar gyfer y bwyd. Gan fy mod yn gynghorydd sir yr adeg honno, cafodd Linor a minnau wahoddiad i fynd i'r digwyddiad.

Un diwrnod, cefais alwad i rif 28, Marine Terrace. Roedd gŵr o'r enw Tomos Ellis wedi bod yn y fyddin yn llawn amser ac wedi priodi Saesnes. Ymadawodd â ni un noson ac mi ges fy ngalw i lawr i ddechrau gwneud trefniadau ar gyfer yr angladd.

'Mi faswn i'n lecio claddu dydd Mercher am un o'r gloch ym mynwent Cricieth.'

'Pwy 'da chi eisio i weinidogaethu?'

'Y rheithor, Tom Williams.'

'Ma hynny'n iawn efo pawb, ac mi ffonia' i Tom Williams i setlo pethau.'

Dyma ffonio a gofyn iddo fo a oedd yn rhydd i gladdu. Gwasanaeth preifat yn y tŷ am un o'r gloch ac wedyn yn gyhoeddus yn y fynwent.

'Popeth yn iawn, fachgen,' medda fo.

Mi ddaeth dydd Mercher, a minnau i lawr yno erbyn chwarter i un. Parcio'r hers yn barod a mynd i edrych drwy ffenest y tŷ. Roedd nifer fawr o'r teulu yno, i gyd yn sgwrsio am nad oeddynt wedi gweld ei gilydd ers blynyddoedd.

Daeth yn un o'r gloch a dim sôn am Tom Williams. Edrychais drwy'r ffenest a gweld fod pawb yn dal i sgwrsio. Daeth yn hanner awr wedi un a dim arwydd ohono. Fedrwn i ddim mynd i mewn i'r tŷ a ffonio, a chan fod hyn cyn dyddiau'r ffôn boced, dyma fi'n rhedeg am ben draw Marine Terrace i'r ciosg a ffonio'r rheithordy. Dyma'i wraig yn ateb y ffôn (yn Saesneg oedd y sgwrs wreiddiol):

'Pwy sy'n siarad?'

'Harri Bach, yr ymgymerwr.'

'O ia, Harri, beth alla i ei wneud i chi?'

'Ydi Mr Williams yna?'

'Mae o yn yr ardd.'

'Dywedwch wrth Mr Williams am ddod i lawr cyn gynted ag sydd bosibl.'

Yn ôl â mi at y tŷ. Pwy ddaeth i lawr yn wyllt gan stopio

a gwisgo ei goler ond y rheithor. Y cwbl y gallai ei ddweud oedd: 'Fachgen, fachgen,' a dim byd arall. Mi oedd o'n wyn.

Edrychais drwy'r ffenest a gweld fod y teulu'n dal i siarad heb sylweddoli faint o'r gloch oedd hi, a dyma fi'n dweud wrth y rheithor:

'Mr Williams, peidiwch chi â deud gair rŵan, 'da chi ddim i fod i ddeud clwydda – gadwch hynny i mi.'

'Fachgen, fachgen,' medda fo wedyn.

'Cerddwch chi ar fy ôl i mewn i'r ystafell.'

A dyma fi i mewn a dweud:

'Wel, gyfeillion, mae'n rhaid i chi roi'r gorau iddi rŵan. Mae Mr Williams eisio cario 'mlaen.'

Pawb yn ymddiheuro iddo am ei gadw mor hir ac ymlaen â Tom Williams â'r gwasanaeth.

Erbyn cyrraedd y fynwent a'r gwasanaeth cyhoeddus, roedd hi awr yn hwyrach nag a gyhoeddwyd, a chriw yn aros amdano. Cynhaliwyd y gwasanaeth a rhoddwyd Thomas Ellis yn y ddaear.

Ar y diwedd, daeth un neu ddau o hogia lleol ataf a dweud:

'Ti'n hwyr, Harri Bach.'

'Y *Daily Post* wedi gwneud camgymeriad,' meddwn. Dim ond fi a Tom Williams oedd yn gwybod y gwir, a'r lleill heb sylweddoli beth oedd wedi digwydd.

Dro arall, yr oeddwn yn mynd i'r amlosgfa ym Mangor i gladdu ac, wrth gyrraedd, gwelwn fod degau o geir wedi eu parcio ar y briffordd y tu allan i'r giatiau a llond y lle o bobl. Pan es i lawr at y fynedfa, gwelais yr ymgymerwr o Lannerch-y-medd, Albert Owen, a gofynnais iddo:

'Mae gynnoch chi g'nebrwng mawr heddiw?'

'Nac oes, Harri, dy g'nebrwng di ydi hwn.'

Cefais sioc wrth weld cymaint yno.

'Ffarmwr 'sgin ti heddiw?' holodd Albert.

'Ia. Sut ydach chi'n gwybod?'

'Cynhebrwng ffarmwrs ydi'r rhai mwyaf bob amser.'

Tra'n sôn am ffarmwrs, cefais alwad un tro i Fraich Saint. Roedd Dafydd Owen (Yncl Defi) wedi marw. Es i fyny i wneud y trefniadau, ond gan ei fod wedi marw yn Ysbyty Bron y Garth, rhaid oedd mynd yno i fesur. Wedi gorffen, dyma fynd â'r arch i fyny i Fraich Saint a chyn mynd, dywedodd John fy mrawd wrtha i am fynd â'm car fy hun, gan y gwyddai y byddwn yno am oriau yn siarad efo Dafydd Wyn (Dafydd Wyn Owen, y milfeddyg; roedd Yncl Defi yn frawd i'w dad). Unwaith y cyrhaeddais y gegin, dyma fo'n estyn y botel wisgi allan a'i gosod ar ganol y bwrdd. Potel arall wedyn, a Dafydd Wyn yn dangos hen ddyddiadur Braich Saint. Aeth hi'n hwyr heb feddwl, a dyma'r ffôn yn canu. Cofiais fy mod wedi gaddo mynd â Linor allan i ginio. Yr oedd Dafydd Cadwaladr (mab Now Pen Bryn, neu Owen Owen, cyn-lawfeddyg ym Mangor) gyda ni, a gofynnais iddo:

'Dafydd, wnei di fynd at y ffôn a dweud wrth Linor mai mab Now Pen Bryn wyt ti, ac mi ga' i faddeuant y funud honno.'

Mi gefais faddeuant, ond aeth hi'n un o'r gloch arnaf yn gadael Braich y Saint. Aed ag Yncl Defi i'r amlosgfa ym Mangor a'i ddymuniad oedd cael gwasgaru ei lwch ar y foel ym Mraich y Saint. Dyma Dafydd Wyn, y Parch. Trebor Roberts, gweinidog Pentrefelin, a minnau'n mynd i ben y foel. Holais pa ffordd yr oedd y gwynt yn chwythu.

'O'r môr,' oedd yr ateb, felly dyma droi ein cefnau tuag at y môr. Fel yr oeddwn yn agor y blwch a gwasgaru'r llwch, mi drodd y gwynt yn sydyn a'i chwythu drosom nes yr oeddem ein tri yn wyn!

Y Canon Puw oedd y gŵr mwyaf hoffus a ffeind y gallech chi ei gael, ac fe fyddai bob amser yn gwarchod y gwan. Trigai gyda'i wraig ym Mhlas Ynysgain ger Cricieth a fo oedd yn gaplan ac yn trefnu gwasanaethau a materion crefyddol yng ngwersylloedd Billy Butlin. Fi fyddai'n cynnal a chadw popeth yn Ynysgain. Pan ymddeolodd o fod yn gaplan Bytlins, aeth i fyw i dŷ o'r enw Modwena yng Nghricieth a fi wnaeth ail-wneud y tŷ iddo.

Un bore, dyma Mr Jones, y clerc, yn dweud:

'Mae isio i chi fynd i lawr i Modwena. Mae Mrs Puw wedi marw.'

Newidiais o'm dillad gwaith i siwt a mynd i lawr yno. Curais y drws ac atebodd y Canon:

'Ydach chi 'di dŵad. Ylwch, awn i'r ardd i drafod y trefniadau.'

Fel yr âi'r sgwrs ymlaen, cefais y teimlad nad oedd Mrs Puw wedi marw, ond daliais ati i wneud y trefniadau.

'Canon,' medda fi, 'ydi Mrs Puw wedi marw?'

'Nacdi,' atebodd, 'ond mae hi ar fin marw.'

Roeddwn yn teimlo'n annifyr. 'Fasa'n well i ni beidio gwneud trefn ar bethau. Mi ddo' i yma'n syth pan ddaw'r awr.'

Felly y bu pethau. Aeth tri diwrnod heibio ac wedyn cefais alwad i Modwena. Roedd hi wedi mynd erbyn hyn. Es i mewn i'r parlwr ac roedd chwech o weinidogion yno yn ogystal â theulu'r wraig a Mrs Williams, ysgrifenyddes y Canon.

'Dyna ni,' medda fo, 'mi gewch chi a Mrs Williams gymryd y cofnodion.'

Dechreuodd drwy ddweud ei fod eisiau pedwar Mercedes du, un i Sarjant a fo (y ci oedd Sarjant) a'r lleill i deulu Mrs Puw. Roedd angen trefnu gwasanaeth bach yn y tŷ ac wedyn mynd i'r eglwys yn Llanystumdwy cyn mynd i amlosgfa Bae Colwyn. Yn yr eglwys, yr oedd Côr Meibion

Madog a Chôr Cadeirlan Bangor i ganu. Mae'n debyg fod Mrs Puw wedi ysgrifennu rhyw ddarnau i Gôr Meibion Madog. Yn Saesneg yr oedd y Canon yn siarad:

'*I want you to arrange nosebags for every car.*'

Yr oedd yna ddeuddeg o geir i gario'r galarwyr. Doedd gen i ddim syniad beth oedd *nosebag* a throdd y Canon at ei ysgrifenyddes:

'*You look stunned, Mrs Williams. What's wrong?*'

'*I haven't got a clue what nosebags are.*'

'*Packed lunches,*' medda fo.

Nodais hynny gyda rhyddhad. Yr oedd deuddeg o geir yn mynd i fod â *nosebags* ar gyfer pob un. Dywedodd wrthyf am eu harchebu yn y Lion. Aeth ymlaen gan ddweud ei fod eisiau aros yng Ngwesty Abaty Maenan i gael cinio ar y ffordd i'r amlosgfa. Dywedais wrtho:

'Canon, fydd o ddim yn neis i bawb fynd i mewn i gael cinio a gadael Mrs Puw yn yr hers yn y maes parcio.'

Llwyddais i'w berswadio i beidio stopio yn y fan honno ac yn hytrach i fynd i'r Metropole ym Mae Colwyn ar ôl bod yn yr amlosgfa. Cytunodd, ac archebodd *buffet* yn y Metropole i gant o bobl.

Daeth y diwrnod. Wrth gychwyn o Modwena, dywedodd brawd Mrs Puw:

'*You've got everything in this funeral except the brass band!*'

Y diwrnod hwnnw, roedd y gwaith adeiladu ar stop. Cefais un Mercedes o garej Regent a thri arall o Fae Colwyn gyda phedwar o hogia'r cwmni adeiladu yn eu gyrru. Chwech arall yn cario, a John fy mrawd yn rhoi'r *nosebags* yn y ceir tra oeddem yn yr eglwys.

Wyddwn i ddim beth i'w ddisgwyl yn yr eglwys, ac wrth fynd â'r arch i mewn clywais ganu bendigedig gan Gôr y Gadeirlan. Roedd yr eglwys yn llawn i'r ymylon gan ei bod yn wraig mor boblogaidd a ffeind. Arweiniwyd y gwasanaeth gan Esgob Bangor gyda Chôr Meibion Madog yn canu darn yr oedd hi wedi ei gyfansoddi.

I ffwrdd â ni am Fae Colwyn. Yr oedd Côr y Gadeirlan yn canu unwaith eto yn yr amlosgfa. Wedyn, ymlaen i'r Metropole a'r *buffet* yn werth ei weld – efo pen mochyn yn y canol. Es i'r ystafell gotiau i hongian fy nghôt. Yr oedd rhyw Ganon dieithr mewn oed yn cael trafferth i dynnu ei gôt.

'Ga' i'ch helpu chi?' meddwn, a rhoddais gymorth iddo.

Ar ôl gorffen y *buffet* es i'r swyddfa i dalu amdano ac wedyn i nôl fy nghôt. Pwy oedd yno, unwaith eto, ond yr hen Ganon yn ceisio gwisgo ei gôt. Rhoddais gymorth iddo a diolchodd i mi.

'Arhoswch am funud bach,' medda fo, a chan godi ei wisg eglwysig, estynnodd bwrs mawr du a thynnu chwe cheiniog allan a'i roi i mi. Mae'n rhaid ei fod wedi meddwl mai un o weithwyr y gwesty oeddwn i! Mi fu trefnu cynhebrwng fel hwn yn dipyn o straen a chyfrifoldeb. Dro arall, daeth galwad i'r swyddfa fod dyn o Borthmadog wedi marw yn Ysbyty Gwynedd.

'Gwranda, John,' meddwn wrth fy mrawd, 'rhywun sy'n dy nabod di o Port sydd wedi ffonio; fasa'n well i ti fynd i'w gweld.'

Aeth John ati i holi. Ffoniodd Ysbyty Gwynedd i gael y mesuriadau ar gyfer gwneud arch. Doedd neb o'r enw hwnnw wedi marw yn Ysbyty Gwynedd. Addawyd gwneud ymholiadau. Ymhen hanner awr, cafwyd ateb o'r ysbyty. Mae'n debyg fod y dyn ar fin marw ond i'r hen wraig ddrysu a cham-ddeall y neges.

Ymysg trigolion Cricieth, mae'n hen arferiad galw'r fynwent leol yn 'Gae Harri'. Weithiau clywir hyn mewn sgwrs:

'Lle mae hwn a hwn?'

'Mae o'n Cae Harri.'

Gan ei fod yn gyffredin ar lafar, daeth llawer o bobl ifanc

Cricieth i gredu mai am fy mod i'n claddu yno y cafodd y lle ei alw'n 'Cae Harri'. Dydi hynny ddim yn wir, er bod yna ryw fath o gysylltiad uniongyrchol gyda'r teulu, yn ôl Nain.

Roedd yna hen fodryb i nain fy nain o'r enw Dora Williams. Hen ferch oedd hi a nain fy nain wedi ei henwi ar ei hôl. Ym Mrynhir Plas, Cricieth, oedd y sgweiar yn byw, ac mi gollodd hwnnw ei wraig, gan ei adael gyda bachgen bach o'r enw Henry. Daeth Dora i fagu'r hogyn bach a meddyliai'r byd ohono ac yntau'n meddwl y byd o Dora. Pan oedd Henry'n hogyn bach, fe blannwyd coeden dderw (sydd yno o hyd). Wrth y goeden, roedd lle o'r enw Beudy Mawr. 'Dw i'n ei gofio'n feudy ond mae'n dŷ erbyn heddiw. Byddai Nain yn arfer mynd yno pan oedd yn bedair neu bump oed i nôl llefrith a menyn, gan gario'r menyn yn y llefrith y tu mewn i'r piser.

Dau le i gladdu pobl oedd yng Nghricieth yr adeg honno, sef Mynwent yr Eglwys a mynwent (fechan iawn) capel y Bedyddwyr. Aeth trigolion Cricieth at y sgweiar a gofyn iddo am ddarn o dir i gladdu'r trigolion ac fe roddodd Henry ddarn o dir iddyn nhw at y pwrpas. Dyna sut y cafodd mynwent Cricieth yr enw 'Cae Harri' ar lafar.

Mae'n siŵr gen i fod yr hanes yn mynd yn ôl tua dau gan mlynedd ac mae'r enw'n dal i gael ei ddefnyddio hyd heddiw – ac mae'r to ifanc yn dal i feddwl mai ar fy ôl i yr enwyd y fynwent!

Mae'n wir fod yr enw Henry yn rhedeg yn y teulu ers hynny ac fe gadarnhaodd Bedwyr Lewis Jones na wyddai am un fynwent arall â'r enw 'Cae Harri'.

Nid oes gen i syniad faint yn union y bu i mi eu claddu dros y blynyddoedd, ond mae'n siŵr ei fod yn nifer go fawr. Erbyn hyn, rydw i wedi ymddeol o'r gwaith hwn hefyd, a bellach, mae'r cwbwl yn nwylo'r hogiau.

Cymeriadau

Dw i wedi dod ar draws llawer o gymeriadau difyr yn ystod fy oes. Yr ydw i wedi sôn am nifer ohonynt yn barod, ond dyma ambell stori am un neu ddau arall.

Roedd gŵr o'r enw Guto Cefn Peraidd yn ffrindiau efo Linor a minnau, ac yn galw yma ambell dro. Roedd ei fab, Twm, yn brentis yn Barrow-in-Furness a Guto druan yn crio o hiraeth ar ei ôl. Mi oedd o yma un diwrnod yn cael paned yn y gegin a dyma gnoc ar y drws. Rhyw Sais oedd yno yn dweud ei fod wedi prynu siop Jane *dairy* yng Nghricieth ac eisiau gwneud newidiadau dros yr haf, ac yn gofyn am bris yn o handi am wneud y gwaith.

'Wyddoch chi,' meddwn i, 'mae'r dyn sy'n eistedd yma rŵan yn gefnder cyfan i Jane oedd yn cadw'r *dairy*.'

'O ia, 'dw i'n gweld Jane Gruffydd bob dydd,' medda fo. Yn rhyfedd iawn, roedd Jane wedi ei chladdu ddwy flynedd cyn hynny.

Aeth y dyn oddi yma ac meddai Guto:

'Diawl, blydi Jane. Un fel'na oedd hi. Mae'n siŵr ei bod hi wedi dod yn ôl.'

Y diwrnod wedyn, roedd y stori'n dew drwy Gricieth fod ysbryd Jane wedi dod yn ôl i'r *dairy*. Roedd pawb yn sôn am y peth, a'r stori'n mynd am ryw dri diwrnod. Erbyn diwedd yr wythnos, mi ddaeth y dyn i nôl y pris. Do'n i ddim yn siŵr am fusnes yr ysbryd, ac wrth gael paned efo fo, dyma fi'n dweud:

'Tro diwethaf oeddach chi yma, roeddach chi'n dweud eich bod chi'n gweld Jane *dairy* bob diwrnod. Be'n union ydach chi'n weld?'

'Wel,' medda fo, 'mae 'na lun mawr ohoni yn yr atic a

minnau i fyny yno bob dydd yn ail-wneud.' A dyna roedd o'n feddwl wrth ddweud 'i fod o'n ei gweld hi bob dydd!

Un arall o gymeriadau mwyaf yr ardal oedd Wil Gell. Pan oedd Linor a minnau'n canlyn, fe soniodd hi am yr hen ffordd hynafol oedd yn mynd o Gell, heibio Braich Saint i Bentrefelin.

'A' i â chdi ar ei hyd hi ryw noson,' meddwn.

Un noson yn y gaeaf, dyma fynd ar hyd y ffordd. Wedi mynd ychydig ar ei hyd, pwy welwn yn y cae ond Wil Gell yn y car efo'i gariad. Parciais yn yr adwy i weld a fyddai'n gofyn i ni symud er mwyn iddo allu mynd allan. Roedd ei gar yn stêm i gyd ac mi ddioddefodd Linor a minnau yno am ryw hanner awr ond, ymhen sbel, bu'n rhaid mynd oddi yno am ei bod hi'n rhewi.

Bore wedyn, tua 8:30, dyma ddrws y gweithdy'n agor a Wil Gell yn dod i mewn.

'Sut ma 'i, Wil?' meddwn.

'Harri Bach,' medda fo, 'wedi dod â dwsin o wyau i ti 'dw i. Paid â deud wrth Mattie'n chwaer dy fod wedi 'ngweld i neithiwr.'

Dyna'r dwsin wyau cyntaf, a'r olaf, iddo 'i roi i unrhyw un erioed, hyd y gwn i!

Wrth i Linor fynd am Dyddyn Crythor i lanhau un prynhawn Sadwrn, digwyddai fynd heibio tro'r Gell pan ddaeth Wil Gell allan ar ei dractor i'r ffordd. Fyddai o byth yn edrych a oedd rhywbeth yn dod – yn ei dyb o, fo oedd piau'r ffordd. Cael a chael fu hi i Linor i'w osgoi ac mi glywodd lais Wil Gell yn gweiddi:

'Rafa'r g_____ !'

Es efo Wil Gell i Nefyn unwaith, a hynny i gofrestru marwolaeth ei wraig. Mynd wnaethon ni mewn rhyw hen fan flêr oedd ganddo a golwg y diawl y tu mewn iddi. Rhwng Morfa Nefyn a Nefyn yr oedd goleuadau traffig ar goch. Aeth Wil yn syth drwodd heb arafu dim. Pan gyrhaeddodd yr ochr arall, yr oedd car yn disgwyl a'r golau ar wyrdd. Dyma Wil yn agor y ffenest a gweiddi:

'Gyn' ti fwy o amsar na fi!' ac ymlaen â fo, gan adael y dyn yn y car arall yn gegagored.

Pan ddechreuais i fy hun, yr oedd saer coed arall, Elfed Owen, yn byw i fyny'r ffordd, ac er ein bod yn cystadlu am yr un gwaith, yr oeddwn yn ffrindiau gydag ef. Un diwrnod, a minnau ar fy ffordd i weld fy ewyrth yn y becws, fe welwn yr hen saer yn eistedd ar fainc y tu allan i'r gweithdy a golwg ddigon digalon arno.

'Sut 'da chi heddiw?' holais.

''Dw i'n iawn,' medda fo, 'ond cer i'r drws nesaf i edrych sut mae'r hen wraig sy'n byw yno.'

Gan fy mod wedi ei gweld yn y stryd y bore hwnnw, gwelwn y cwestiwn yn un rhyfedd braidd.

''Dw i wedi ei gweld hi bore 'ma,' meddwn.

'Cer i weld os ydi hi'n iawn,' meddai, gan wylltio.

Es at y drws a'i guro. Daeth hi i'r drws.

''Da chi'n iawn?' holais.

'Wel yndw, Harri Bach, ond 'mod i 'di cael tynnu fy nannedd y bora 'ma ac yn dal i waedu.'

Drws nesaf i weithdy'r saer, yr oedd gweithdy arall oedd yn wag ond a fu'n perthyn i dad y ddynes. Yng nghefn gweithdy'r saer, yr oedd polyn trydan a'r saer wedi talu can punt i'w osod. Yr hyn a welodd y bore hwnnw oedd dynion MANWEB ar ei dir ac aeth atynt:

'Be ddiawl 'da chi'n neud yn fan hyn?'

'Mynd â chebl *three phase* i'r gweithdy drws nesaf am fod yna saer wedi cymryd y lle.'

'Bygrwch hi o 'ma, 'sgynoch chi ddim hawl i ddod yma heb ganiatâd.'

Aeth y dynion oddi yno. Yn ei wylltineb, aeth y saer i

weld y wraig drws nesaf a gofyn iddi:

'Gwranda, wyt ti di gosod y gweithdy i saer arall?'

Roedd y wraig wedi ei magu yn y De, a thipyn o acen y De â rhyw natur siarad Saesneg arni.

'Wel, do.'

'I be ddiawl ti 'di gosod y gweithdy i joinar arall?'

'Wel, mae o 'di gwneud *good turn* efo'r mab, a *one good turn deserves another.*'

Rhoddodd y saer andros o glec ar y palis. 'Sawl *good turn* sydd heb ei dalu amdano?'

Yr oedd y wraig yn cael coed tân bob wythnos gan y saer. Wrth roi ceg iddi, sylwodd fod gwaed yn pistyllio o'i cheg ac mi ddychrynodd am ei fywyd, gan feddwl ei bod wedi cael strôc. Yn fuan wedyn y deuthum i yno a ffeindio fod y wraig wedi cael tynnu ei dannedd.

'Gwaedu'n ddiawledig y mae hi,' meddwn i, 'am iddi gael tynnu ei dannadd y bore 'ma.'

Fe ddaeth ato'i hun ar ôl clywed hynny.

Cymeriad hoffus iawn oedd Wil Sics, wedi ei fagu yn 6, Arvonia Terrace, Cricieth, yr unig fab mewn teulu o bump o blant. Saer maen ydoedd wrth ei waith, ac roedd yn eglwyswr mawr ac yn olau iawn yn ei Feibl. Roedd y Parch. Stanley Owen yn byw ar y ffordd i gartref Wil, a bob nos rowliai Wil adra o'r dafarn wedi meddwi. Os byddai'n cael gafael ar Stanley Owen, fe gâi Wil y gorau arno bob tro efo'r Beibl. Er y byddai Lumley Jones, y plismon, yn ei gaddo hi iddo am feddwi, doedd Wil byth yn codi twrw; byddai bob amser yn hapus.

Un noson, yn ystod y pedwardegau, roedd Wyn Morgan (un o'm ffrindiau o Gricieth) a minnau'n cerdded adra a Wil Sics yn rowlio mynd o'n blaenau. Dyma ni'n gafael ynddo, un i bob braich, er mwyn rhoi help iddo fynd adra. Tua hanner ffordd i fyny, daeth Lumley Jones i'n cyfarfod. Cyn i'r plismon gael cyfle i ddweud dim, dyma Wil yn dweud:

'Mae'n iawn, Mr Jones, mynd â'r ddau yma adra ydw i!'

Yn ystod y dauddegau, a gwaith yn brin yn yr ardal, aeth Wil am Gaerdydd i chwilio am waith. Fuodd o ddim diwrnod cyn cael gwaith fel saer maen ar ryw safle, a chael lle i aros. Wedyn, trefn Wil oedd gweithio'n galed drwy'r dydd ac yna'n syth i'r dafarn, porc pei neu frechdan yno, llwyth o gwrw a rowlio i'w lety ar ôl i'r tafarnau gau.

Un nos Sadwrn, ac yntau'n mynd am y llety drwy un o sgwariau'r ddinas ar ôl boliad o gwrw, clywodd fand yn chwarae emynau ac aeth i gyfeiriad y sŵn. Beth oedd yn y pen draw ond band Byddin yr Iachawdwriaeth ar ryw blatfform bach, a Swyddog yn pregethu. Aeth Wil atynt i ganu. Yn ystod y cyfnod hwnnw, prif waith y Fyddin oedd cael gafael ar feddwon er mwyn eu perswadio i newid eu ffyrdd. Mi ffeindiodd y Swyddog fod Wil yn dipyn o lyncwr a dechreuodd holi Wil am ei waith a'i lety.

Y dydd Llun wedyn, roedd y Swyddog a'i wraig yn aros am Wil y tu allan i'r gwaith ac aethant ag ef i'r Tŷ Cyfarfod yn lle'r dafarn. Digwyddodd hynny bob nos am wythnos gyfan. Erbyn nos Sadwrn, yr oedd Wil gyda Byddin yr Iachawdwriaeth yn yr un sgwâr, yn sobor fel sant yn y cyfarfod. Aeth y Swyddog i fyny i'r platfform:

'*Brothers and Sisters, welcome here. Tonight, we have a Brother from North Wales who was a drunk a week ago but has been in every meeting for a whole week. Will Brother Wil come to the platform to tell every one how much better he has been.*'

Gwrthodai Wil fynd i fyny ond cariodd dau o'r aelodau ef i'r platfform. Roedd yn rhaid iddo ddweud rhywbeth a dyma fo'n dechrau:

'*Brothers and Sisters. It is true what was said about me. I haven't touched a drop of beer, and I have saved a lot of money. In fact, I've saved enough to buy myself a coffin, and if I am with*' *the Salvation Army for another week, I'll be in the bloody thing!'*

Yr oedd gan Wil Sics bartner yfed o'r enw Robin Thyrtîn, hwnnw hefyd wedi ei enwi ar ôl rhif ei dŷ. Crydd oedd Robin, ac wrth weithio byddai ganddo bob amser lond ei geg o hoelion. Yfed cwrw oedd ei hobi, ac roedd yn drwm iawn ei glyw. Un tro yn y Prins, holodd rhywun:

'Ti am dalu, Robin?'

'Be ti'n ddeud?' â'i law ar ei glust.

Gwaeddodd yn uwch: 'Ti am dalu?'

'Wn i ddim be ti'n ddeud.'

'Gymri di beint, Robin?'

'Diolch yn fawr,' atebodd yn syth!

Ar ddiwrnod y *Grand National*, roedd gan Wil a Robin yr un drefn bob tro. Cael tacsi o Gricieth i Lerpwl i'r *Grand National*, ond aen nhw ddim pellach na thafarn y Bwl yn Aintree. Yno y byddent yn yfed a meddwi drwy'r dydd a thacsi'n dod â nhw'n ôl wedi meddwi'n rhacs.

*Criw o Gricieth yn mynd i gefnogi Tîm Pêl-droed Cymru
yn yr Alban ar ôl y Rhyfel*

Am flynyddoedd, bu clwb llenyddol yng Nghricieth o'r enw Clwb Treferthyr, a bûm yn aelod ohono. Cyn ymaelodi, byddwn yn cael gwahoddiad bob blwyddyn i'r Cinio Gŵyl Ddewi gan Gapten William Williams (Capten Washi) am i mi fod gydag ef ar y môr. Ar un achlysur, roedd tua pedwar ugain yn y cinio, nifer ohonynt yn ysgolheigion, a Bedwyr Lewis Jones yn ŵr gwadd. Testun ei ddarlith oedd 'Eifionydd', R. Williams Parry. Chlywais i ddim byd cynt na wedyn fel y ddarlith honno; roedd hi'n arbennig. Eisteddwn rhwng Capten Washi a'r Parch. Robert Roberts, Capel Mawr. Ar ôl y ddarlith, roedd gan nifer o weinidogion, athrawon a phrifathrawon a fu wrth draed R. Williams Parry ym Mangor, dipyn i'w ddweud amdano. Yn sydyn, gwelwn yr hen Gapten yn dechrau aflonyddu yn ei gadair, cyn codi ar ei draed:

'Gyfeillion. 'Dw i 'di mwynhau'r ddarlith yma yn fwy na dim byd arall erioed. Wyddoch chi, ches i erioed addysg farddonol. Es i'r môr yn bedair ar ddeg ac mi fûm ar y môr yn gyson am hanner can mlynedd. Mi fydda i'n meddwl am bobl fel Eifion Wyn sy'n sôn am y môr yn ei gerdd 'Ora Pro Nobis':

Ein Tad, cofia'r morwr rhwng cyfnos a gwawr
Mae'i long o mor fechan a'th fôr Di mor fawr.

Beth oedd Eifion Wyn yn 'i wybod am y môr o'i gymharu â fi, a fu ar y môr am hanner can mlynedd? Be' faswn i'n gallu 'i ddweud am y môr os faswn i'n gallu barddoni?'

Erbyn hyn, roedd yr hen Gapten wedi colli arno'i hun yn lân:

''Dw i'n cofio fi'n mynd o'r wlad yma i Rwsia, ac mi o'n i wedi mynd i'r bync a dyma'r mêt i fyny,

"*Captain, can you come up on the bridge? I think we're*

*finished. I've never seen a sea like this running before. I don't
think we're going to last long."*

'Dyma fi i fyny ar y bont ac, ar fy ngwir, welis i ddim môr,
cynt na wedyn, yn debyg i'r môr yma, ac roeddwn innau'n
meddwl ei bod hi ar ben arnom ni.'

Fel yr oedd yn dweud y gair diwethaf, dyma lais o'r
gynulleidfa'n gweiddi:

'Oedd Harri Bach efo chi, Capten?'

'Nag oedd,' meddai'r Capten, wedi cynhyrfu, 'tasa fo efo
fi'r noson honno, fasa fo 'di cachu yn ei drowsus.'

Aeth y lle yn foddfa o chwerthin. Pan ddaeth y noson i
ben ymhen rhyw hanner awr, roedd Bedwyr a William
George yn dal i chwerthin wrth wisgo'u cotiau.

I wneud pethau'n waeth, mi ddaru o ymddiheuro am
ddweud y ffasiwn beth.

Tipyn o gymeriad oedd Wil Pencarth o Chwilog. Yr oedd yn
hoff iawn o gymysgu gyda Saeson yng Ngricieth. Gan ei fod
yn ffond iawn o gwrw, byddai'n dod â moron a llysiau eraill
i'w rhoi i Saeson a'r rheiny'n prynu cwrw i Wil oedd yn
werth llawer mwy na phris y llysiau!

Gwaeddodd dros y Lion un noson:

'Harri Bach! Pan fydda i farw mae isio i ti grematio fi ac
wedyn dod â'r llwch adra efo chdi a'i osod o ar stepan drws
yr incym tacs. Fyddan nhw wedi cael y blydi lot wedyn.'

Cefais y fraint o weithio i Dafydd Glyn Williams yn y siop
ffrwythau a llysiau pan oeddwn tua tair ar ddeg oed. Roedd
o'n andros o dynnwr coes. Siop D.J. fyddai pawb yn ei galw,
a hynny ar ôl D.J. Williams, tad Dafydd Glyn. Yn un hanner
y siop, yr oedd y ffrwythau a'r llysiau ac yn yr hanner arall yr
oedd cownter pysgod, gyda thad Dafydd Glyn â'i gefn at y

cownter yn trin y pysgod gan gnoi baco'r un pryd. Cario allan efo beic oedd fy ngwaith i. Gan mai llawr pren oedd yno, yr oedd gan Dafydd Glyn botel gyda thyllau yn ei chaead i wlychu'r llawr rhag i lwch godi. Bob yn hyn a hyn, taflai Dafydd Glyn ddŵr dros ei dad nes y byddai hwnnw'n gwylltio a rhedeg ar ei ôl o gwmpas y siop gyda'i gyllell yn ei law.

Yr oedd Cwmni Drama yng Nghricieth, cwmni y bûm innau'n rhan ohono'n ddiweddarach. Peter Pritchard oedd yn cynhyrchu a'r cwmni wedi cael gwahoddiad i berfformio *Tywydd Mawr* yn neuadd Rhoshirwaen un noson. Y prynhawn hwnnw, dyma Dafydd Glyn yn ffonio Peter Pritchard, oedd â siop dros y ffordd i Siop D.J.:

'Cadeirydd Neuadd Rhoshirwaen sydd yma. Mae'n ddrwg iawn gen i ond rhaid canslo'r ddrama heno. Mae yna wynt mawr wedi chwythu'r to sinc i ffwrdd.'

Cwmni Drama Cricieth yn 1957.
Elis Gwyn a Wil Sam yw'r trydydd a'r pedwerydd o'r chwith yn y
cefn. Dafydd Glyn a minnau sydd yng nghanol y rhes flaen.

'Diolch i chi am ffonio,' medda Peter Pritchard, a'r funud nesaf, gwelai Dafydd Glyn ef yn rhoi naid ar ei feic a chychwyn i ddweud wrth bob aelod fod y noson wedi ei chanslo. Ymhen rhyw awr go dda, cyrhaeddodd yn ôl a dyma Dafydd Glyn yn ffonio wedyn a dweud:

'Fi sydd yma unwaith eto. Mae 'na domen o weision ffermydd yr ardal wedi dod i drwsio'r to ac mi fedrwch chi ddŵad yma heno wedi'r cwbwl.'

Aeth Peter Pritchard ar ei feic i weld pob aelod unwaith eto i ddweud fod y noson yn cael ei chynnal.

Perfformiwyd y ddrama ac roedd y gynulleidfa wedi ei mwynhau. Yna, safodd Peter Pritchard o flaen y gynulleidfa:

'Ga' i ddiolch o galon i'r holl weision ffermydd a fu'n trwsio'r to mor dda.'

Doedd gan neb syniad am beth yr oedd yn sôn – neb heblaw am Dafydd Glyn. Dyma'r math o driciau y byddai'n eu chwarae.

Pan oeddem yn blant yng Nghricieth, doedd dim sôn am *Superman* a *Spiderman* a'u tebyg, ond yr arwr mawr i ni fel plant oedd Rogw, neu'r Parchedig Robin Williams. Yr oedd yn bêl-droediwr penigamp, yn baffiwr ac yn ganwr. A dweud y gwir, doedd dim byd na fedrai Rogw ei wneud yn ein golwg ni. Er nad oedd ond rhyw bum mlynedd rhyngddo ef a mi mewn oedran, roedd hynny'n filltiroedd o wahaniaeth pan oedden ni'n blant ond, wrth fynd yn hŷn, roedd y bwlch oedran yn culhau. Mi es i'n brentis saer coed ac aeth yntau i'r coleg tua'r un adeg. Fel yr aeth y blynyddoedd heibio, mi es i ffwrdd a dod yn ôl i ddechrau busnes adeiladu a chladdu a chael cydweithio gyda Robin gan ei fod, erbyn hynny, yn weinidog yn Rhoslan. Un o'r pethau 'dw i'n ei gofio yw Robin yn dod yma a gofyn:

'Harri, mae Madge, fy chwaer hyna, wedi marw ym Mae

Colwyn. Os ydi hi'n bosib, a fedri di gladdu ei llwch yn Llanystumdwy fore Sadwrn nesaf gyda'r teulu a ffrindiau agos yno?'

'Iawn,' meddwn i.

Mi ddoth hi'n fore Sadwrn, a'r haul allan ar ôl wythnos wlyb iawn. Roedd y blwch gen i a dyma Robin yn dweud:

'Dyna fo, Harri, gewch chi roi'r blwch yn y ddaear,' a minnau'n gwneud hynny. Wedyn dyma Robin yn rhoi anerchiad:

'Dyma ni yma yn y llecyn hwn ar fore braf fel hyn. Madge a minnau, a 'mrodyr a'm chwiorydd eraill, wedi cael ein magu dafliad carreg o'r fan yma yn Gwynfryn Plas, a Nhad yn rheolwr adeiladau i Stad y Gwynfryn. Un bore, mi fu farw'r hen sgweiar a be oedd ar lafar gan bawb oedd faint oedd ei werth o. Miliwn, meddai rhai, dwy filiwn, meddai eraill, a neb yn gwybod yn iawn. Roedd gan yr hen sgweiar filoedd o aceri a thai a ffermydd yn ardal Llanystumdwy.

'Y noson honno yn nhafarn y Plu, roedd pawb yn dal i drafod maint cyfoeth a gwerth yr hen sgweiar a dyma ryw hen was ffarm gyda chap â phig yn gam ar ei ben yn dweud:

"Hogia, 'da chi'n dal i drafod gwerth a chyfoeth yr hen sgweiar ond mi 'dw i'n gwybod be' mae o wedi ei adael ar ôl."

"Sut ti'n gwybod?" meddai rhywun. "Doeddat ti ddim yn nabod yr hen sgweiar. Mae llawer ohonon ni wedi gweithio iddo fo am flynyddoedd, rhai am hanner cant o flynyddoedd, a ddim yn gwybod. Sut wyt ti'n meddwl dy fod ti'n gwybod?"

"Dweud, ta," medda un arall, "be' a faint mae o wedi ei adael."

'Dyma'r hen ŵr yn dweud:

"Dduda i wrthach chi. Y cwbl. Dyna faint mae o wedi ei adael ar ôl." Ac wrth gwrs, mi oedd o'n iawn.'

Roedd claddu efo Rogw yn brofiad arbennig iawn gyda'i eirfa Gymraeg gyfoethog a'i ffordd o fynd o'i chwmpas hi.

Onid oedd o, wrth gwrs, yn adnabod y rhan fwyaf o bobl yr ardal yn iawn, gan ei fod wedi ei fagu yma. Pan fyddwn yn gwneud trefniadau ar gyfer angladd ac yn gofyn pwy y dymunai'r teulu ei gael i weinidogaethu, yr ateb bob tro fyddai Robin. Roedd ei deyrngedau'n ddarlithoedd ynddynt eu hunain.

Cofiaf fod mewn angladd yng Nghricieth a'm cyfaill Glyn Povey yn eistedd gyda mi. Darllenodd Robin hen gerdd o'r enw 'Desiderata' ac mi wirionodd y ddau ohonom gymaint nes gofyn iddo am gopi ohoni.

Wrth i'r blynyddoedd fynd heibio âi'r gwahaniaeth mewn oed rhyngom yn llai, ac mi fuom ni'n ffrindiau mawr. Roeddwn yn falch o gael ei adnabod.

Pan oeddwn yn claddu Wil Gell gyda Robin yn gweinidogaethu, ar lan y bedd aeth i sôn am gampau a chymeriad Wil nes yr oedd pawb yn chwerthin yn braf. Ar ôl yr angladd, diolchais i Robin am y gwasanaeth a gofynnais iddo a fedrai fy helpu. Yr oeddwn newydd gael fy ethol i'r Cyngor Sir dros Gricieth, ac unwaith y mis yn y Cyngor llawn, byddai'n arferiad i un o'r cynghorwyr weddïo, a wyddwn i ddim beth fyddai'n digwydd pe byddent yn gofyn i mi wneud. Tybed a fedrai Robin roi help drwy lunio gweddi?

'O, 'dw i'n gweld be' ti isio rŵan,' medda fo, a dyma fo'n gofyn am ddarn o bapur a dechrau sgwennu yn y fan a'r lle. Mi ddarllenais hi unwaith, ddwywaith ac, ar ôl y trydydd tro, roeddwn yn ei chofio i gyd. Dyma sut mae'n mynd:

'Benllywydd tirion. Wrth i ni ymgasglu yma heddiw, gad i ni ymdeimlo ein cyfrifoldeb fel Cyngor.

Rho glust i glywed llais yr ardalwyr, a hefyd lygaid i weld eu hangen.

Dysga ni i barchu ein bro yn ei thraddodiad a'i thrigolion a gwneud hyn oll yn enw'r Crist a gerddodd y byd gan wneuthur daioni.'

Doedd Robin erioed wedi bod yn y Cyngor ond eto'n gallu llunio gweddi mewn eiliad oedd yn berthnasol. Yn anffodus, mae'r papur gwreiddiol wedi mynd ond roeddwn i wedi ei dysgu ar fy nghof.

Ar ôl dysgu'r weddi, mi ffeindis nad oedd neb yn gorfod gweddïo yn y cyfarfodydd, ond mai gwirfoddol oedd yr holl beth.

Glyn Povey

Un o bentref Garndolbenmaen yn Eifionydd oedd Glyn Povey. Deuthum i'w adnabod yn dda ychydig ar ôl y Rhyfel, pan ddaeth i weithio i gwmni William Jones, lle roeddwn innau'n gweithio erbyn hynny, fel brici. Byddai llawer o dynnu coes a hwyl diniwed yn y gwaith yr adeg honno. Roeddwn wedi dod ar draws Glyn cyn iddo ddechrau gyda William Jones, gan fod Aelwydydd yr Urdd yng Nghricieth a Garndolbenmaen yn cydweithio gyda'i gilydd. Deuthum yn ffrindiau gydag ef a'i frawd Wil a thros y blynyddoedd bûm yn gwneud llawer gyda hwy. Wrth i'r blynyddoedd fynd heibio, bu i Glyn a Wil ei frawd ddechrau busnes adeiladu y Brodyr Povey yng Ngarndolbenmaen. Pan oeddwn yn dal i fod ar y môr, bu i Glyn a Wil ddechrau prentisio bechgyn ifanc Garn, a dros y blynyddoedd, aeth nifer ohonynt ymlaen i redeg eu cwmnïau eu hunain yn dilyn y cyfle a gawsant bryd hynny.

Er fy mod i a Glyn wedi prisio am waith yn erbyn ein gilydd lawer gwaith dros y blynyddoedd, fuodd 'na ddim drwgdeimlad rhyngom. A bu llawer o rannu offer a deunyddiau, y ddau ohonom yn mynd yn ôl ac ymlaen i fenthyg hyn a'r llall. Yn amlach na heb, byddai Glyn Povey yn fy nghuro gyda'i brisio. Un tro, rhoddais bris i mewn am joban a'i guro am y cytundeb a dyma fo'n gofyn:

'Sut ddiawl ti'n gallu gwneud y job mor rhad â hynna?' Ond doedd dim drwgdeimlad, chwaith.

Os oedd wedi gwneud rhyw joban go fawr, byddai'n rhoi gwahoddiad i mi ei gweld. Erbyn hynny, yr oeddem yn ffrindiau agos ac yn cymdeithasu'n aml. Cofiaf iddo wneud gwaith go fawr yn ehangu gwesty Tyddyn Llwyn ger Porthmadog ac mi es yno gydag ef i weld y gwaith coed oedd ar y bariau a'r drysau. Derw a ddefnyddiwyd – coedyn hardd

Glyn Povey a minnau'n cael paned!

iawn. Dywedodd Glyn mai yn ardal Birmingham y'i cafodd, a hynny am bris go sylweddol.

Pan fyddai'n teimlo'n isel, neu pan fyddai ganddo awydd sgwrs, byddai'n galw yma yng Nghricieth ac âi'r ddau ohonom am beint a sgwrs i'r Lion. Un noson, yr oedd llond y lle yno, ond aeth y ddau ohonom ymlaen gyda'r sgwrsio. Daeth dwy ferch leol o gwmpas a chwistrellu rhyw sentiach ar bawb, gan gynnwys y ddau ohonon ni. Poenai Glyn yn ofnadwy am yr hyn fyddai Mair, ei wraig, yn siŵr o'i ddweud wrth ogleuo'r sbrê, ac amau iddo fod allan efo dynes arall. Aeth sbel heibio cyn iddo alw wedyn, ond fe ddaeth yma un noson i fynd am beint.

'Gwranda,' medda fi, 'dawn ni ddim i'r Lion heno, mi awn i'r George i ti gael gweld y joban 'dw i wedi 'i gwneud yn fanno.'

I ffwrdd â ni i'r George yn ei gar. Gadawodd ef yn y maes parcio ac i mewn â ni i'r bar cefn. Fel arfer, rhyw beint neu ddau fyddem yn ei yfed yn ystod y noson. Wrth weld y tu mewn a'r paneli hardd ym mhob man yn y bar, dyma Glyn yn dweud:

'Argol, mae 'na dderw yn fan hyn, a hwnnw'n hen dderw. Lle cest ti hwn?'

'Yn Lerpwl – ar y dociau.'

'Faint dalist ti am y derw 'ma?'

'Dwy fil,' atebais.

'Blydi hel, 'ches ti mo'r cwbl am ddwy fil a finna wedi talu pum gwaith yn fwy am y derw ar gyfer Tyddyn Llwyn?'

Roedd o'n gweld y gwaith derw'n fendigedig, ond ychydig a wyddai mai plastig oedd y 'derw' ac nad fi oedd wedi gwneud y gwaith. Gallwch ddychmygu ymateb Glyn pan glywodd hynny!

Wedi i ni dreulio ychydig amser yn eistedd wrth fwrdd, aethom i sefyll wrth y bar. Yr oedd dyn a dynes yn eistedd ar stolion yno a dyma ni'n taro sgwrs â hwy. Roeddan nhw'n mwynhau clywed Glyn yn siarad a dweud straeon yn ei Saesneg clapiog. Pan ddaeth hi'n un ar ddeg ac yn amser cau, gofynnodd y dyn i'r rheolwr:

'Do you mind if my friends here stay for a drink?' Yr oeddynt yn aros yn y gwesty.

Gwyddel oedd y rheolwr a doedd ganddo ddim gwrthwynebiad. Cododd y wraig i fynd i'r toilet ac wedi iddi fynd, dyma'i gŵr yn dweud:

'Do you know, my wife hasn't smiled like this for years.' Meddyg oedd o, o rywle yng Nghanolbarth Cymru.

Mi fuon ni yno'n yfed am dipyn go lew ac yna'n sydyn, dyma Glyn yn sylweddoli ei bod hi wedi hen basio hanner nos.

'Arglwydd, rhaid i mi fynd adra,' medda fo, ac roedd y ddau ohonom wedi cael dipyn o 'laeth mwnci' erbyn hyn. Welais i neb yn symud mor ddiawledig o sydyn â Glyn Povey pan aeth am y car. Mi aeth heibio i mi heb gynnig reid a bu'n rhaid i mi gerdded adra. Wedi cyrraedd y tŷ, es drwy'r drws yn ddistaw ac am y llofft. Roedd Linor yn chwyrnu cysgu ac fe lwyddais i fynd i'r gwely heb ei deffro.

Wedi cysgu am ryw hanner awr, deffrais yn sydyn gan deimlo'r lle yn troi. Codais yn y tywyllwch ac i ffwrdd â mi am y lle chwech. Mi gymrais i mai'r drws oedd y ffenest ac mi es yn sâl, gan chwydu ar ben y llenni newydd sbon yr oedd

Linor wedi eu gosod y diwrnod cynt. Yn ystod y perfformiad, deffrodd Linor a throi'r golau ymlaen. Dyma hi'n gweiddi:

'Fy nghyrtans newydd a 'nillad gwely i!' (roeddwn hefyd wedi chwydu ar ddillad y gwely). Es ymlaen i'r lle chwech a bûm yn sâl yn y fan honno wedyn. Roedd Linor wedi gwylltio'n lloerig erbyn hyn a hithau'n ddau neu dri o'r gloch y bore. Er mai arna i oedd y bai am y cwbl, Glyn Povey druan oedd yn cael y bai i gyd gan Linor, ac i lawr â hi i'w ffonio.

Deallais gan Glyn wedyn ei fod yntau wedi llwyddo i gyrraedd adra yn ddiogel, a chan eu bod yn cadw gwely a brecwast, ac yn gosod y llofftydd ar y llawr isaf, cysgu i fyny yn y llofft uchaf a wnâi ef a Mair. Llwyddodd i gyrraedd y gwely heb fynd yn sâl na deffro Mair ond yn syth wedyn, bron, canodd y ffôn, a honno i lawr y grisiau. Aeth Glyn i lawr yn ddistaw i'w hateb. Pwy oedd yno ond Linor, yn chwarae'r diawl am fy mod i wedi chwydu ar y llenni. Rhoddodd Glyn y ffôn i lawr ac aeth yn ôl i'w wely.

Ymhen awr, dyma'r ffôn yn canu eto. Gan rag-weld llond ceg arall gan Linor, yr oedd Glyn rhwng dau feddwl beth i'w wneud, ateb y ffôn ai peidio. Meddyliodd ei bod hi'n well iddo fynd i lawr i ateb y ffôn, rhag ofn fod Harri Bach wedi marw a dyma fo'n codi'r ffôn. Roedd hi bellach wedi pedwar y bore.

'Ia,' medda fo, 'pwy sy 'na?'

'Glyn Povey? Jac Cae Tindaw (Cae Eithin Tew) sy 'ma. Faint o'r gloch ydi hi, mae'r blydi cloc wedi stopio.'

'Cer i dy ff_____ gwely y c____ gwirion,' meddai Glyn, a rhoi'r ffôn i lawr.

Hen lanc oedd Jac, yn byw ym mherfeddion Cwm Ystradllyn, ac roedd Glyn Povey wrthi'n ail-wneud eu dŷ. Cafwyd llawer o chwerthin dros y blynyddoedd wrth sôn am y noson honno.

Rhyw dro arall, a hithau'n noson oer o aeaf, yr oedd

Glyn Povey a minnau wedi mynd i'r Lion, ac mi aeth hi'n hwyr y noson honno hefyd, ond chawson ni ddim gormod i'w yfed. Roedd rhywrai wedi bod yn dwyn o dai o gwmpas yr ardal ac wedi i Glyn fynd yn ei gar, dyma fi'n ceisio mynd i mewn drwy'r drws cefn – a darganfod bod Linor wedi ei gloi rhag y lladron. Cnociais a methu cael ateb. Gwyddwn fod y drws ffrynt wedi ei gloi ac, i goroni'r cwbl, a hithau'n noson mor oer, roeddwn eisiau mynd i'r lle chwech. Drwy lwc, yr oedd hwnnw y tu allan ac es i mewn, cau'r drws ac eistedd i lawr. Mae'n rhaid fy mod wedi syrthio i gysgu ar yr 'orsedd'.

Y bore hwnnw, roeddwn wedi dechrau ar y gwaith o godi cegin groes yng nghefn y tŷ, ac roedd un o'r hogia wedi tynnu'r llechi oddi ar do'r lle chwech yn barod i'w ddymchwel. Ymhen rhyw awr neu ddwy, dyma Linor yn deffro a ffeindio nad oeddwn yn y gwely, felly aeth i lawr i chwilio amdanaf. Agorodd ddrws y cefn, a drws y lle chwech, a'm gweld yn y fan honno, yn wyn dan y barrug a'r rhew. Petawn wedi bod yno am awr arall, mi fyddwn wedi marw ac roedd Linor wedi dychryn. Fe'm llusgodd i fyny'r grisiau a'm rhoi yn y gwely gyda chwe photel ddŵr poeth i'm dadmer. Nid Glyn Povey druan gafodd y bai am y noson honno – Linor oedd wedi cloi'r drws heb gofio nad oedd gennyf oriad.

Am gyfnod, bu Glyn yn dioddef o *angina* a byddwn yn galw i'w weld ddwy neu dair gwaith bob wythnos. Yn y gadair yn reit ddigalon y byddai'n aml. Un prynhawn, gwelais Mair ar y stryd a holais sut oedd Glyn.

'Mae o'n ei wely a wneith o ddim codi. Cerwch i'w weld a cheisiwch wneud iddo godi o'r gwely.'

Es at y tŷ a gweiddi:

'Sut mae heddiw, Mistar Povey?'

'Harri Bach wedi dod i 'ngweld i.' Roedd o'n eistedd yn y gwely a'i draed i fyny.

'Newydd weld Mair yn y stryd 'na rŵan ydw i. Gwranda, sytha dy draed. Sut wyt ti'n meddwl y galla i dy fesur di fel'na?'

Mi ddychrynodd gymaint nes iddo godi, gwisgo côt a mynd i'r parlwr.

'Harri Bach y diawl, yn rhoi braw i mi.'

Mi fendiodd o'r *angina*, wedyn mi ymddeolodd, a chael blynyddoedd o hapusrwydd yng nghwmni Mair, cyn iddo'i cholli, ac ar ôl hynny, efo Bethan ei ferch, ei gŵr Arwyn a'i ŵyr, Gethin.

Yn ystod y cyfnod pan oeddwn yn cadw siop sglodion, byddai Glyn Povey yn dod yno'n aml i gael swper ar ôl colli Mair. Roedd gen i garafán y tu allan i dalcen y siop ac yn honno y byddai Glyn yn cael ei swper. Un noson, doedd y sawl a arferai goginio ddim yn gweithio, felly fi oedd yn gwneud y sglodion a gweddill y bwyd. Daeth Wil Gell i mewn.

'Mae Dora wedi marw,' medda fo. Ei wraig oedd Dora.

'Gwranda, Wil, mi fydda i wedi gorffen ymhen rhyw chwarter awr. Mae Glyn Povey yn cael swper yn y garafán – cer i eistedd ato fo.'

Es yno cyn gynted ag y gallwn. Roedd Glyn Povey yn llwyd ei wedd, a dywedais wrth Wil:

'Mi ddo' i fyny i dy weld yn y bore i wneud trefniadau'r cynhebrwng.'

Aeth Wil am adra a gofynnais i Glyn pam oedd o mor welw. Dywedodd fod Wil Gell wedi dod i mewn i'r garafán a gofyn:

'Un o'r Poveys wyt ti?'

'Ia.'

'Diawl, roedd 'na hen Bovey'n byw ym Mhorthmadog, ac mi ddaeth â bil i nhad am joban ac isio iddo fo dalu'r funud honno!'

Pwy oedd y Povey hwnnw ond Glyn ei hun! Roedd wedi

adeiladu toiledau i dad Wil ar y maes carafanau ac wedi bod yn gyrru biliau iddo a dim sôn am dalu, felly mi aeth heibio gyda chopi arall o'r bil. Doedd Wil ddim yn gwybod ei fod yn siarad gyda'r union ddyn. Mi chwerthais wrth glywed Glyn Povey yn dweud:

'Y diawl yn rhedeg arna i – yn 'y ngwynab!'

O flaen tŷ Glyn ym Mhorthmadog roedd rhyw ddraen wedi rhoi o dan y ffordd a'r lle yn ysgwyd pan fyddai llwythi trymion yn mynd heibio. Safai Glyn Povey ar ochr y ffordd un diwrnod pan ddaeth un o danceri Mansel Davies heibio ar dipyn o gyflymdra. Roedd ffenest y gyrrwr yn agored, felly dyma Glyn yn gweiddi arno:

''Rafa'r diawl gwirion!'

Aeth y lorri heibio, ond ymhen dau funud, roedd wedi mynd o gwmpas y gylchfan ym mhen y stryd a dod yn ôl i gyfeiriad Glyn. Sgrialodd hwnnw am y tŷ a chloi'r drws cyn i'r lorri gyrraedd.

Yn ystod y cyfnod a arweiniai at Eisteddfod Genedlaethol Bro Madog yn 1987, yr oeddwn i a Glyn Povey yn aelodau o Bwyllgor y Maes ac fe fu'n gyfnod hapus iawn. Yn sicr, allan o holl aelodau'r pwyllgor hwnnw, Glyn Povey fu'n gweithio galetaf. Mi fu am fisoedd yn trefnu gwahanol bethau, gan gynnwys mynd i ddewis cerrig ar gyfer Cylch yr Orsedd. Ar nos Wener olaf yr Eisteddfod, fedrai Glyn ddim symud o'i gadair – yr oedd wedi ymlâdd yn llwyr ac mi gymrodd fisoedd iddo ddod dros yr ymdrech.

Cynhelid cyfarfodydd y pwyllgor yn Ysgol Eifionydd, ac un noson, trafodwyd problem y ffos a elwid yn lleol yn 'Y Cyt'. Roedd yn rhedeg gydag ochr y llwybr o'r Maes i ganol y dref ac ofnai rhai y gallai fod yn beryglus liw nos wrth i'r eisteddfodwyr gerdded ar ei hyd. Dyma fi'n codi a dweud:

'Mr Cadeirydd. 'Dw i'n cynnig fod Glyn Povey a Mrs Queenie Richards yn mynd i wneud ymchwil ar y llwybr i weld os ydi o'n iawn.'

Aeth pawb i chwerthin. Roedd Queenie'n dipyn o gymeriad a Glyn Povey wedi gwylltio ac yn ei gaddo hi'n ofnadwy i mi.

Aelod arall o'r Pwyllgor oedd Sam Williams o Finffordd. Soniodd wrth Glyn Povey am gwrs a oedd yn cael ei gynnal bob mis Chwefror ym Mhlas Tan y Bwlch, Maentwrog, ar Lên Gwerin. Aeth Glyn a minnau yno'r flwyddyn ganlynol, 1988, i wrando ar y ddarlith nos Sadwrn, a'i mwynhau. Y flwyddyn ar ôl hynny, aethom yno am y penwythnos i gyd, o nos Wener tan brynhawn Sul. Credaf mai rhyw un cwrs y bu i ni ei golli wedyn hyd nes i Glyn Povey fynd yn sâl, ac yn ystod y cyfnod hwnnw, cawsom wledd yn gwrando ar fawrion y genedl megis Dic Jones, T. Llew Jones, Hywel Teifi Edwards ac eraill.

Gan ein bod yn mynd bob blwyddyn, yr oeddem ni'n dod i adnabod rhai o bob cwr o Gymru, gan y byddai hyd at gant yn mynychu'r cyrsiau. Twm Elias oedd (ac sydd o hyd) yn trefnu, ac fe ddatblygodd y criw yn un teulu mawr wrth fwynhau cwmni'i gilydd. Yn sicr, byddai Glyn yn mwynhau ei hun, gan ddechrau cynhyrfu ac edrych ymlaen yn arw at y cwrs rhyw ddau fis ymlaen llaw.

Un flwyddyn, a hynny wedi iddo golli Mair, yr oeddem yn rhannu llofft i dri, gan fod Brian Thomas o Lerpwl (ond o Benmachno'n wreiddiol) wedi dechrau dod efo ni. Aethom i'n gwlâu y nos Wener honno a Brian a minnau'n sgwrsio am Lerpwl, gan fy mod wedi gweithio yno. Dim ond rhyw olau bach oedd ymlaen, a be welwn i oedd Glyn Povey yn ceisio gwisgo'i drowsus pyjamas. Yn sydyn, dyma fo'n disgyn ar lawr nes oedd ei draed i fyny.

'Be' sy'n bod?' holais, gan ofni fod rhywbeth yn bod arno fo.

'Methu mynd i mewn i'r blydi pyjamas 'ma 'dw i.'

Dyma droi'r golau llawn ymlaen. Yn y tywyllwch, roedd Glyn wedi mynd i'r cwpwrdd tanc i nôl ei byjamas, a hwnnw'n rhyw liw gwyrdd golau. Roedd wedi llwyddo i gael y gôt, ond yr hyn a gafodd yn lle trowsus oedd cas gobennydd o'r un lliw, felly doedd ryfedd na fedrai gael ei draed i mewn!

Y bore canlynol, fi oedd yn digwydd rhoi anerchiad. Heb sôn am fod yn nerfus, roeddwn wedi dal annwyd trwm, felly pan es i sefyll o flaen y gynulleidfa, dyma fi'n dechrau drwy adrodd hanes Glyn Povey a'r cas gobennydd. Aeth pawb i chwerthin a chefais ddim problem nerfau wedyn.

Dros y blynyddoedd daethom yn ffrindiau mawr; roedd Glyn Povey yn un o'r ffrindiau mwyaf a fu gen i erioed, os nad y mwyaf. Cefais y fraint o dalu'r deyrnged yn ei gynhebrwng ac rwy'n dal i hiraethu ar ei ôl. Mae gen i ofn na fu mynd i Dan y Bwlch yr un fath wedyn.

Eisteddfota

Er nad oeddwn yn un am fynychu'r Eisteddfod Genedlaethol, yn bennaf oherwydd galwadau gwaith, bûm yn gefnogol iddi drwy'r amser. Ar ddechrau'r saithdegau, gwahoddodd Clwb Treferthyr, y Clwb Llenyddol yng Nghricieth yr oeddwn yn aelod ohono, yr Eisteddfod Genedlaethol i Gricieth yn 1975 fel Eisteddfod Genedlaethol Bro Dwyfor. Derbyniwyd y gwahoddiad. Emrys Jones, y twrnai, oedd Llywydd y clwb, ac felly daeth yn Gadeirydd y Pwyllgor Gwaith. Yr oeddwn wedi cael fy newis ar Bwyllgor y Maes gyda John Roberts o'r Groeslon, oedd bryd hynny'n Drefnydd y Gogledd. Cyn belled ag yr oedd yr hen bafiliwn yn y cwestiwn, yr oedd y dyn a fu'n gofalu amdano ers blynyddoedd newydd ymddeol, gan adael ei ŵyr i wneud y gwaith yn ei le. Aeth pethau ymlaen yn weddol, a chyflogwyd gweithwyr lleol i wneud y gwaith ar y pafiliwn a'r maes.

Rhyw ddau fis cyn yr ŵyl, fe gondemniodd Cyngor Dwyfor sawl agwedd o'r pafiliwn, gan gynnwys y llwyfan. Ystyrid llawer o bethau'n beryglus i'r cyhoedd ac fe fu rhyw sôn am beidio â chynnal yr Eisteddfod, hyd yn oed. Galwyd pwyllgor brys a chynigwyd y gwaith o godi'r pafiliwn i'r safon dderbyniol i mi. Yr oeddwn i fod yn gyfrifol am y gwaith – a hynny'n ddi-dâl. Derbyniais y cyfrifoldeb am y gwaith i gyd, gan gynnwys y pafiliwn a'r maes.

Doedd fawr o amser i gwblhau'r gwaith ac mi dynnais nifer o ddynion o'm cwmni fy hun i weithio yno, a chefais ddyn neu ddau yr un gan nifer o gontractwyr lleol eraill hefyd, cyfanswm o tua hanner cant. Nid oedd yr ŵyr ifanc wedi cadw llawer o drefn ar bethau, felly dechreuais oruchwylio'r gwaith gan roi cyfrifoldeb i bawb, a gwyddwn lle oedd pawb i fod. Yr arferiad ar dywydd gwlyb oedd i'r gweithwyr aros yn y cytiau, ond newidiais y drefn a'u cael i weithio yn y pafiliwn yn glanhau'r lle pan fyddai hi'n bwrw rhag iddynt fod yn segur.

Byddai'r gwaith yn mynd yn ei flaen ar ddyddiau Sadwrn a Sul hefyd gan fod yr amser mor fyr. Un Sul, fe gollwyd un o'r gweithwyr; roedd o wedi dianc i rywle. Gan fod amryw o Bwllheli'n gweithio yno, deuthum i ddeall ei fod yng Nghlwb y Lleng Brydeinig ym Mhwllheli drwy'r prynhawn. Rhaid oedd clocio i mewn ac allan, ac fe ddaeth i'r fei tua 4:30. Gan fod y dynion yn gweithio ddydd a nos, yr oedd gennyf ddau wyliwr nos i gadw golwg ar bethau. Byddai'r dyn o dan sylw'n gweithio ar y shifft nos hefyd, ac yn gwneud pres da, ac mi glywais ei fod wedi dod i mewn ar y shifft nos er mwyn cael *double time* – er ei fod wedi treulio'r prynhawn yn yfed.

Roeddwn ar y safle cyn wyth y bore wedyn, ac ar ôl bod yn y cantîn, dyma weiddi ar y gweithwyr:

'Cym on, tyrn tŵ!' (fel y byddem yn ei ddweud ar y môr).

Y cyntaf allan oedd y dyn yma o Bwllheli.

'Chdi,' medda fi, 'lle fuost ti drwy'r dydd ddoe?'

'Ar y ffensio,' medda fo.

'Paid â deud clwydda yn 'y ngwynab i. 'Dw i'n gwybod dy fod wedi bod yn yfed yn y *Legion* ac mae gen i dystion. Weli di'r giât yna? Cer drwyddi nerth dy draed neu mi luchia i di allan (roedd o tua troedfedd yn dalach na fi). Wyddost ti fod plant bach y fro 'ma wedi hel ceiniogau prin at y 'Steddfod a chdithau'n eu twyllo. Paid â dod yn agos i'r lle 'ma eto.'

Trodd yn ôl y tu allan i'r giât a holi am ei gyflog. 'Mi gei di dy gyflog ond cer o 'ngolwg i.'

Ar ôl hynny, chefais i ddim trafferth efo neb, a llwyddwyd i orffen y cwbl erbyn yr wythnos cyn i'r Eisteddfod ddechrau. Er hynny, welais i fawr o'r Eisteddfod ei hun gan fy mod yn dal i weithio ar y Maes.

Cyn yr Eisteddfod, mi benderfynodd Linor a minnau osod y tai a'r fflatiau yr oeddem yn eu gosod i ymwelwyr fel arfer i neb ond pobl yr Eisteddfod am yr wythnos honno. Gan fod ystafell wag yn ein tŷ ni, roedd pwy bynnag oedd yn gofyn am wely a brecwast yn ei chael yn rhad ac am ddim. Roedd amryw o swyddogion yr Eisteddfod yn cydweithio gyda'r Pwyllgor Gwaith ac yn aros yn y Lion. Wedi gorffen gwaith bob amser cinio dydd Sadwrn, byddai'n arferiad gan y dynion oedd yn gweithio i mi fynd am beint i'r Lion. Un Sadwrn, daeth ffôn i'r tŷ yn gofyn i un o'r hogia fynd adra ar frys am fod ei fab bach yn wael. Es draw i'r Lion a rhoi'r neges iddo. Pwy oedd yn eistedd yn rhes yn y dafarn ond rhai o swyddogion yr Eisteddfod. Fel yr oeddwn yn siarad gyda'm gweithwyr, dywedodd perchennog y gwesty wrth swyddogion yr eisteddfod:

'Well, we in Cricieth don't want this Eisteddfod.'

Aeth y lle'n ddistaw. Cofiwch fod hanner y dynion yn y bar yn gweithio i mi. Dyma droi atyn nhw a gofyn:

'Hogia, ydach chi eisiau'r 'Steddfod yma i ddod i Gricieth?'

'Yndan, hwrê!' medda pawb, ac roedd y swyddogion yn gwenu. Yn eu mysg roedd Emrys Cleaver, dyn yr Alaw Werin, a gofynnodd i mi:

'Deudwch wrtha i, ydych chi'n gwybod lle y buaswn yn cael gwely a brecwast?'

'Wn i am le. Mi gewch ddod acw am ddim.'

Mi ddaeth i aros i'r tŷ ond, yn y cyfamser, ni wyddai a oeddwn yn dweud y gwir ai peidio. Yn ystod yr wythnos, bu'n rhoi gwersi piano i Bryn, y mab hynaf, bob nos, gan fod hwnnw eisoes wedi dechrau chwarae'r offeryn.

Doedd Linor ddim yn hapus fod acw gymaint o waith a hithau'n methu'r Eisteddfod. Yn y bore, ar ôl brecwast, byddai'n rhedeg Emrys Cleaver i'r Maes yn y car a'i nôl o wedyn i gael cinio nos. Er fy holl waith ar y Maes, cefais fod ei gwmnïaeth yn wych.

Un noson, roedd Buddug Lloyd Roberts a Guto Roberts wedi trefnu i Emrys Cleaver draddodi darlith ar ganu gwerin yn Neuadd Garndolbenmaen. Erbyn y noson, roedd Emrys wedi colli ei lais yn llwyr ac yn methu ei thraddodi, felly camodd Guto Roberts i'w le ar y funud olaf i draddodi darlith a oedd ganddo ar J. Lloyd Williams, un o gymwynaswyr mwyaf y Gân Werin Gymraeg, a gŵr a fu'n byw yn y Garn. Cyn diwedd y noson, galwodd Buddug Lloyd Roberts ar Bryn (y mab) a Sian Eirian o Langybi i ganu caneuon ac fe wnaethant hynny'n dda iawn. Dylwn nodi mai ym mynwent yr Eglwys yma yng Nghricieth y mae J. Lloyd Williams wedi ei gladdu.

Bu Eisteddfod Cricieth yn llwyddiant, ac fe'i hystyriwyd hi'n un o'r goreuon. Ar ddiwedd yr wythnos, daeth y Trysorydd, Tom Roberts, ataf a gofyn:

'Harri, ydach chi eisiau prynu'r hen garafán fach yma (oedd yn cael ei defnyddio ar y Maes)? Mi gewch hi am hanner canpunt.'

Mi brynais hi a dod â hi i'r cefn yma, a gofyn i Gwilym, y saer coed, roi rhyw wely a dodrefn ynddi, gweithiwr arall i'w phaentio a mam Linor i osod llenni. Erbyn iddynt orffen, yr oedd hi'n bictiwr!

Y flwyddyn ganlynol, roedd yr Eisteddfod yn Aberteifi ac i ffwrdd â ni gyda'r car yn tynnu'r garafán. Gan fod un o'r hogiau yng Ngwersyll Llangrannog ar y pryd, a'r ieuengaf heb ei eni, roedd lle i ni a'r ddau arall. Cafwyd maes carafanau ar ryw ffarm yn Aberaeron, gadael y garafán yno a mynd i'r Maes bob dydd. Cawsom gymaint o hwyl fel y bu i ni benderfynu mynd i'r Eisteddfod yn Wrecsam y flwyddyn ganlynol hefyd.

Am Wrecsam â ni, felly, yn yr un garafán, ond y tro yma aethom i'r Maes Carafanau swyddogol. I mewn â ni a phawb yn edrych mewn syndod arnom – mae'n rhaid eu bod nhw'n meddwl mai sipsiwn oeddan ni! Roedd y garafán yn edrych yn iawn yn yr iard, ond yng nghanol y carafanau crand o'n cwmpas, codai gywilydd arnon ni gan ei bod yn edrych mor uffernol.

'Paid â chrio,' medda fi wrth Linor, 'mi bryna i deledu i ti yn Wrecsam fory, ac mi awn ni allan am ginio heno.'

Aethom i ganol y dref i chwilio am fwyd. Cyfeiriwyd ni i lawr y grisiau i ryw le bwyta. Doedd fawr o neb yno ond, wrth i ni archebu, daeth pobl o bob man i lenwi'r lle. Wrth y bwrdd nesaf, yr oedd Charles Williams, ei wraig ac un o'r hogia, ac I.B. Gruffydd. Cawsom ddigon o hwyl yno ac, er cywilydd y garafán, mi wnaethom fwynhau'r eisteddfod honno – ond ar ôl dod adra, matsien gafodd y garafán!

Fuom ni ddim efo carafán yn y Steddfod wedyn, dim ond mynd ambell dro pan allwn i yng nghanol prysurdeb gwaith. Yn ddiweddarach, dechreuais fynd gyda Glyn Povey i'r gwasanaeth ar y bore Sul cyntaf os byddai'r Eisteddfod o fewn cyrraedd.

Erbyn Eisteddfod yr Wyddgrug, yr oeddwn wedi prynu carafán, ac yn ei chadw wrth dalcen y siop sglodion. Fedrwn i ddim mynd oddi wrth fy ngwaith, felly gofynnodd Dafydd Glyn (Williams), un a oedd yn stiwardio'n flynyddol, am fenthyg y garafán. Gofynnodd i mi ei danfon i'r Maes Carafanau ar y dydd Sul cyntaf. Es â Glyn Povey efo fi.

Yr oedd Dafydd Glyn wedi trefnu i ni gael brecwast yn y gwesty lle roedd o'n aros a thalu i ni fynd i'r Maes ac i wasanaeth y bore. Dyma gytuno, a chychwyn yn blygeiniol – mynd â'r garafán i'r Maes Carafanau cyn cychwyn i'r gwesty am frecwast. Ar ôl gorffen, dyma Dafydd Glyn yn dweud:

'Wn i am ffordd gynt i fynd i'r Maes, rownd y cefna.'

Roeddem ni'n clywed sŵn y Maes ond yn cael y teimlad ein bod yn mynd yn hollol groes i'r cyfeiriad cywir.

'Dafydd Glyn, os awn ymlaen am awr eto, mi fyddwn

wedi cyrraedd Blaenau Ffestiniog!'

Troi'n ôl fu raid, ac erbyn hyn roedd y gwasanaeth wedi dechrau. Rhaid oedd cael lle parcio ac mi welwn faes parcio preifat i'r swyddogion, gyda phlismyn ar y giât.

'Awn ni i fewn i fa'ma,' meddai Dafydd Glyn. Stopiodd y plismyn y car a dyma Dafydd Glyn yn agor y ffenest:

'*Scotland Yard*,' medda fo, a'r plismyn yn ein gadael i mewn.

Wrth gerdded am y pafiliwn, fe ddaeth hi'n amlwg fod pawb yn adnabod Dafydd Glyn. Daeth dwy ddynes ato a'i gusanu ar ei ddwy foch.

'Chwiorydd Richard Burton,' medda fo.

Cawsom y gwasanaeth, a'r Eisteddfod wedyn drwy'r dydd. Ddiwedd yr wythnos, rhaid oedd mynd i nôl y garafán a mynd i'r Gymanfa. Daeth Wil Dafydd (o Gricieth) gyda ni'r diwrnod hwnnw.

Byddwn yn dal i fynd yn y car am y diwrnod os bydd yr Eisteddfod o fewn cyrraedd, ond tydi hi ddim yr un fath heb Glyn Povey yn gwmni.

Y Cynghorydd Sir

Un bore, dywedodd Mr Jones, a oedd yn gweithio fel clerc yn swyddfa'r cwmni:

'Harri, tra 'dw i yma rŵan yn yr offis 'ma, pam na adwch chi i Bryn 'ma fynd i rywle arall i gael profiad?' Fo oedd wedi prentisio Bryn, y mab, fel clerc. 'Mae 'na joban yn mynd yn y papur fel clerc cyffredin yn y Cyngor Sir ac mi fuasai'n gwneud i'r dim.'

Dywedodd wrth Bryn am ffonio'r Cynghorydd Sir, ac es â fo ato, ond wfftiai'r Cynghorydd gan fod Bryn mewn gwaith eisoes. Wedi i mi wylltio a chodi i fynd, mi arwyddodd y Cynghorydd y cais a rhoi ei gefnogaeth, ac aethom oddi yno.

Dywedais wrth Bryn:

'Chei di ddim cyfweliad heb sôn am gynnig y job,' ac felly y bu.

Ymhen dau fis, daeth yn amser enwebu ar gyfer etholiadau'r Cyngor Sir. Be' wnes i oedd llenwi ffurflen i fynd yn Gynghorydd Sir a'i chyflwyno yn Swyddfa'r Ardal ym Mhwllheli bum munud cyn yr amser cau. Doedd neb yn gwybod ond fi, neu dyna a gredwn. Pan gyrhaeddais adra, roedd Linor wedi clywed ar y radio fy mod yn sefyll. Yn fuan wedyn, daeth John fy mrawd i lawr:

'Be uffarn ti'n feddwl ti'n 'i neud? Ydan ni mewn busnas?'

Roedd o wedi gwylltio. Ymhen wythnos, yr oedd agwedd John wedi newid a dyma ddywedodd o:

'Wst ti be? Ti'n mynd i ennill.'

'Be ti'n feddwl?'

'Ma pobol yn y stryd yn deud dy fod ti am gael fôts o bob man.'

Doeddwn i ddim wedi bwriadu sefyll go iawn. Pan gefais

y ffurflen gais, cefais un arall ar gyfer tynnu fy enw'n ôl a llenwais honno hefyd. Pan ddaeth yr amser i mi dynnu fy enw'n ôl, yr oeddwn yn gorfod mynd i gyfarfod pwysig gyda'r Ymddiriedolaeth Genedlaethol ym Mhlas Newydd, a hynny am hanner dydd. Fedrwn i ddim bod mewn dau le ar unwaith a dyma ofyn i John wneud ffafr i mi.

'Be 'ti isio?' holodd.

''Dw i isio i ti fynd â'r ffurflen tynnu'n ôl i'r Cyngor Sir.'

Pan ddywedais hynny, gwylltiodd.

'Ti'n gwneud blydi hwyl am yn penna ni'n fa'ma, a pobol yn gaddo fôts i chdi.'

'Os na 'di honna'n mynd i mewn, mi ladda i di.'

Aeth â hi i mewn ychydig funudau cyn hanner dydd. Y cwbl roeddwn eisiau ei wneud oedd dysgu gwers i'r Cynghorydd ac mi fu fel sant efo fi wedyn. Wnaeth o ddim dal dig. Pan ddaeth yr etholiad nesaf, yr oedd Dwyfor ac Arfon yn uno i ffurfio'r Wynedd newydd a Sir Fôn yn mynd ar ei phen ei hun. Roedd y Cynghorydd Sir yn ymddeol. Yr oeddwn wedi bod yn aelod o Blaid Cymru ers blynyddoedd ac fe ddaethant ar fy ôl a gofyn i mi sefyll fel Pleidiwr. Llwyddais i fynd i mewn.

Doeddwn erioed wedi sefyll fel Cynghorydd ac roedd yn beth hollol newydd i mi. Wedi deud hynny, nid oeddwn yn hollol ddibrofiad chwaith, gan fy mod wedi gweithio i'r Cyngor ers blynyddoedd yn codi adeiladau ac yn cynnal a chadw rhai eraill.

Y Blaid oedd yn y mwyafrif, ac Alun Ffred Jones (a ddaeth wedyn yn Weinidog yn Llywodraeth y Cynulliad) yn Arweinydd y Cyngor. Mi fedra i roi fy llaw ar fy nghalon a dweud na welais i ddim ond doethineb a thegwch yr adeg honno, gyda phob plaid yn cydweithio heb unrhyw ddrwgdeimlad. Yn ystod fy nghyfnod ar y Cyngor bûm yn Gadeirydd ac yn Is-gadeirydd Ardal Dwyfor, a wnes i ddim elwa na chymryd mantais – dim ond cynrychioli'r Blaid ac ardal Cricieth ar y Cyngor. Cynrychiolais yr ardal am dri thymor, gan sefyll ac ennill etholiad un waith yn ystod y cyfnod. Roedd gweithgareddau'r Cyngor i gyd yn Gymraeg.

Roedd fy mlwyddyn gyntaf ar y Cyngor yn flwyddyn gysgodol – hynny yw, yr oedd Gwynedd a Môn i ymwahanu'n ddau awdurdod, felly yr oedd angen cydweithredu cyn i hynny ddigwydd. Yn ystod y flwyddyn honno yr oeddwn ar Bwyllgor y Priffyrdd pan ddaeth cais ar gyfer gwneud ffordd newydd heibio i Bytlins, rhwng Cricieth a Phwllheli, gerbron y Pwyllgor. Welais i ddim byd mor ddi-drefn â'r cyfarfod hwnnw. Yr oedd yr oriel gyhoeddus yn llawn o wrthwynebwyr i'r cynllun a'r rheiny'n gweiddi ac yn creu stŵr. Cadeirydd y pwyllgor oedd y diweddar Gynghorydd Tom Jones o Benmachno a doedd ganddo ddim siawns o gael y lle i drefn.

Y flwyddyn ganlynol, daeth yr un cais i fyny eto. Y tro hwn, y Cynghorydd Glyn Owen oedd yn cadeirio ac er bod yr oriel yn llawn fel o'r blaen, yr oedd wedi paratoi ar eu cyfer. Dyma ei eiriau:

'Croeso i chi i gyd yma, yn enwedig y bobl yn yr oriel gyhoeddus. Rydan ni'n falch o'ch gweld chi yma, yn cymryd diddordeb yn y gweithgareddau. Gadewch i mi egluro canllawiau'r Cyngor newydd. Dim ond y Cynghorwyr a'r Swyddogion sydd â'r hawl i siarad yn y Pwyllgor. A chi yn y cefn, yr unig hawl sydd gennych chi yma yw'r hawl i wrando. Felly, 'dw i'n disgwyl y gwnewch chi barchu'r rheol. Os byddwch yn ymddwyn fel y tro diwethaf, byddaf yn stopio'r Pwyllgor, galw'r heddlu a'ch gyrru chi i gyd allan.'

Fu yna ddim smic o'r oriel gyhoeddus. Yr oedd yn wers i mi, hefyd. Pan oeddwn yn Gadeirydd Ardal Dwyfor, cefais y cyfle i ddweud yr un geiriau mewn cyfarfod pwyllgor pan oedd nifer o brotestwyr yno.

Yr oeddwn wedi arfer siarad yn gyhoeddus a doedd siarad yn y Cyngor ddim yn boen i mi. Yr unig dro y bu i mi boeni am siarad yn gyhoeddus oedd yng nghynhebrwng Gwyndaf, un a fu'n gweithio i mi am flynyddoedd. Credwn mai yng nghapel bach Minffordd yr oedd y cynhebrwng, ond pan gyrhaeddais y fan honno doedd neb y tu allan. Yna dywedodd Linor mai ym Mhenrhyndeudraeth oedd y cynhebrwng a phan gyrhaeddais y fan honno, yr oedd cannoedd y tu allan. Roeddwn wedi dychryn. Y capel yn dal cannoedd, ac yn llawn, a minnau i dalu teyrnged i Gwyndaf. Ond unwaith y bu i mi gychwyn siarad, yr oeddwn yn iawn.

Collais etholiad 2008 oherwydd adwaith sirol yn erbyn y Blaid. Teimlais ein bod wedi cael cam oherwydd na welais ddim o'i le yng ngweithgaredd y Blaid ar y Cyngor yn ystod y deuddeng mlynedd y bûm yno. Cau ysgolion oedd gwraidd y mater – pwnc digon anodd ar y gorau – ac roedd 'na deimladau cryf. Dim ond o ryw bedair pleidlais y collais fy sedd.

Yr wyf yn dal yn Gynghorydd ar Gyngor Tref Cricieth, a hwnnw eto'n gweithredu drwy gyfrwng y Gymraeg. Y broblem gyda chyngor bach yw petai rywun di-Gymraeg yn dod arno, mi fyddai'n rhaid cael offer cyfieithu gan roi costau trwm ar gyllideb y Cyngor.

'Dw i ddim yn meddwl y gwna i sefyll yn etholiadau'r Cyngor Sir eto, ond gawn ni weld!

Dod i Sylw'r Heddlu

Un dydd Sadwrn, yn 1996, roeddwn wedi mynd i Feudy Newydd ac roedd dyn yno'n carthu'r siediau i mi gyda'r tractor. Yn anffodus, roedd olwynion ôl y tractor yn codi gan nad oedd digon o bwysau ar y cefn, a dywedais wrtho fod gen i far haearn a lwmp o goncrit adra ac y byddwn yn mynd i'w nôl nhw.

Wrth ddod yn ôl drwy bentref Llanystumdwy, stopiais y fan ger tafarn y Plu gan fy mod bron â byrstio. I mewn â mi i'r tŷ bach i wagio ac wedyn yn ôl i'r fan ac am y bont. Gan fod car yr heddlu'r ochr arall i'r bont, stopiais i adael iddo groesi. Es ymlaen wedyn ac ar ôl gyrru am tua milltir, sylwais fod car yr heddlu yn fy nilyn ac am i mi stopio. Es allan o'r fan ar ôl stopio. Daeth plismones o'r car:

'Lle 'da chi'n mynd?' holodd.

'Dydi o ddim busnes i chi be 'dw i'n neud. Pam 'da chi'n gofyn, beth bynnag?'

'Ydach chi wedi bod yn yfad?'

'Naddo, dowch â'r bag i mi os liciwch chi a cerwch i weld y leisans a'r teiars hefyd. Dudwch i mi, plisman Cricieth ydi hwnna yn y car efo chi? Gofynnwch iddo fo am fy hanes.'

'Gewch chi fynd, rŵan,' medda hi, 'ond ewch â'ch papurau i swyddfa heddlu Cricieth ddechrau'r wythnos.'

Y bore canlynol, daeth cnoc ar y drws. Y plismon lleol oedd yno.

'Gobeithio nad ydach chi'n meddwl fod gen i rwbath i neud efo'ch stopio chi ddoe,' medda fo.

'O'n i'n eich gweld chi'n rhyfedd yn dod ar fy ôl o Lanystumdwy,' atebais.

'Dduda i wrthach chi pam ddaru ni'ch stopio chi. 'Da ni 'di cael rhybudd fod yna lot o ddwyn defaid o gwmpas yr ardal. A ddudodd hi ddim byd am hynny?'

'Naddo.'

Yr wythnos honno, yr oeddwn yn gweithio ym Mlaenau Ffestiniog. Ar ôl gorffen y gwaith, llwythais bob dim ar y trelar oedd y tu ôl i'r fan. Wrth ddod o Blaenau, dyma gar heddlu'n fy stopio am nad oedd un golau'n gweithio. Tra siaradai un plismon efo fi, aeth y llall o gwmpas i archwilio'r trelar. Cefais ddarn o bapur gan y plismon yn dweud fod angen i mi drwsio'r lamp a mynd i swyddfa'r heddlu cyn dydd Gwener.

Dydd Iau, es i swyddfa'r heddlu:

'Dod yma efo'r papur i ddweud 'mod i wedi trwsio'r lamp ydw i,' meddwn.

'O, ddim i fan hyn oedd isho i chi ddod,' medda'r plismon, 'rhaid i chi fynd â fo i Fae Colwyn.'

Gorfodwyd fi i fynd yr holl ffordd i Fae Colwyn a gwastraffu amser drwy wneud hynny.

Ymhen ychydig wedyn, yr oeddwn wedi mynd i'r pictiwrs ym Mhorthmadog i weld y ffilm *Michael Collins*. Yr oedd gwraig Brian Thomas yn ei ddanfon o Bentrefelin ac roeddem yn cyfarfod yn nhŷ Glyn Povey, lle y gadewais y car. Aeth y tri ohonom i weld y ffilm a'i mwynhau'n fawr iawn, cyn troi i mewn i'r Sportsman am beint. I ffwrdd â ni wedyn a rhoddais reid i Brian i Bentrefelin. Wrth fynd, yr oedd y ddau ohonom yn dal i drafod y ffilm a phan stopiais y car o flaen tŷ Brian, yr oedd car heddlu y tu ôl i mi. Es allan:

'Be sy'n bod?' holais.

'Be sy'n bod arna chi?' medda'r plismon. 'Roeddach chi'n dod yn araf iawn.'

Wnes i ddim dweud mai yn rhy brysur yn trafod y ffilm oeddan ni.

''Da chi'n rhai rhyfadd iawn. Taswn i'n gyrru, fasa chi wedi fy stopio. Rŵan rydach chi'n fy stopio i am fynd yn rhy araf.'

Erbyn i mi ei weld o dan olau lamp y stryd, yr oeddwn yn

ei adnabod ac yntau'n fy adnabod innau. Chefais i mo'r bag.

Ymhen diwrnod neu ddau, yr oeddwn wedi colli dau oen ac mi fûm yn chwilio ym mhobman amdanynt. Ar nos Wener oedd hyn ac wedi iddi ddechrau tywyllu, dyma droi am adra. Wrth ddod drwy Gricieth, mi welais gar yr heddlu. Yr oeddwn yn ofalus iawn wrth ddod i fyny heibio'r Lion gan fod cymaint o rai ifanc o gwmpas y lle. Stopiais o flaen y tŷ ac fel yr oeddwn yn dod allan, roedd dau blismon yn dod allan o'r car y tu ôl i mi, un ar bob ochr. Saesneg oeddan nhw'n siarad, rhai o Gaergybi:

'Why didn't you stop when we were flashing?'

'It takes a lot of time to look out for these kids around here on a Friday night.'

'Have you been drinking?'

'No.'

'So you don't mind taking the breathalyser?'

Chwythais i mewn ac roedd yn glir, wrth gwrs.

'Can you get the documents for the car?'

'I can get them now,' atebais.

'Take them to the police station on Monday.'

'They are fed up of seeing me.'

'Don't you like the Cricieth policeman?'

'It's you that I don't like,' meddwn, ac i ffwrdd â nhw. Chlywais i ddim am y mater wedyn.

Ychydig wythnosau wedyn, yr oedd John a minnau'n mynd â dau lond car o'r gweithwyr i weithio yn y Fali yn Sir Fôn. Pan oeddem ger Bontnewydd daeth dau gar heddlu o'r tu ôl i ni gyda'u goleuadau fflachio a'r seirens yn canu. Stopiodd y ddau o'n blaenau.

'Be ddiawl 'da ni 'di neud rŵan,' meddwn.

Ond y tro hwn, doedd dim angen poeni. Yr oedd tŷ wedi mynd ar dân yng Nghricieth a'r dyn oedd yn byw yno wedi marw. Ein stopio a wnaethon nhw'r tro hwn am mai ni oedd yr ymgymerwyr lleol. Aeth yr heddlu i'r swyddfa a chael clywed ein bod ar y ffordd i Sir Fôn.

Er i mi fod ar y Cyngor Sir, chefais i erioed wahoddiad i eistedd ar Awdurdod Heddlu Gogledd Cymru. 'Sgwn i pam, tybed?

Sally Mathews

Mi gofiwch i mi sôn yn nechrau'r llyfr yma am deulu'r Mathews ddaeth i aros acw yn ystod y Rhyfel, ac i mi ddod yn dipyn o ffrindiau hefo'r hogan fach, Sally. Ar ôl mynd adra i Fryste, aethant i fyw mewn tŷ mawr yn Pilton gerllaw'r ddinas. Ymhen sbel, mi sgwennodd Mrs Mathews at Mam i ofyn faswn i'n mynd i lawr yno i baentio'r gegin. Roeddwn wedi paentio cegin Mam – rhan isaf y waliau yn wyrdd a'r rhan uchaf yn wyn – ac roedd hon eisiau i mi wneud yr un peth yn ei thŷ newydd hi. Es i lawr yno am wythnos ac yn ystod yr wythnos honno aethant â fi am dro i wahanol lefydd. Rhyw ddeuddeg neu dair ar ddeg oed oeddwn i bryd hynny.

Yn ystod y cyfnod hwnnw, adeiladwyd awyren anferth ym Mryste o'r enw'r *Brabazon* ac roedd angen gwneud milltiroedd o rynwe er mwyn iddi allu codi oddi ar y llawr. Tynnwyd pentref cyfan i lawr er mwyn gwneud lle i'r rynwe ond wedi iddi hedfan ni chafodd yr un arall ei hadeiladu.

Byddent yn mynd â fi o gwmpas y wlad y tu allan i Fryste, at afon Hafren ac at y fferi oedd yno cyn codi'r bont. Ar y ffordd dyma stopio mewn *lay-by* ac edrych i lawr ar bentref bach hynod o dlws, yr hyn a elwir yn Saesneg yn *picture postcard* o bentref, gyda rhyw ddeugain o dai, eglwys a thŵr, a mwg yn dod drwy gorn pob tŷ. Welais i erioed le mor drawiadol o ddel ond does gen i ddim syniad beth yw enw'r pentref na lle'n union y mae o.

Wedi bod yno am wythnos, ac ar ôl gorffen paentio'r gegin, deuthum adra i Gricieth wedi cael pres poced go lew. Welais i 'mo'r hogan fach honno wedyn ond byddai'r teulu'n gyrru cerdyn Nadolig at Mam ar hyd y blynyddoedd. Erbyn hynny, roedd y teulu wedi symud i Ddyfnaint a hithau'r fam yn ddynes broffesiynol oedd yn gweithio ym myd blodau.

Wedyn, aethant i gadw siop flodau a ffrwythau ond, yn ddiweddarach, clywodd Mam fod y ddau wedi marw.

Un prynhawn, a hynny ar ddiwrnod ail ffair Cricieth ym Mehefin 2010, cefais ganiad gan fy chwaer.

'Fedri di gesio pwy sy'n y tŷ 'ma rŵan?'

Doedd gen i ddim syniad, ond pwy oedd wedi cyrraedd yno ond Sally Mathews a'i gŵr. Roedd hi'n 68 ac yn dal i ystyried ei hun yn Gymraes oherwydd iddi gael ei geni yma. Roedd y ddau'n aros am wythnos o wyliau yn yr ardal ac fe gofiai Gricieth yn iawn er mai ond tair a hanner oedd hi pan aeth oddi yma. Aeth i mewn i Idris Cafe a gofyn am rif 8, Ty'n Rhos, ac am Mam, yr hon a alwai'n 'Naini Jones'. Roedd hefyd yn cofio, yn ei geiriau hi, *'That the son was called Little Harry and the daughter was Ann'*. Dywedodd yr eneth yn y caffi wrthi fod fy chwaer yn dal i fyw yn rhif 8 a bod Harri yng Nghricieth hefyd. Roedd ei gŵr yn aros amdani yn nhafarn y

Sally Mathews a minnau pan ddaeth hi'n ôl yn 2010

Prins a daeth Sally i mewn dan grio. Mi wnes i eu cyfarfod nhw yn Nhy'n Rhos. Roedd gŵr Sally yn 'sgotwr ac wedi bod yn siop Peter Pritchard i holi am y 'sgota, felly es â fo am dro i Fron Eifion ac roedd o wedi gwirioni efo'r llynnoedd 'sgota yn y fan honno. Dywedodd fod ganddo dŷ a thua dau gan acer ar gyrion Dartmoor lle roedd o'n tyfu a gwerthu tywyrch a'i bod hithau, Sally, yn arbenigwraig ar ddysgu cŵn sbaniels ar gyfer hela. Es â fo i Dyddyn Crythor er mwyn cael 'sgota ar y Ddwyfach, gan fy mod i'n berchen ar chwarter milltir o'r afon yn y fan honno.

Roedd Sally'n cofio mynd am dro i ben y Foel efo Mam; mae'n rhaid bod y lle wedi creu argraff fawr arni oherwydd mi oedd hi'n dangos y ffordd i fynd yno. Gan mai Mam oedd wedi ei magu i bob pwrpas tan oedd hi'n dair a hanner, roedd ganddi hiraeth ar ei hôl.

Yn gymharol ddiweddar, es i gyfarfod ysbrydegol yn hen ysgol Pentrefelin. Wrth gerdded i mewn yn hwyr (fel arfer), dyma'r ddynes yn y tu blaen yn agor ei ll'gada ac yn dweud:

'*You, the gentleman who has walked in, has a man walking with you and he's got a Royal Navy uniform on.*'

Ac mi wyddwn o'r disgrifiad mai tad Sally oedd o.

Cau Pen y Mwdwl

A minnau erbyn hyn dros fy mhedwar ugain, 'dw i'n dal i ffarmio ac yn mwynhau gwneud hynny. Bellach tydw i ddim yn ymwneud â'r cwmni adeiladu – dim ond rhoi ambell gyngor fydda i pan fydd angen hynny. Rhoddais y gorau hefyd i redeg y siop sglodion y bûm yn ei chadw am rai blynyddoedd yma yng Nghricieth.

Trosglwyddais y busnes i'r hogiau, a nhw sy'n rhedeg pob agwedd o'r gwaith. Y mae gen i un wyres, Haf, a dau ŵyr, Iolo ac Iwan.

Wrth gwrs, y mae henaint yn dod â phethau gydag o. Mae'r iechyd yn dal yn dda ac mae fy nghof yn iawn ond fod un ben-glin yn brifo ac wedi fy nghloffi. Tra gallaf symud, mi ddaliaf ati.

Iolo a Haf, dau o'r wyrion, pan oeddynt yn yr ysgol gynradd

Un arall o fy wyrion – Iwan